À Graciela

LE CONTRÔLE FINANCIER
DU CAPITALISME CANADIEN

DU MÊME AUTEUR

Los Empresarios y el Estado argentino, Buenos Aires, Siglo XXI, 1974.

Les Entrepreneurs dans la politique argentine, 1955-1973, Montréal, Les Presses de l'Université du Québec, 1976.

À paraître:

The Canadian Economy: How and Who Controls it, Montréal, The Black Rose Books, 1978.

LE CONTRÔLE FINANCIER
DU CAPITALISME CANADIEN

par

Jorge Niosi

1978

LES PRESSES DE L'UNIVERSITÉ DU QUÉBEC

C. P. 250, Succursale N, Montréal, Canada   H2X 3M4

La conception graphique de la couverture est de GEORGE JAHN.

ISBN 0-7770-0218-3

Les Presses de l'Université du Québec

Dépôt légal — 2ᵉ trimestre 1978
Bibliothèque nationale du Québec

La puissance des banques s'accroît, elles deviennent les fondateurs et finalement les maîtres de l'industrie, dont elles tirent les profits à elles en tant que Capital financier.

R. Hilferding,
le Capital financier, Paris, 1970, p. 319.

INTRODUCTION

Les études sur le contrôle des grandes sociétés et sur la concentration économique au Canada ne sont pas nombreuses. Plusieurs recherches, dont les travaux de G. Rosenbluth[1], l'ouvrage de Kari Levitt, *la Capitulation tranquille*[2] ou le Rapport Gray sur les investissements étrangers directs au Canada[3] ont mis en relief l'importance de la mainmise étrangère sur le contrôle des grandes entreprises et dans la détermination du niveau très élevé de concentration de l'économie canadienne. Mais les études sur les grandes compagnies contrôlées par des intérêts canadiens sont beaucoup moins nombreuses. À ce sujet, on trouve trois principaux courants d'interprétation. Premièrement, il y a l'interprétation marxiste, la plus fréquente, celle de F. et L. Park[4], qui affirme que les banques à charte et d'autres institutions financières contrôlent les sociétés canadiennes non financières. En deuxième lieu, la théorie du contrôle interne, que l'on enseigne fréquemment dans les cours d'administration, d'après laquelle ce sont des «managers» professionnels, sans propriété, qui ont le pouvoir dans les sociétés par actions. Enfin, troisièmement, l'affirmation par des sociologues radicaux, comme J. Porter ou W. Clement, que les grandes entreprises canadiennes sont contrôlées par une élite économique, formée des membres des conseils d'administration de ces sociétés[5].

Le premier but de ce livre est de faire la critique de ces trois interprétations courantes au moyen de données récentes provenant de sources officielles et privées. Les données ont été recueillies, et sont présentées, en fonction de cet objectif principal. Elles proviennent de plusieurs sources officielles et privées dont les Bulletins mensuels de la Commission des valeurs mobilières du Québec et de l'Ontario Securities Commission sur la propriété des actions des compagnies publiques incorporées au Canada. À notre connaissance, c'est la première fois que ces documents officiels des Commissions des valeurs mobilières, auront été systématiquement dépouillés. Ils contiennent des renseignements précieux sur les actions détenues par les administrateurs et par la haute direction des compagnies qui sont cotées dans les bourses canadiennes. On s'est servi aussi des Annuaires *Moody's* de New York et *Financial Post* de Toronto ainsi que des *Liens de parenté entre les firmes* publié par Statistique Canada. Ces dernières sources fournissent surtout des données sur la propriété des institutions au sein des compagnies. Les journaux financiers, les données officielles de Statistique Canada, des Commissions royales d'enquête et des Commissions parlementaires complètent les sources documentaires qui servent de base à cette étude.

Le deuxième but fondamental de ce livre est de montrer l'existence d'une grande bourgeoisie canadienne et d'en déterminer la composition interne et les modes de contrôle des grandes sociétés. La littérature nationaliste au sens le plus large a contribué à l'analyse de la mainmise étrangère au Canada. Elle a cependant négligé l'étude de la classe dominante locale. Par «bourgeoisie», ou «classe dominante», on entend le groupe social qui est propriétaire des moyens de production et de distribution et qui les met en œuvre à l'aide de force de travail salariée. Mais dans les pays capitalistes industriels, ces moyens de production et de distribution sont en quasi-totalité la propriété de sociétés par actions publiques ou privées, qui appartiennent à leurs actionnaires. Toute étude sur la bourgeoisie canadienne doit alors commencer par identifier les propriétaires des sociétés par actions et déterminer les mécanismes juridiques, sociaux et financiers qui lui servent à retenir le contrôle des compagnies, et à le transmettre au cours des générations. Mais les sociétés par actions ne sont pas toutes également importantes. Notre recherche analysera seulement les plus grandes compagnies sous contrôle canadien dans tous les secteurs d'activité économique. On a fixé un seuil minimal de $100 millions d'actif total à la fin de 1975 pour avoir une liste réduite des sociétés d'envergure internationale. C'est donc dire qu'on n'étudiera pas toute la bourgeoisie, mais seulement une partie de cette classe, la partie supérieure, celle qui possède les plus grandes entreprises du Canada. Cette fraction supérieure de la bourgeoisie sera appelée «grande bourgeoisie»; on a préféré ce terme à celui d'«oligarchie financière» utilisé par d'autres auteurs[6], à cause de la liaison existant entre ce dernier concept et la théorie du capital financier qui est critiquée dans cet ouvrage.

Les méthodes financières et juridiques de contrôle des sociétés — telles les sociétés à portefeuille privées ou publiques — seront étudiées aussi. Par contrôle, on entend le pouvoir juridique d'élire le conseil d'administration d'une société par actions (ou la majorité de celui-ci); ce pouvoir revient normalement aux individus, groupes d'associés ou familles qui détiennent un bloc d'actions suffisamment important pour imposer leur choix. Ce concept est nettement différent de celui du concept d'influence; en effet, l'influence est la capacité d'obtenir des modifications dans la politique à long terme d'une compagnie (concernant par exemple les investissements, les fusions, la diversification, etc.) sans pour autant la contrôler. L'influence est beaucoup plus difficile à mesurer et à cerner que le contrôle. Dans ce livre on ne traitera que du concept de contrôle.

Ces deux objectifs ont été, croit-on, atteints. Mais il ne s'agit là que d'objectifs restreints si on les compare à l'ampleur du terrain qui n'est pas encore déblayé. On ne connaît pas assez les méthodes et le degré de contrôle des sociétés canadiennes dans le passé, les grandes vagues de fusions, et notamment celle de 1925 à 1930 qui a réorganisé complètement l'industrie canadienne, ou les multinationales canadiennes à l'étranger. L'étude de ces points est indispensable pour comprendre le processus de formation du capital monopoliste canadien, processus qui est en même temps celui de la production et reproduction de la classe dominante autochtone.

Philip Ehrensaft et Tom Naylor ont lu le manuscrit au complet et ont fait des critiques qui ont servi à l'améliorer. Je demeure cependant seul responsable des erreurs et omissions qui ont pu s'y glisser. Une version préliminaire de ce texte a été publiée dans la revue *Our Generation,* vol. 12, n⁰ 1.

Montréal, 1977

NOTES DE L'INTRODUCTION

1. G. Rosenbluth, *Concentration in Canadian Manufacturing Industries,* Princeton University Press, 1957; «Concentration and Monopoly in the Canadian Economy», dans M. Oliver (édit.), *Social Purpose for Canada,* University of Toronto Press, 1961; «The Relation Between Foreign Control and Concentration in Canadian Industry», dans *Canadian Journal of Economics,* vol. 3, fév. 1970, p. 14-38.
2. K. Levitt, *la Capitulation tranquille,* Montréal, Réédition-Québec, 1972.
3. Rapport Gray, *Investissements étrangers directs au Canada,* Ottawa, Information-Canada, 1972.
4. F. et L. Park, *Anatomy of Big Business* (1962), Toronto, J. Lewis & Samuel, 1973.
5. J. Porter, *The Vertical Mosaic,* Toronto, University of Toronto Press, 1965.
   W. Clement, *The Canadian Corporate Elite,* Toronto, Mc Clelland & Stewart, 1975.
6. Entre autres, Lénine, *l'Impérialisme* (1917), Moscou, Éd. en Langues étrangères, 1966.
   — J.-M. Chevalier, *la Structure financière de l'industrie américaine,* Paris, Cujas, 1970.

CHAPITRE PREMIER

CONTRÔLE INDUSTRIEL ET CAPITAL FINANCIER

C'est en 1910 que le marxiste autrichien Rudolf Hilferding formula sa théorie du capital financier, théorie qui affirme la dépendance croissante des sociétés industrielles et commerciales vis-à-vis des banques. Cette théorie a été reprise en partie par Lénine, et les chercheurs marxistes de différents pays ont cru trouver dans chaque réalité nationale, si spécifique fût-elle, la domination bancaire de l'industrie. Quelques auteurs se sont cependant élevés contre la théorie du capital financier, tout au moins dans le contexte des États-Unis contemporains: Baran, Sweezy, Magdoff et O'Connor en particulier. Plus récemment d'autres auteurs marxistes (Menchikov, J.-M. Chevalier) ont exposé des arguments en faveur d'une nouvelle théorie du contrôle financier de l'industrie. Nous allons dans une première partie cerner le développement de la théorie et du débat marxistes autour de la question, pour essayer de la placer dans son contexte historique. Dans une deuxième partie nous passerons en revue les quelques textes canadiens qui ont été écrits sur le sujet. Dans la partie centrale de notre travail nous proposerons nos propres hypothèses sur le capital financier au Canada et nous essayerons de les étayer le mieux possible. Notre proposition centrale étant que le contrôle de l'industrie canadienne par des institutions financières est très restreint, et que l'emprise des banques sur les sociétés productrices est faible; en somme que la théorie du capital financier sous quelque forme que ce soit ne s'applique que très peu à la réalité canadienne, et que le contrôle des sociétés non financières se situe, à quelques exceptions près, ailleurs que dans les institutions financières.

1. Le débat sur le capital financier dans la théorie marxiste

Hilferding et Lénine: le contrôle bancaire de l'industrie

R. Hilferding affirme que les banques tendent à contrôler de plus en plus les sociétés par actions. C'est la thèse centrale de son célèbre ouvrage *le*

Capital financier. Les banques réussiraient cet exploit grâce à leur emprise sur le marché des capitaux et sur le marché monétaire. Dans le premier cas, l'émission d'actions et d'obligations par les sociétés industrielles à travers les banques donne à celles-ci la possibilité de dominer l'industrie. En effet, en tant qu'intermédiaires dans l'émission de titres, les banques peuvent conserver une partie des actions avec vote et par ce fait acquérir un pouvoir de contrôle sur la société industrielle. Ce processus devient d'autant plus facile que le contrôle d'une compagnie par actions peut s'exercer avec un tiers, un quart ou même moins des actions, comme Hilferding l'a souligné.

Ce contrôle sur l'industrie peut se pratiquer soit au moment de la fondation, soit lors de la fusion de plusieurs entreprises, soit au moment d'une capitalisation par l'émission de nouvelles actions. Mais l'emprise bancaire peut avoir à son origine la concession répétée de crédit commercial à la société industrielle; cette position de la banque en tant que créancière l'amène à s'intéresser de plus en plus aux sociétés qui empruntent, et lui fait connaître de mieux en mieux leur développement administratif et financier:

> C'est la transmissibilité et la négociabilité de ces parts de capital qui constituent l'essence de la société par actions, qui donne alors à la banque la possibilité de la «fondation» et par là de la domination finale de la société[1] [...]. Mais la banque, non seulement peut accorder davantage de crédit à la société par actions qu'à l'entreprise individuelle mais peut aussi placer une partie de son capital en actions pour une durée plus ou moins longue. Dans tous les cas, la banque prend un intérêt durable à la société par actions, qu'elle doit, d'une part contrôler pour assurer le bon emploi de son crédit et de l'autre, dominer le plus possible en vue de s'assurer toutes les transactions financières qui rapportent des bénéfices. Tout cela explique l'effort que font les banques pour exercer une surveillance constante sur les sociétés par actions auxquelles elles sont intéressées et cela en se faisant représenter au conseil d'administration[2].

Intéressées à la fusion des entreprises pour retirer des bénéfices de la vente de nouveaux titres sur le marché financier, les banques sont un puissant moteur de la concentration. Lors de ces fusions elles conservent une partie des actions des nouvelles sociétés issues de la fusion (bénéfice de fondateur) et elles peuvent ainsi se faire représenter au conseil d'administration de ces compagnies.

Par ailleurs, Hilferding décrit aussi la subordination croissante du capital commercial au capital industriel, et en dernière instance au capital bancaire:

> Tout autre est le développement du capital commercial. Le développement de l'industrie le chasse peu à peu de la position dominante qu'il occupait à l'époque de la manufacture. Mais ce

recul est définitif, et le développement du capital financier réduit le commerce absolument et relativement et transforme le marchand, autrefois si fier, en simple agent de l'industrie monopolisée par le capital financier[3].

En somme, Hilferding énonce la théorie de la subordination du capital industriel aux banques au moyen du financement des émissions de valeurs mobilières, par le biais du crédit commercial, et à travers la réorganisation industrielle (fusions). Latéralement il affirme la subordination graduelle du capital commercial au capital industriel.

Pour l'essentiel Lénine a fait sienne la théorie du capital financier. Dans les *Cahiers de l'impérialisme* et la préface à *l'Impérialisme*, Lénine critiqua les théories de Hilferding concernant l'argent (en particulier sa théorie quantitative de la monnaie) ainsi que certains points de vue du marxiste autrichien sur l'impérialisme et le partage du monde[4]. Lénine n'attaqua pas toutefois Hilferding sur sa définition du capital financier.

Si une banque escompte les lettres de change d'un industriel, lui ouvre un compte courant, etc., ces opérations en tant que telles ne diminuent pas d'un iota l'indépendance de cet industriel et la banque ne dépasse pas son rôle modeste d'intermédiaire. Mais si ces opérations se multiplient et s'instaurent régulièrement, si la banque réunit entre ses mains d'énormes capitaux, si la tenue des comptes courants d'une entreprise permet à la banque — et c'est ce qui arrive — de connaître avec toujours plus d'ampleur et de précision la situation économique du client, il en résulte une dépendance de plus en plus complète du capitaliste industriel à l'égard de la banque[5].

Le capital financier, concentré en quelques mains et exerçant un monopole de fait prélève des bénéfices énormes et toujours croissants sur la constitution des firmes, les émissions de valeurs, les emprunts d'État, etc., affermissant la domination des oligarchies financières[6] [...].

Dans le même ouvrage, Lénine emploie toutefois des termes plus vagues et moins catégoriques que ceux de la théorie d'Hilferding. Il définira alors le capital financier comme la «fusion», l'«interpénétration» ou l'«interdépendance» de la banque et de l'industrie, sans préciser laquelle serait dominante.

Dans la littérature marxiste les deux types de définitions (celle du «contrôle bancaire» et celle de la «fusion» banque-industrie) se retrouvent certaines fois nettement distinctes et d'autres fois presque synonymes. Ainsi, deux des ouvrages marxistes les plus marquants sur les États-Unis les présentent différemment. Anna Rochester définit le capital financier dans le sens d'interpénétration et non pas de contrôle bancaire.

Les banquiers acquièrent des intérêts industriels. Les sociétés industrielles acquièrent des intérêts bancaires. Un nouveau type de financier émerge, qui agit dans les deux champs et qui représente le «capital financier» (différent du capital bancaire) caractéristique du capitalisme monopoliste et de l'ère impérialiste. Une telle fusion de capital bancaire et industriel a tôt été reconnue comme la dimension dominante de la vie économique américaine durant la crise et la récession de 1893-1897 et au cours des années de boom qui ont suivi la guerre hispano-américaine de 1898[7].

Victor Perlo, par contre, fond les deux définitions en une seule: «Le capital financier, c'est-à-dire le résultat de la fusion des monopoles et monopoleurs bancaires et industriels, aboutissant à la création de supermonopoles qui dominent même les plus grands ensembles industriels[8].»

Il serait inutile de s'arrêter à l'examen des innombrables reprises de l'interprétation léniniste du capital financier. Elles véhiculent l'ambiguïté de la position de Lénine dans *l'Impérialisme*.

Baran, Sweezy et Magdoff: le capital financier, une phase transitoire

Un abandon total de cette position est opéré par Paul Baran, Paul Sweezy et Harry Magdoff. Ces auteurs constatent, dans le contexte de l'économie des États-Unis, le déclin du contrôle bancaire sur l'industrie. Ils signalent tout d'abord la différence, dans le système financier américain, entre les banques commerciales qui fournissent du crédit à court terme à l'industrie, et les banques de placement (*investment banks*) qui s'occupent du financement de l'émission de valeurs mobilières des sociétés. Légalement séparées aux États-Unis depuis 1933, les banques commerciales et de placement auraient perdu du terrain dans le contrôle de l'industrie déjà à partir de la Première Guerre mondiale. Les grandes sociétés industrielles se seraient libérées de l'emprise du capital bancaire par les moyens suivants: (*a*) en développant leur propre fonds de roulement pour le financement des opérations courantes; (*b*) en limitant l'émission d'actions et d'obligations et en comptant davantage sur les profits non distribués pour financer l'investissement à long terme; (*c*) la taille des grandes sociétés est devenue plusieurs fois supérieure à celle des banques de placement et comparable à celle des plus importantes banques commerciales; (*d*) la croissance des investisseurs institutionnels non intéressés par le contrôle des sociétés (compagnies d'assurance, fonds mutuels, sociétés de fiducie, sociétés de placement à fonds fixes, caisses publiques de retraite, etc.) permet aux sociétés de se passer de plus en plus des services des banques de placement.

Ces investisseurs institutionnels seraient plus intéressés par la rentabilité des actions que par leur utilisation comme moyen de contrôle des compagnies industrielles et même lorsqu'elles sont des actionnaires importants elles ne nommeraient pas de «délégués» aux conseils d'administration des sociétés[9]. Finalement la séparation légale en 1933, par le Glass-Seagall Act, des banques commerciales par rapport aux banques de placement, aurait porté un coup final à la domination bancaire sur l'industrie américaine.

Baran, Sweezy et Magdoff mettent même en question la survivance des groupes financiers ou d'intérêt, c'est-à-dire des ensembles économiques formés d'une ou de plusieurs sociétés mères et d'une ou de plusieurs filiales. Dans une étude classique faite en 1939 pour la Temporary National Economic Commission des États-Unis, Sweezy trouvait huit grands groupes financiers aux États-Unis: les groupes Rockefeller, Morgan, Mellon, Kuhn Loeb, Chicago, Cleveland, Boston et Du Pont. En 1936 Anna Rochester en avait trouvé trois principaux (Rockefeller, Mellon et Morgan) et sept secondaires (Kuhn, Loeb & Co., Lee, Higginson & Co., Kidder Peabody & Co., Brown Bros Harriman & Co., Hayden Stone & Co., Lehman Bros et Goldman Sachs & Co.)[10]. En 1960, et peut-être sous l'influence de l'étude de la T.N.E.C., Perlo trouvait les mêmes huit groupes financiers que ceux observés par Sweezy en 1939[11]. De son côté et sur la base de données de 1965-1966, Jean-Marie Chevalier constate la présence de six groupements aux États-Unis: Rockefeller, Morgan, Mellon, Cleveland, Manufacturers Hannover Trust et Chemical Bank[12]. Dans tous les cas, l'échange d'administrateurs, la propriété des actions et l'intégration des activités sont les critères employés pour définir les groupes, qui d'autre part n'ont pas de frontières trop précises à cause des filiales communes, des contrôles minoritaires et de la faible signification du critère de l'échange d'administrateurs. Baran et Sweezy affirment cependant, en 1966, que les groupements d'intérêts sont en train de disparaître: «Nous ne soutenons pas que les groupes d'intérêts ont disparu ou qu'ils n'ont plus d'influence sur l'économie américaine. Nous affirmons par contre que leur importance décroît rapidement et qu'un modèle approprié de l'économie peut désormais ne pas en tenir compte[13].»

Ainsi, si dans leurs ouvrages précédents, Baran et Sweezy attaquent la validité de la conception «forte» du capital financier (compris dans le sens du contrôle bancaire de l'industrie), ici ils combattent même l'hypothèse la plus «faible», celle de l'interpénétration ou de la fusion du capital bancaire et du capital industriel.

Chevalier, Menshikov: le capital financier mis à jour

Pour Jean-Marie Chevalier[14] les institutions financières américaines ne jouent aucun rôle dans le contrôle de l'industrie, à l'exception des banques commerciales. Les banques de placement, les compagnies d'assurance, les sociétés de placement, et les maisons de courtage agiraient comme de simples investisseurs et orienteraient leurs achats et ventes d'actions en fonction de leur rendement et de leurs cotes boursières. Si une compagnie industrielle dont elles détiennent des actions a de mauvais rendements financiers, ces institutions financières préfèrent vendre les titres plutôt que de chercher à influencer ou à contrôler l'administration de la compagnie. Par contre les banques commerciales, par l'intermédiaire de leur département de fiducie, accumulent des actions des sociétés industrielles grâce aux fonds que leur apporte la gérance des caisses de pension. La masse d'actions ainsi accumulée devient trop importante pour que les banques puissent s'en départir facilement. Ainsi, en 1965, les banques commerciales américaines détenaient 110 milliards de dollars en actions, soit 18% de la valeur totale des actions émises aux États-Unis, et ce pourcentage augmente d'année en année[15]. Si l'on ajoute le financement des entreprises industrielles par les banques (qui reste considérable) et les liaisons personnelles au niveau des conseils d'administration, Chevalier apporte des éléments non négligeables en faveur d'une théorie du contrôle bancaire autre que celle d'Hilferding. Ce n'est plus l'émission de titres ou la fondation de sociétés qui sont à la base du pouvoir des banques, mais l'accumulation d'actions dans les départements de fiducie et en particulier dans les trusts des fonds de pension. Une telle accumulation empêche les banques de se comporter comme de purs investisseurs et elles seraient presque contraintes de chercher à influencer puis à contrôler les sociétés dont elles sont actionnaires. Ce phénomène daterait de l'après-guerre et prendrait des proportions croissantes pour redonner aux banques une situation dominante à l'intérieur de l'économie américaine.

L'économiste russe Menshikov[16] postule que la disparition du financement externe et la croissance de l'autofinancement ne se sont vérifiées que pendant quelques années entre les deux guerres mondiales, et que la dépendance des sociétés industrielles par rapport au financement bancaire n'a pas diminué. Il admet cependant que le contrôle absolu et majoritaire (autant celui exercé par les familles que celui des institutions financières) a fait place à des situations très nombreuses de contrôle minoritaire. Aussi, les groupes financiers n'ont plus de frontières définies comme au début du siècle et le contrôle conjoint de sociétés par plusieurs groupes est devenu fréquent. Par ailleurs l'accumulation d'actions par les banques commerciales leur donne un pouvoir «latent»:

> À première vue il apparaît comme s'il n'y avait pas de contrôle externe ou comme si le contrôle était exercé par un groupe de dirigeants supérieurs. La plupart des arguments de la théorie de la «révolution des administrateurs» sont fondés sur cette dernière illusion. [...] Mais si les banques possèdent ou administrent un bloc considérable d'actions, le mécanisme du vote par procuration ne sera un moyen effectif de contrôle par la haute direction que si celle-ci s'allie aux banques, ou si ces dernières maintiennent une neutralité favorable à la direction. Dans de tels cas le contrôle conjoint par la haute direction et par les banquiers est évident, ceux-ci ayant fréquemment le dernier mot. [...] Puisque les blocs d'actions concentrés dans les départements de fiducie sont suffisamment larges, ils représentent toujours une menace pour la haute direction des sociétés[17].

Menshikov rejoint ainsi Chevalier à plusieurs égards et il nuance la théorie du capital financier, en affirmant la possibilité qu'au moins une partie du contrôle des sociétés soit passée entre les mains de la haute administration, et en précisant les nouvelles modalités du contrôle bancaire.

Alors que pour Chevalier et Menshikov la croissance spectaculaire des fonds de pension investis en actions dans les départements de fiducie des banques commerciales peut donner lieu à un nouveau type de contrôle financier, pour R. Fitch et M. Oppenheimer[18] ce contrôle existe déjà. Utilisant les données du Rapport Patnam sur la détention d'actions par les banques commerciales américaines, F & O concluent que la résurgence du capital financier est un fait accompli aux États-Unis. De ce postulat, ils tirent des conclusions imaginatives sur les conséquences d'un tel contrôle au sein des grandes sociétés: ralentissement de la croissance des firmes subordonnées au capital financier, mauvaise administration des nouveaux conglomérats qui ne seraient que des mammouths financiers destinés à assouvir la soif de profits à court terme des banques, etc. En somme la vague de fusions spéculatives de 1896-1905 ou de 1925-1930 se répéterait, mais cette fois-ci ayant les banques commerciales (et non plus les banques de placement) comme moteur et comme bénéficiaire. Ce n'est pas une tâche difficile pour Sweezy et pour O'Connor[19] de démontrer à F & O que les grandes sociétés prétendument soumises au capital financier poussent plus vite que les autres, que leur comportement à l'égard du profit est sensiblement égal quelle qu'en soit la taille, et que les nouveaux conglomérats semblent se porter très bien. Dans leur réponse, Sweezy et O'Connor n'assignent pas une importance particulière à l'accumulation d'actions dans les départements de fiducie des banques commerciales américaines. Pour eux, la détention d'actions n'est pas une preuve de contrôle; et ils vont même plus loin: ils affirment que le comportement des grandes sociétés est indépendant du contrôle, que leur performance dans le marché suit des normes de stricte rationalité capitaliste, quel qu'en soit le détenteur du contrôle. Ce postulat rend la question du contrôle des sociétés plus ou moins intéressante et dénuée de tout intérêt scientifique. Dans ses réponses à Sweezy et à O'Connor, R. Fitch peut alors marquer des points en les accusant de postuler trop facilement la rationalité des firmes géantes et des conglomérats et de placer toutes les anomalies du capitalisme au niveau du *système*, au niveau macro-économique[20]. Cependant F & O n'arrivent pas à prouver l'existence du contrôle financier de l'industrie américaine ni ses prétendus méfaits; Sweezy et O'Connor ne réussissent pas non plus à infirmer ce contrôle.

Enfin, écrivant dans *Monthly Review,* Edward S. Herman critique la nouvelle théorie du contrôle bancaire. D'après lui les départements de fiducie des banques commerciales ne peuvent pas être employés par les banquiers pour s'emparer du contrôle des sociétés, et cela pour plusieurs raisons:

> Un facteur négatif découle de l'organisation des banques: dans les plus grandes banques les départements fiduciaires sont des bureaucraties séparées, dont la fonction est d'administrer et de fournir des services aux détenteurs de comptes en fidéicommis et à d'autres investisseurs clients. Ces bureaucraties sont en concurrence avec d'autres groupes de professionnels du placement (tels que les firmes de conseillers en investissement) et elles subissent une pression concurrentielle et morale qui les pousse à adhérer à des normes professionnelles de comportement. [...] Ce facteur bureaucratique est lié étroitement à une deuxième restriction majeure au placement bancaire en quête de contrôle: la pression des clients qui ont déposé leurs fonds dans la banque pour que celle-ci les administre. [...] Toute banque dont la politique de placement était dominée par un désir de contrôle aurait de mauvais rendements en tant qu'investisseur et perdrait rapidement des clients en conséquence, tant dans le département de fiducie qu'ailleurs. [...] La loi constitue un troisième obstacle majeur à l'utilisation par les banques des ressources de leur département de fiducie à des fins de contrôle. Le contrôle bancaire sur des sociétés clientes au moyen de la propriété d'actions serait probablement interdit sous les lois antitrust en tant que forme illégale d'intégration verticale. [...] Une quatrième restriction à la recherche du contrôle par les banques est le fait, déjà mentionné, que les groupes d'administrateurs qui contrôlent les sociétés n'aiment pas être déplacés, ou même partager le contrôle, avec des intérêts externes[21].

Herman signale que les théoriciens du contrôle bancaire n'ont pas fourni des preuves de déplacement des conseils d'administration par les banquiers à l'intérieur des sociétés et que les pourcentages d'actions détenues par les banques, plus un ou deux administrateurs n'indiquent pas un contrôle bancaire, mais plutôt une coopération du *management* avec les banquiers.

La théorie marxiste dans un contexte historique

Après avoir passé en revue quelques-unes des principales contributions à la théorie marxiste du capital financier, et mis en évidence plusieurs de ces points litigieux, essayons maintenant d'en expliquer les différences à la lumière des contextes historiques (époques, pays) auxquels ces théories font référence. Ce travail a déjà été amorcé en France par l'historien des banques Jean Bouvier[22]. Bouvier distingue, d'une part le système bancaire continental, qui existerait en Allemagne, en Autriche, en Belgique, en Russie tsariste, en Italie et dans la plupart des pays européens, avec des banques multifonctionnelles (à la fois commerciales et de placement), et d'autre part le système britannique avec une spécialisation très poussée des banques et du système financier en général. Le système bancaire français se trouverait à mi-chemin entre les deux avec, d'une part, des banques de dépôts (ou banques commerciales) et, de l'autre, des banques d'affaires (ou banques de placement). «Le modèle analysé par Hilferding coïncide — et remarquablement — avec les structures du capitalisme allemand (et autrichien) du temps, et plus généralement avec le modèle «continental» des relations banque-industrie, tel qu'on le voit aussi en fonction en Belgique, Italie, Russie... Mais il ne coïncide pas entièrement avec les réalités anglaises et françaises, où la fusion du capital financier est beaucoup moins poussée[23].»

Bouvier met ainsi la théorie de Hilferding et de Lénine dans une perspective historique qu'il est essentiel d'approfondir. Il pose explicitement, par ailleurs, quelques-uns des problèmes du modèle classique du capital financier: ceux de la mensuration et des frontières du contrôle et des groupes financiers, le sens imprécis du terme «fusion», l'existence maintes fois constatée de firmes industrielles importantes et indépendantes des groupes, la prise de contrôle de banques et d'autres institutions financières par des sociétés industrielles.

Cependant si Bouvier ouvre la voie à une remise en question de la théorie marxiste du capital financier, sa contribution s'arrête là. Spécialiste du système bancaire français il ne traite pas des systèmes financiers américain et anglais, systèmes qu'il est indispensable d'examiner pour comprendre le «capital financier» au Canada. Par ailleurs, il n'examine que la version classique (celle d'Hilferding et de Lénine) de la théorie marxiste du capital financier. C'est à cette tâche qu'il faut s'attaquer avant de passer à l'étude du «contrôle financier» de l'industrie canadienne.

Il semble évident qu'Hilferding et Lénine ont fondé leur théorie sur l'examen du «modèle continental» des rapports banque-industrie. La presque totalité de leurs exemples viennent de l'Allemagne, de l'Autriche, de la Russie. Devant les grandes banques multifonctionnelles, l'industrie tardive de ces pays se trouvait dans une position de faiblesse et de dépendance. Les banques s'étaient renforcées au XIXe siècle dans le financement des États, dans les activités de crédit liées au commerce extérieur et dans le change de monnaies alors que l'industrialisation était beaucoup moins avancée. Il est à souligner que ni Hilferding ni Lénine ne font référence à divers types de banques et qu'ils rendent les activités de placement aussi responsables que le crédit commercial de la dépendance industrielle envers les banques. C'est donc dire qu'ils ne connaissent pas beaucoup les réalités anglaise, française ou américaine, où coexistent plusieurs types de banque. Souvent les grandes banques d'Allemagne ont pris l'initiative de la fondation de sociétés industrielles entièrement nouvelles, ainsi que de la fusion de sociétés indépendantes. En tant que banques de dépôt et banques d'affaires, elles pouvaient par de nombreux moyens influencer les sociétés industrielles et en prendre le contrôle[24]. Les *credit banks* allemandes sont le type même de banques qui contrôlent l'industrie par l'intermédiaire du crédit commercial, de l'émission de titres, de la fondation de nouvelles firmes et la fusion des sociétés existantes, de l'accumulation à long terme d'actions en portefeuille, etc.

Ce modèle «continental» œuvrait en Belgique depuis 1822 avec la création de la Société générale de Belgique, une banque mixte de dépôts et placements exerçant une grande activité au niveau industriel et commercial. En France, le Crédit mobilier des frères Péreire (de 1852 à 1867) et les banques d'affaires depuis les années 1860 se conforment largement au modèle du capital financier de Hilferding et Lénine. En Russie et en Italie, l'adoption du système bancaire «continental» s'est faite largement par l'entrée des banques d'affaires françaises et allemandes dans ces pays: en Russie, en 1914, les plus grandes banques à charte «mixtes» étaient soit sous contrôle français (les Banques Russo-Asiatique, Union, Privée commerciale de Saint-Pétersbourg et Russo-Française) ou allemand (Banque russe pour le Commerce extérieur, Internationale, Commerciale de Varsovie, et de Prêt et d'Escompte de Saint-Pétersbourg). Français et Allemands contrôlaient ensemble deux autres grandes banques. En Italie, la poussée industrielle de 1896-1914 s'est accompagnée de la création par les banques allemandes de deux grandes banques d'affaires: la Banca Commerciale Italiana et le Credito Italiano. Dans ces deux pays, les banques d'affaires «importées» étaient à la tête de la promotion et du crédit industriels. Ajoutons enfin qu'au Japon il y eut un degré tout aussi élevé de «fusion banque-industrie» depuis la restauration Meiji, sans que la banque ne se place dans une position aussi dominante que dans les cas précédents[25].

Lorsqu'on examine le type de pays qui a produit un système bancaire «continental» on a tendance à appuyer, au moins partiellement, la thèse de Gerschenkron[26]: l'industrialisation tardive, combinée à la faiblesse du marché de capitaux et à la nécessité d'adopter des techniques de plus grande échelle a vraisemblablement poussé à une plus grande coordination entre banques et industries, coordination qui, dans nombre de cas, se présente comme un contrôle bancaire sur l'industrie, purement et simplement. Le modèle «continental» est probablement celui du capitalisme industriel tardif.

Entre-temps le système financier anglais se situe à l'opposé du «modèle continental». En Grande-Bretagne il y a, depuis le XIXᵉ siècle, plusieurs types de banques: les banques commerciales (*joint stock banks*), comme la Lloyd's Bank, spécialisées dans le prêt à court terme; les banques de placement, comme Baring Bros (*investment banks*), spécialisées dans l'émission de titres des gouvernements et peu intéressées par les titres des sociétés; enfin les *country banks* ou banques locales, de petite taille qui ont contribué, aux XVIIIᵉ et XIXᵉ siècles, au financement de l'industrie. Les deux principaux types de banques, les banques commerciales et de placement sont demeurées à l'écart de l'industrie. Deux auteurs classiques s'expriment à ce sujet comme suit:

> La banque britannique ne s'occupe que d'affaires bancaires. Elle considère que sa tâche est uniquement financière et ne se soucie pas de s'immiscer dans l'industrie. Un banquier anglais considérerait absolument erroné de participer lui-même au développement d'un pays ou d'une société, sauf en tant que financier. Il croit qu'un banquier ne doit jamais être un partenaire et que, une fois que l'argent a été fourni à un emprunteur, c'est à ce dernier d'en faire usage[27].
>
> [...]
>
> Le système bancaire allemand a été cité comme un exemple de ce que la coopération complète entre les maisons de placement et l'industrie peut accomplir, mais les banques britanniques n'ont pas fait de même. Elles sont plus conservatrices et préfèrent exercer leurs fonctions bancaires dans un champ aussi étroit que possible. [...] Leurs intérêts sont financiers et probablement le demeureront[28].

[...]

Une autre caractéristique est l'absence complète de banques industrielles. L'industrie et la banque sont mutuellement indépendantes, et à ce sujet elles diffèrent de celles de la plupart des autres pays. Les banques sont simplement des institutions de prêt; elles ne participent pas aux affaires ni exercent de contrôle sur les sociétés, sauf quand leurs prêts sont menacés[29].

Nash et Grant expliquent le désintéressement des banques vis-à-vis de l'industrie par l'attrait que le commerce et les finances coloniales exerçaient sur elles. En agissant au cœur du commerce et de la finance mondiaux, les banques commerciales et de placement anglaises étaient peu intéressées par le crédit industriel et par les titres des sociétés industrielles britanniques. C'est là la raison essentielle de la séparation banque-industrie en Grande-Bretagne, et de l'inexistence en ce pays du capital financier, tout au moins jusqu'à la Deuxième Guerre mondiale.

Alors qu'Hilferding et Lénine fondent leur théorie sur l'observation de l'Europe continentale du début du siècle, Baran et Sweezy observent l'évolution du capitalisme *américain* et disposent d'une période d'étude plus longue. Aux États-Unis, comme en France, deux types de banques se différencient progressivement au cours de la deuxième moitié du XIXe siècle: (*a*) les banques commerciales, acceptant des dépôts du public et se spécialisant dans le crédit à court terme, organisées sous forme de sociétés par actions et n'exerçant pas de contrôle sur l'industrie; (*b*) les banques de placement organisées sous forme de «partnerships», opérant avec des capitaux propres et de quelques grands dépositaires (de riches individus ou des sociétés) et spécialisées dans la fondation et la réorganisation de sociétés et dans l'émission de titres gouvernementaux et de compagnies. J.P. Morgan & Co. était la plus grosse et la plus caractéristique de ces banques de placement (*investment banks*[30]). Ces banques privées ont joué un rôle essentiel dans la réorganisation du système américain de chemins de fer ainsi que dans les grandes vagues de fusion industrielles de 1896 à 1905 et de 1923 à 1930. Au début de la Première Guerre mondiale, les banquiers de placement se trouvaient à la tête de nombreux groupes financiers dans les secteurs du transport, des services publics et de l'industrie manufacturière et minière. Il suffit de rappeler ici l'emprise de la maison Morgan sur l'industrie américaine de l'acier (dont la U.S. Steel Corp.), sur la production d'électricité (dont la *holding company* United Corp., fondée par Morgan en collaboration avec deux autres banques de placement, Bonbright & Co. et Drexel & Co., en 1929) ou sur le système ferroviaire (dont le New York Central System[31]). Le déclin des banques de placement, c'est-à-dire du contrôle financier sur l'industrie américaine, est un phénomène des années 1930 et le résultat d'un ensemble de développements autonomes au sein du capitalisme des États-Unis. Il y eut, au cours des années 1920, la croissance des investisseurs institutionnels, dont les sociétés de placement (*investment trusts*) et les compagnies d'assurance; ces investisseurs ont souvent permis aux sociétés de se passer des services des banques de placement pour l'émission de leurs titres. Il y eut aussi le Glass-Seagall Act de 1933, exigeant la séparation entre banques de dépôt et de placement, séparation qui n'était que partielle et qui s'était réduite au cours des années 1920. La loi de 1933 n'était que le couronnement de la lutte menée par différents milieux d'affaires pour réduire le pouvoir des banquiers de placement. Cette lutte eut pour principaux résultats l'Enquête Pujo de la Chambre des représentants (1913) condamnant le *money trust*, la croissance des législations des États réglementant l'émission de titres, l'Enquête Gray-Pecora (1932-1934) du Sénat jetant de la lumière sur les activités des banquiers de placement, le *Securities Act* (1933) et le *Securities Exchange Act* (1934) forçant l'enregistrement des titres et la publicité sur les sociétés émettrices. À la suite de cet ensemble de lois et des autres enquêtes et lois qui se sont succédé au cours des années 1930 et 1940, beaucoup de banquiers ont dû abandonner les postes qu'ils détenaient dans l'appareil de certaines sociétés industrielles[32].

Pour leur part, J. M. Chevalier et S. Menshikov font référence à des phénomènes très récents du capitalisme américain, qui tout en se manifestant graduellement au cours des deux dernières décennies n'ont pris des proportions considérables que depuis 10 ans. Ils ne postulent pas un contrôle financier détenu par les banques de placement mais par les banques commerciales. Ils ne parlent pas de contrôle *réel* mais de contrôle *potentiel*. Ils utilisent souvent le terme d'*influence*, plus nuancé, pour se référer à la situation présente. Pour les deux, la tendance à l'accumulation d'actions au sein des départements de fiducie des banques commerciales ne peut que déboucher dans un futur pas trop éloigné, sur un contrôle croissant par ces banques des sociétés non financières. Ajoutons que des auteurs non marxistes ont observé depuis longtemps cette évolution. D. J. Baum et N. B. Stiles[33] croient également à la croissance à long terme de l'influence des banques commerciales (ils ajoutent aussi les sociétés de placement et les compagnies d'assurance-vie) sur les compagnies industrielles. Répondant à l'argumentation de Berle et Means selon laquelle les investisseurs institutionnels n'utilisent pas le pouvoir de vote qu'ils détiennent et qu'ils n'entrent pas dans des batailles pour les procurations, Baum et Stiles soulignent que de si grands blocs d'actions, comme ceux accumulés par les banques commerciales, ne peuvent pas être revendus facilement. Par ailleurs, les investisseurs institutionnels se concentrent sur les meilleures actions, celles qui sont de plus en plus difficiles à trouver sur le marché. Les banques commerciales, les sociétés de placement et les compagnies d'assurance sont ainsi de plus en plus contraintes d'intervenir dans l'administration des sociétés dont elles sont actionnaires: elles ne peuvent plus se conduire en simples investisseurs.

Quel que soit le cas concernant l'évolution actuelle du capitalisme américain, il nous semble clair que la théorie marxiste sur le capital financier a trop souffert de généralisations rapides, généralisations qui ont négligé les différences internationales et les changements contemporains du capitalisme monopoliste. Aucune étude sur le contrôle financier de l'industrie d'un pays ne peut commencer sans, au préalable, un examen approfondi du système bancaire et financier en présence. Il ne faut pas non plus oublier de considérer les autres formes de contrôle: familial, par des groupes de capitalistes, enfin par l'administration de la société elle-même (contrôle interne). De ce point de vue les études de Chevalier sur les États-Unis et de F. Morin sur la France[34] sont de véritables paradigmes dont il faut tenir compte pour une analyse sur le contrôle des grandes sociétés au Canada. Et tel que J. O'Connor[35] et Bouvier[36] l'ont souligné, il y a trop d'ambiguïtés dans la théorie marxiste du capital financier pour que l'on puisse s'en servir sans examen critique préalable.

2. Le capital financier dans la littérature canadienne

Ce n'est pas une tâche trop lourde que de faire une rétrospective des études canadiennes portant sur le contrôle financier de l'industrie: la littérature est suffisamment rare pour que l'on ne soit pas obligé de faire un choix d'auteurs.

Frank et Libbie Park[37] adhèrent à la conception classique d'Hilferding et de Lénine du capital financier, mais ils introduisent les autres grandes institutions financières dans leur explication des mécanismes de contrôle des sociétés:

> C'est à travers le contrôle des institutions financières que les groupes financiers maintiennent leur contrôle sur les sociétés qui produisent la richesse. [...] Au centre de cette structure industrielle et financière se trouvent souvent les banques à charte. [...] Liées aux banques il y a les sociétés de fiducie, les compagnies d'assurance-vie, les sociétés de prêt hypothécaire, les sociétés de placement ainsi que les fondations, les fiducies religieuses et de charité; toutes ces institutions contrôlent des actifs très vastes et contribuent à la capacité de l'oligarchie financière de dominer l'économie du pays[38].

Ainsi Park et Park nous acheminent vers une théorie du contrôle financier de l'industrie, contrôle qui serait exercé par divers types d'institutions financières. Les paragraphes suivants semblent confirmer cette première impression:

> Les banques possèdent de larges portefeuilles de titres, et ces portefeuilles grandissent[39].
>
> [...]
>
> Parmi les titres administrés par les sociétés de fiducie il y a de grandes quantités d'actions ordinaires qui donnent droit de vote, et ces droits sont exercés par les trusts[40].
>
> [...]
>
> Les compagnies d'assurance-vie reçoivent des milliards de dollars en primes qui sont investies sur décision de leurs administrateurs (dans les limites de la loi) en actions, obligations et hypothèques; ces actions leur donnent de l'influence sur la politique des sociétés[41].
>
> [...]
>
> En théorie, la société de placement n'a rien à voir avec le contrôle des entreprises dans lesquelles elle investit ses argents. [...] La différence entre la société de placement et la société de portefeuille en est une de degré; l'influence de la première est moins directe que celle de la seconde, mais elle est aussi vitale dans la question du contrôle[42].

Nous sommes donc en plein dans une version élargie de la conception d'Hilferding du modèle classique du capital financier. Et pourtant, en même temps qu'ils affirment que c'est la détention d'actions des sociétés industrielles et la délégation d'administrateurs aux conseils d'administration de celles-ci, qui donnent aux institutions financières leur pouvoir de contrôle, Park et Park postulent que: «La question, bien sûr, n'est pas de savoir si les banques dominent l'industrie ou si c'est l'industrie qui domine les banques; la vérité est que le même groupe de capitalistes financiers contrôle les deux[43].»

Nous voici revenus à la conception en termes de «fusion banques-industries». L'explication de cet apparent paradoxe réside dans le fait que Park et Park n'ont pas examiné la distribution des actions des grandes sociétés, ni le portefeuille des institutions financières. Leur étude est parue en 1962, avant que les sources les plus systématiques du gouvernement fédéral (*les Liens de parenté entre les firmes*) ou des gouvernements provinciaux (les Bulletins des Commissions des valeurs mobilières) sur la propriété des actions ne soient publiées. Ils auraient pu toutefois, à travers une longue et pénible collecte réunir des informations sur la détention des actions dans les journaux et les annuaires financiers et dans des revues de livres et des monographies sur les institutions financières et sur les grandes sociétés industrielles. En l'absence de telles données, la seule évidence qui «tient ensemble» les groupements financiers qu'ils découvrent est l'échange d'administrateurs: une preuve plutôt faible si l'on ne peut pas la comparer aux liens de propriété entre les sociétés. Et ce n'est pas par hasard si leur seul exemple réussi et complet, qui comprend des données sur la détention d'actions, est celui du groupe Argus Corp., présenté au chapitre V. Il s'agit d'une société de portefeuille, un des rares exemples de contrôle direct de sociétés industrielles par des institutions financières au Canada. Si Park et Park avaient eu des données sur la distribution des actions des sociétés non financières, ils auraient constaté que les banques à charte détiennent *peu* d'actions, et que leur politique de toujours a été de ne pas investir à long terme dans des titres de sociétés et que les sociétés de placement et les compagnies d'assurance opèrent au Canada à quelques exceptions près (dont Argus Corp. et Power Corp.) comme de purs investisseurs, sans déléguer des administrateurs au conseil d'administration des sociétés dont elles sont actionnaires. Park & Park se trompent quand ils déduisent le contrôle financier de l'industrie à partir de l'observation d'un certain nombre d'administrateurs communs à des institutions des deux secteurs: les administrateurs canadiens des banques canadiennes siègent autant au conseil d'administration des firmes industrielles locales qu'à celui des filiales des sociétés américaines. Par ailleurs, nous allons voir plus tard que des sociétés contrôlées à plus de 50% par une autre firme n'ont souvent avec leur maison mère qu'un ou deux administrateurs en commun. D'autre part, l'échange d'administrateurs, tout comme la détention d'actions par les institutions financières, est soumis à des lois et à des réglementations qui ont une influence certaine sur les contours des «groupes financiers» découpés à partir d'un de ces critères ou des deux à la fois. D'avoir négligé l'analyse de la législation empêche Park et Park d'étudier certaines formes de contrôle et les fait raisonner souvent à partir de fausses prémisses. Enfin Park et Park ont partiellement raison quand ils affirment que le même groupe de capitalistes financiers contrôle l'industrie et la finance. En fait les capitalistes canadiens contrôlent (et ont toujours contrôlé) *une partie* de ces deux secteurs, une partie qui, à cause de la pénétration américaine, a tendance à se réduire de plus en plus.

Tom Naylor[44] fournit le *background* historique indispensable pour comprendre le rôle des institutions financières canadiennes dans le contrôle de l'industrie (ou plutôt leur inactivité en tant que capital financier). Naylor illustre comment et pourquoi les banques à charte canadiennes se sont occupées du crédit commercial exclusivement, à l'image des *joint stock banks* anglais dont elles se sont inspirées. Il explique cette orientation des banques à charte canadiennes par le caractère colonial et mercantile du Dominion et de sa bourgeoisie, occupée à financer l'extraction, le transport et l'échange des produits primaires (*staples*) pour la Grande-Bretagne, puis les États-Unis. Les banques à charte du Canada n'ont pas participé au financement industriel, elles n'ont pas pris part dans la fondation de sociétés ni dans leur fusion ou réorganisation, et n'investissent pas à long terme dans des titres de sociétés industrielles. Ainsi les banques canadiennes sont des banques spécialisées, semblables aux banques françaises de dépôt, mais le système financier canadien ne comprenait pas (et ne comprend toujours pas aujourd'hui) des banques d'affaires à la française (comme la Banque de Paris et des Pays-Bas), ni des banques de placement à l'américaine (comme J.P. Morgan & Co.). Naylor démontre aussi que les compagnies d'assurance et les sociétés de prêt hypothécaire, les autres institutions financières importantes de l'époque après les banques à charte, n'ont pas comblé l'absence chronique de crédit industriel due à l'orientation purement commerciale des banques à charte[45].

L'ouvrage de Naylor, cependant, couvre la période qui va de la Confédération à 1914. Il laisse hors d'étude les institutions financières qui se sont développées au cours du XXe siècle: les sociétés de placement à fonds fixes (tout particulièrement les *holding companies*) et à fonds variables, les maisons de courtage, les sociétés de fiducie, et les nouveaux développements dans le secteur des assurances. Par ailleurs, l'objet de son étude n'étant pas celui de vérifier l'existence ou non d'un contrôle financier de l'industrie, il n'étudie pas cette question en profondeur. Mais tout son ouvrage tend à montrer que la dépendance industrielle du Canada est liée à l'orientation commerciale des banques à charte. En somme, le désintérêt des institutions financières canadiennes pour l'industrie du Dominion les empêcha aussi de jouer un rôle de premier plan au niveau du contrôle, et cela autant dans la période 1867-1914 que dans l'étape qui suivit la Première Guerre mondiale.

3. Y a-t-il un contrôle financier de l'industrie canadienne?

Au cours des dernières soixante années, le système financier canadien a subi des modifications considérables. Depuis la Confédération et jusqu'à la Première Guerre mondiale les banques à charte étaient les institutions dominantes. En 1870, elles détenaient les trois quarts des actifs de tous les intermédiaires financiers canadiens; en 1914, elles en réunissaient encore 56%. Derrière les banques à charte, les sociétés de prêt hypothécaire et les compagnies d'assurance-vie étaient de loin les intermédiaires les plus importants avec respectivement 9,6% et 2,4% des actifs financiers canadiens en 1870 et avec 10,6% et 14% en 1914[47]. Naylor a déjà montré le peu d'intérêt de ces institutions pour le crédit industriel, et par conséquent le peu d'importance qu'elles ont eu sur le plan du contrôle de l'industrie. Au début du siècle, d'importants changements s'annonçaient dans le système financier canadien. Les sociétés de fiducie, dont beaucoup se sont créées au cours des deux dernières décennies du XIXe siècle, réunissaient déjà en 1914, 2,6% des actifs des intermédiaires financiers du Canada; en 1930, elles en représentaient 4,4%; en 1970, 5%. Les sociétés de placement à fonds fixes se sont développées vertigineusement au cours des années 1920 sous l'impulsion de la spéculation boursière et de la croissance de l'intérêt du public canadien pour les titres pour atteindre 3,2% des actifs des institutions financières en 1929; depuis la crise, les sociétés de placement à fonds variables prendront la relève dans la croissance du secteur et les deux types principaux de sociétés de placement réunissent plus de 4% des actifs du système financier canadien en 1970. Parallèlement à la croissance de ces nouveaux intermédiaires, les banques à charte perdaient du terrain, année après année. En 1929, elles ne représentaient plus que 49% des actifs du système financier du Canada, et en 1970 plus que 28%. Les sociétés de prêt hypothécaire dégringolaient à 5% en 1929 et à 3% en 1970. Les compagnies d'assurance-vie par contre se maintenaient toujours comme le deuxième intermédiaire du Canada derrière les banques à charte, avec cependant des hauts et des bas: 23% des actifs financiers canadiens en 1929, 14% en 1970.

Nous avons retenu pour notre étude sur le contrôle financier de l'industrie canadienne les institutions qui peuvent, au moins potentiellement, jouer un rôle important à ce niveau, soit les institutions qui investissent massivement et régulièrement dans les actions de sociétés. Nous allons donc nous occuper des banques à charte, des sociétés de fiducie, des sociétés de placement, des compagnies d'assurance-vie et des banques de placement.

On soutiendra ici que la théorie du contrôle bancaire (ou financier) de l'industrie ne s'applique pas dans le contexte canadien et cela pour deux raisons liées l'une à l'autre: d'abord l'orientation presque exclusivement commerciale et très conservatrice du système financier canadien, opposé au crédit et au contrôle industriels. Cette caractéristique, comme Naylor l'a justement fait remarquer, lui vient de son attachement au modèle anglais: cela comprend aussi les nouvelles institutions créées depuis la fin du XIXe siècle, avec une seule exception qui, elle, est un emprunt direct au système financier américain: les sociétés de placement de type *holding company*; deuxièmement, l'importance de la mainmise étrangère, surtout américaine, sur l'industrie manufacturière et minière. En ce sens le cas du Canada, n'est pas une exception, mais correspond au cas plus général des pays arrivés en retard au stade industriel du capitalisme. Ces pays ont subi un développement manufacturier à base d'investissements étrangers, alors que le mode de production capitaliste y était déjà implanté: l'industrie filiale est contrôlée de l'extérieur et la bourgeoisie locale reste cantonnée aux sphères capitalistes les plus traditionnelles. Ainsi, dans des pays comme l'Argentine ou le Brésil, les châteaux forts de la bourgeoisie locale sont l'agriculture, l'élevage, le commerce et les finances, secteurs qu'ils contrôlaient avant l'arrivée des investissements directs étrangers dans la manufacture. Quant à la bourgeoisie industrielle locale elle est le plus souvent faible et son emprise se limite aux branches les plus traditionnelles: le vêtement, la chaussure, le textile, etc. À quelques secteurs industriels près (machinerie agricole et sidérurgie notamment) c'est là la situation dominante au Canada. La littérature sur la mainmise étrangère dans l'industrie canadienne est déjà très importante et il n'est pas dans les objectifs de ce travail d'y ajouter[48].

3.1. Les banques à charte

Même si la tendance générale indique un déclin relatif des banques il n'en reste pas moins que, de par leur taille et leur concentration économique, elles se situent encore aujourd'hui au premier rang du secteur financier canadien. Pourtant le désintérêt qu'elles manifestent pour le crédit et le contrôle industriels est une constante de leur histoire.

Les banques détiennent peu d'actions de sociétés dans leur portefeuille, et ce pourcentage tend même à décliner. La grande majorité des actifs bancaires est composée de prêts commerciaux et de prêts remboursables sur demande (*call loans*) et ce, depuis toujours. Les actions et obligations de sociétés industrielles et de chemin de fer n'ont jamais constitué plus de 5% des actifs bancaires, et ce chiffre n'a été atteint que de 1900 à 1915, à cause de l'expansion des portefeuilles bancaires investis dans les actions des chemins de fer[49].

La faillite du Canadian Northern et du Grand Tronc fit que les banques se sont défaites de leurs actions pour n'y jamais revenir. Dans le même sens une analyse des bilans des grandes banques à charte montre qu'au cours des quinze dernières années, la proportion des actifs totaux détenus par les quatre plus grandes banques sous forme de titres autres que des obligations fédérales et provinciales du Canada, a décliné; il y a eu cependant une légère augmentation de la valeur absolue des titres détenus.

TABLEAU I

Portefeuilles des quatre plus grandes banques à charte du Canada
(années choisies, millions de dollars canadiens courants)

Banque Royale	*1960*	*1970*	*1974*
Obligations Gouv. du Canada	537	1 430	2 052
Obligations Provinces du Canada	92	48	59
Actions, obligations étrangères et municipales du Canada	524 (12%)	398 (3%)	702 (3%)
Actifs totaux	4 296 (100%)	11 369 (100%)	21 670 (100%)
Banque Can. Imp. de Commerce*			
Obligations Gouv. du Canada	771	1 942	1 911
Obligations Provinces du Canada	62	60	64
Actions, obligations étrangères et municipales du Canada	392 (9%)	513 (4%)	636 (3%)
Actifs totaux	4 213 (100%)	11 050 (100%)	18 947 (100%)
Banque de Montréal			
Obligations Gouv. du Canada	706	1 287	1 652
Obligations Provinces du Canada	60	78	101
Actions, obligations étrangères et municipales du Canada	218 (6%)	208 (2%)	490 (2%)
Actifs totaux	3 485 (100%)	8 730 (100%)	17 651 (100%)
Banque de la Nouvelle-Écosse			
Obligations Gouv. du Canada	294	621	902
Obligations Provinces du Canada	19	39	53
Actions, obligations étrangères et municipales du Canada	151 (7%)	189 (2%)	415 (3%)
Actifs totaux	2 125 (100%)	6 369 (100%)	13 462 (100%)

*Pour 1960, comprend les portefeuilles et les actifs de la Banque Canadienne de Commerce et de la Banque Canadienne Impériale, qui se sont fusionnées en 1961.

Source: Bilans annuels, Financial Post Corporation Service.

Le tableau montre que les quatre plus grandes banques canadiennes ne détiennent à l'heure actuelle que 2% à 3% de leurs actifs totaux en actions et obligations de sociétés, et en obligations étrangères et municipales du Canada.

Enfin la source la plus complète sur la détention d'actions par des compagnies, le *Lien de parenté entre les firmes*, publié par Statistique Canada en 1965, 1967, 1969 et 1972, confirme ce désintérêt des banques à charte vis-à-vis des actions et du contrôle industriels. À quelques exceptions près, les banques à charte ne déclarent contrôler que des sociétés qui gèrent les principaux immeubles de leurs établissements. Ainsi la Banque de Montréal détient 30% de Doreal Investments et 100% de Bankmont Realty, la Banque de la Nouvelle-Écosse contrôle 100% des actions votantes d'Empire Realty, la Banque Canadienne Impériale possède 100% de Dominion Realty. À côté de ces investissements quelques banques sont entrées timidement dans d'autres secteurs financiers au cours des dernières années. En 1962, la Banque Royale, la B.C.N., le Montreal Trust, le Canada Trust et le General Trust ont créé *Roynat Ltd.*, une société de placement spécialisée dans le développement industriel. Dans cette société la Banque Royale possédait 41,5% des actions et la B.C.N. en avait 34%. Aussi dans le secteur des fonds mutuels, la Banque Royale a créé Royfund Ltd. et la Banque Toronto-Dominion contrôle Corporate Investors. Dans le secteur des prêts hypothécaires, la Banque Royale a créé en 1968 Roynor Ltd. en association avec Interior Trust de Winnipeg, qui est à son tour contrôlé à 40% par la Banque Royale. En somme des développements peu importants qui ne changent pas la situation traditionnelle: les banques ne détiennent des actions que pour investir des liquidités à court terme ou pour contrôler quelques sociétés rentables dans des secteurs financiers connexes.

Les témoignages des banquiers au sein des commissions d'enquête et des études des comités parlementaires sur les banques abondent tous dans le même sens. En 1928, le Comité permanent de la Chambre des Communes sur la banque et le commerce formait un sous-comité chargé d'examiner la question du perfectionnement du régime bancaire au Canada. Parmi les divers témoignages, celui de M. Henry T. Ross, secrétaire de l'Association des banquiers canadiens, en réponse aux questions de J.S. Woodsworth qui le harcelait sur le manque de placements industriels des banques canadiennes, est révélateur: «Ce n'est pas la fonction de la banque d'assumer les hasards de la période initiale d'une entreprise manufacturière. Elle doit être établie et posséder une marge de surplus. Un banquier devrait savoir que c'est contraire à tous les principes bancaires dans tous les pays. Je crois que les banques allemandes prennent plus de risques que les autres; je suis certain que les banques anglaises n'en prennent pas[50].»

Les témoignages de plusieurs banquiers devant le même Comité permanent de la Chambre des Communes en 1934 sont aussi concluants, MM. Jackson Dodds (directeur général de la Banque de Montréal), Sir Charles B. Gordon (président de la Banque de Montréal), M.W. Wilson (directeur général de la Banque Royale), Sir Herbert Holt (président de la Banque Royale) et S.H. Logan (directeur général de la Banque Canadienne de Commerce) affirment, chiffres à l'appui, que leurs banques ne contrôlent pas de société, à part quelques compagnies de biens immobiliers qui administrent les locaux des établissements bancaires. Pour expliquer l'échange d'administrateurs entre les banques à charte et les grandes sociétés industrielles et financières, tous sont unanimes pour dire que les administrateurs des banques sont choisis par les conseils d'administration en place, parmi les principaux actionnaires de la banque, les principaux clients et des personnalités importantes des milieux d'affaires[51]. C'est aussi la conclusion, à ce sujet, de la Commission royale d'enquête sur le système bancaire et financier, de 1964[52].

En somme, les liaisons personnelles très étroites entre les banques à charte et les sociétés industrielles commerciales et financières n'indiquent nullement des liens de parenté entre les firmes, comme Park et Park l'ont affirmé et comme John Porter le sous-entend, mais des relations de fournisseur de crédit commercial à client ou encore le fait que bien souvent les principaux actionnaires des banques canadiennes sont aussi d'importants actionnaires dans les principales sociétés canadiennes industrielles, commerciales ou de transport.

Par ailleurs, la législation bancaire et financière n'a jamais empêché les banques à charte de jouer un rôle dans le contrôle de l'industrie. D'après l'Acte de l'Amérique du Nord britannique la législation bancaire tombe sous juridiction fédérale selon l'article 91 (15) de 1867. À partir de la Confédération, les lois sur les banques se sont succédé en commençant par celle de 1871. Cette législation bancaire a été forgée par les banquiers eux-mêmes en accord avec les gouvernements; en aucun cas elle n'a imposé de restrictions aux banques quant à l'achat, la vente ou la détention d'actions. Tous les auteurs sont d'accord là-dessus: tant sur le plan législatif que financier les banquiers ont toujours eu pleine liberté de placement[53]. Ce fut seulement la loi des banques de 1967, section 76, qui introduisit des restrictions quant à la détention d'actions par les banques à charte. Celles-ci ne peuvent désormais posséder plus de 50% des actions émises et avec droit de vote d'une société, si la valeur d'achat de telles actions par la banque est de moins de $5 millions. Au-delà de $5 millions, la banque ne peut détenir que 10% des actions donnant droit de vote dans une compagnie. Cette norme s'applique aussi au contrôle indirect: une banque ne peut détenir des actions dans une société étrangère qui possède des actions dans une compagnie canadienne en quantité supérieure à la limite fixée par la loi pour les banques elles-mêmes. Par contre la loi permet aux banques de détenir des actions dans des sociétés étrangères. La même loi empêche par ailleurs les banques de détenir plus de 10% des actions émises donnant droit de vote dans une société de fiducie ou dans une compagnie canadienne de prêt. Les banques ne peuvent pas posséder des actions dans une société étrangère qui détient plus de 10% des actions votantes d'un *trust* canadien ou d'une compagnie canadienne de prêt. Ces restrictions quant aux sociétés de fiducie et de prêt ne s'appliquent qu'aux sociétés sous juridiction fédérale et à celles qui acceptent des dépôts du public. Par ailleurs, toutes ces restrictions quant à la possession d'actions par les banques peuvent être contournées pour autant que ce soit au cours d'une période n'excédant pas deux ans.

Il faut souligner que la fondation et le contrôle récent de quelques sociétés financières par les banques à charte était en contradiction avec le projet de loi de banque de 1967 tel que présenté initialement. Heureusement pour les banques, le projet fut amendé de sorte que le plancher de 10% ne s'applique qu'aux institutions financières qui acceptent des dépôts du public; la Banque Royale et la B.C.N. pouvaient ainsi conserver leur contrôle de Roynat Ltd., la Banque Toronto-Dominion dans U.N.A.S. Investment (acquise en 1963 avec le concours de la Canada Permanent Mortgage Corp.), etc. Encore une fois on voit que la législation bancaire ne nuit nullement à la stratégie de placement des banques, et les quelques développements qui ont eu lieu au cours des quinze dernières années n'indiquent pas un changement radical dans le comportement de celles-ci, qui restent libres de toute tentation de contrôle.

Ajoutons que la fondation récente de la onzième banque à charte canadienne, la Banque Commerciale et Industrielle Canadienne, en tant que banque d'affaires et non pas de dépôt (la première banque d'affaires du Canada) ne change en rien le panorama que nous présentons ici. Partant avec un capital-actions de $22 millions, dont 10% est détenu par la Banque de Paris et des Pays-Bas, 10% par S.G. Warburg & Co. une banque d'affaires de Londres et le reste par différents financiers et sociétés canadiennes et américaines[54], la B.C.I.C. ne semble pas en mesure de modifier radicalement le portrait bancaire canadien que nous dressons ici.

3.2 Les sociétés de fiducie

Créées au Canada au cours des deux dernières décennies du XIXe siècle pour fournir des services fiduciaires, d'administrateur et d'exécuteur, les sociétés de fiducie sont des institutions financières importées des États-Unis. Il y avait dans ce pays quelque cinquante *trusts* en 1850, et leur croissance et convergence fonctionnelle par rapport aux banques commerciales fit qu'en 1913 la Loi de la Réserve fédérale mit banques et *trusts* sous un même régime juridique. Au Canada, par contre, elles sont demeurées des entités légalement distinctes des banques à charte, et seules à avoir des capacités fiduciaires. Nous avons vu plus haut que, tout en occupant une place secondaire par rapport aux banques, les sociétés de fiducie ont constamment augmenté la proportion de leurs actifs dans le système financier canadien.

Les *trusts* s'occupent d'affaires qui sont de juridiction provinciale: les droits de propriété et les droits civils. Aussi elles ont été incorporées majoritairement dans les provinces, entre autres, le Royal Trust et le Montreal Trust à Québec (en 1892 et 1889 respectivement), le General Trust et le National Trust en Ontario (en 1894 et 1898 respectivement). Toutefois ils pouvaient être créés par une loi du Parlement jusqu'en 1970 et par des lettres patentes fédérales à partir de cette date. En conséquence, la législation sur les sociétés de fiducie (*i.e.* les pouvoirs et restrictions accordés par l'autorité compétente) varie à chaque palier de gouvernement. Il y a néanmoins certains points en commun: partout les sociétés de fiducie ont reçu les pouvoirs de recevoir, administrer, exécuter ou liquider des biens de personnes, de sociétés ou des héritages, d'agir comme agent des transferts des titres des sociétés et d'investir des montants déposés chez elles en fiducie. Sur la base de ces pouvoirs, les fonds administrés par les sociétés de fiducie sont divisés en trois catégories: (*a*) les fonds de la compagnie, constitués par l'avoir des actionnaires (capital-actions plus bénéfices non répartis); (*b*) les fonds déposés en fiducie par les clients, et garantis par les sociétés avec leurs propres fonds; (*c*) les comptes E.F.A. (exécutaires, fiduciaires et agents) qui constituent des fonds d'héritage, de pension ou autres, déposés par des individus ou par des sociétés chez les sociétés de fiducie. Ces derniers étaient en 1945 en Ontario onze fois plus grands que les deux premiers réunis ($2,8 milliards contre $242 millions) et quatre fois plus grands que les fonds de la compagnie et en fiducie en 1969 ($20,3 milliards contre $5,2 milliards)[55].

La détention d'actions de sociétés canadiennes par les sociétés de fiducie varie selon qu'il s'agit des fonds propres et garantis, et des fonds

E.F.A. Quant aux premiers, la proportion d'actions dans leurs actifs est faible. Le tableau II illustre la part des fonds garantis dans dix-sept sociétés canadiennes de fiducie représentant au moins 94% des actifs de tous les *trusts* enregistrés au Canada, soit dans les provinces, soit au niveau fédéral. On constate que la part des actions dans l'actif des sociétés de fiducie décline constamment.

TABLEAU II

Canada. Sociétés de Fiducie
Actifs dans les Fonds propres et garantis
(Années choisies, millions de dollars canadiens)*

Année	Actions canadiennes	Actifs totaux
1947	15 (5%)	300 (100%)
1952	16 (3,7%)	429 (100%)
1958	29 (3,2%)	897 (100%)
1964	67 (2,3%)	2 860 (100%)
1969	107 (1,9%)	5 771 (100%)
1974	227 (1,8%)	12 443 (100%)

*Pour 1947, 1952 et 1958 ces chiffres sont ceux des 17 plus grandes sociétés représentant 94% des actifs de toutes les sociétés enregistrées au Canada. Pour 1964, 1969 et 1974 les données comprennent *toutes* les sociétés de fiducie enregistrées au niveau fédéral ou avec des lois provinciales analogues.

Source: Revue de la Banque du Canada, Sommaire statistique.

Entre-temps la tendance à la détention d'actions dans les actifs des fonds E.F.A. est exactement opposée. De 1961 à 1969, la part des actions dans les actifs des sociétés de fiducie enregistrées en Ontario est passée de 12,7% à 45,3%, soit de $980 millions à $9,17 milliards[56]. L'élément principal qui explique la croissance spectaculaire des fonds E.F.A. a été l'habileté déployée par les sociétés de fiducie pour attirer les fonds de pension. Le tableau III illustre l'expansion des fonds de pension en fiducie au Canada au cours des dernières quinze années et la part croissante des sociétés de fiducie dans la gérance de ces fonds.

TABLEAU III

Canada. Caisses de pension en fiducie. Valeur comptable des actifs
(Millions de dollars canadiens courants; années choisies)

Genre de fiducie	1960	1966	1974
(a) Société de fiducie	25,7%	33,5%	32,2%
(b) Fiduciaire particulier	62,4%	54,4%	54,9%
(c) Combinaison de (a) et (b)	—	2,3%	6,9%
(d) Société de caisse de retraite	11,9%	9,8%	6,1%
Total %	100 %	100 %	100 %
Total en dollars canadiens	(3 583)	(7 250)	(18 284)

Source: Régime de pension en fiducie. Statistique financière, Statistique Canada, 1961 et 1976.

Par ailleurs, comme le tableau IV le montre, on peut aussi constater que la part des actions dans les actifs des fonds de pension gérés par des sociétés de fiducie a augmenté de façon régulière.

La chute des obligations dans l'actif des caisses, et la hausse des actions et des hypothèques est attribuable à la recherche de titres à revenu variable dans le contexte inflationniste de la dernière décennie. Ainsi les caisses privées de retraite ont cherché à ralentir leurs achats d'obligations. La conséquence de cet intérêt des caisses de retraite, et en particulier des sociétés de fiducie, pour les actions a été que celles-ci ont acquis un pouvoir potentiel de contrôle sur les compagnies dont elles sont actionnaires. Est-ce que les *trusts* emploient ce pouvoir pour en retirer un contrôle effectif des sociétés? La Commission royale d'enquête sur le système bancaire et financier de 1964 y répond par la négative:

On a exprimé quelque inquiétude au sujet de la concentration des blocs d'actions dans les portefeuilles des compagnies elles-mêmes et dans ceux qu'elles administrent. Ainsi qu'on l'a déjà signalé, ces actions semblent représenter bien moins de 20% de toutes les actions canadiennes ordinaires; elles sont réparties parmi un nombre assez grand de compagnies, et bien des clients des services d'E.F.A. exercent eux-mêmes les droits de votes attachés à leurs actions. En outre, la pratique ordinaire des compagnies de fiducie consiste à appuyer la direction en place, sauf dans des circonstances

TABLEAU IV

Canada. Fonds de pension gérés par des sociétés de fiducie
(Valeur des actifs, 1960 et 1974, millions de dollars canadiens courants)

	1960		1974		
	(a) caisses administrées individuellement	*(b) caisses communes*	*(a) caisses administrées individuellement*	*(b) caisses communes*	*(c) combinaison de a et b*
1) Placements dans des caisses communes ou dans des fonds mutuels —	—	66,2%	0,6%	96,1%	11,9%
2) Obligations	76,2%	23,8%	33,9%	—	27,6%
3) Actions de sociétés canadiennes	13,2%	2,9%	37,0%	—	37,6%
4) Actions de sociétés non canadiennes	0,8%	0,2%	5,3%	—	3,2%
5) Hypothèques	5,8%	1,7%	8,9%	—	8,3%
6) Divers	3,7%	5,2%	14,3%	3,9%	11,0%
Total (%)	100%	100%	100%	100%	100%
Total ($)	(799)	(119)	(2 366)	(614)	(2 900)

Source: Stat. can.: *Régime de pension en fiducie, Statistique financière,* 1961 et 1976.

bien exceptionnelles, ou à moins qu'elles ne détiennent de gros paquets d'actions dans un ou plusieurs comptes, auquel cas un de leurs dirigeants siège ordinairement au conseil d'administration pour veiller aux intérêts de leurs clients. Quant un conflit se produit, par exemple entre détenteurs d'actions ordinaires et d'actions privilégiées, elles doivent exercer le droit de vote de chaque compte selon son propre intérêt, et elles nous ont déclaré que c'est ainsi qu'elles agissent. Leur rôle essentiellement passif comme actionnaires ne signifie pas qu'elles se désintéressent de la compétence avec laquelle sont administrées les compagnies dans lesquelles leurs clients ont fait des placements. De fait, bien des compagnies de fiducie suivent vraiment de très près l'administration de telles entreprises et, si les choses ne leur plaisent pas elles vendent les actions qu'elles détiennent ou prennent des dispositions pour intervenir. Tant qu'elles continueront à agir ainsi nous ne voyons pas de danger que s'évanouisse le droit de regard des actionnaires. Nous ne prévoyons pas non plus de risque prochain que l'influence des compagnies de fiducie sur la vie des entreprises grandisse au point de constituer un danger pour l'intérêt public[57].

Nous ne possédons aucune donnée nominative qui nous permette d'estimer le contrôle ou l'influence des principaux *trusts* sur les compagnies dont ils sont actionnaires. Nous savons cependant que la législation ne met aucun obstacle formel à la prise de contrôle d'une compagnie par une société de fiducie au moyen des fonds E.F.A. Aucune législation, fédérale ou provinciale, n'interdit la concentration des fonds sur un ou plusieurs titres. Quelques restrictions existent toutefois au niveau du type et du montant des fonds à investir en actions, tout particulièrement en ce qui concerne les fonds garantis. Ainsi par exemple, d'après le Ontario Loan and Trust Corporation Act de 1960, une société de fiducie ne peut détenir plus de 20% des actions d'une compagnie qui paye des dividendes réguliers, et pour ce faire, elle ne peut employer plus de 15% de son propre capital-actions et de ses réserves[58]. Par ailleurs, la loi fédérale a imposé en 1970 des restrictions quant à la nationalité des actions que les sociétés à charte fédérale pouvaient acheter avec leurs fonds propres et garantis: désormais ces fonds ne peuvent s'investir que dans les actions de sociétés incorporées au Canada ou en vue d'établir des sociétés canadiennes à l'étranger.

La très grande concentration des actifs dans ce secteur financier augmente la potentialité des sociétés de fiducie à agir sur le plan du contrôle des compagnies dont elles sont actionnaires. Quatre sociétés (le Royal Trust, le Montreal Trust, le National Trust et le Canada Permanent Trust) concentrent, en 1969, 75% des actifs E.F.A. et 50% des fonds propres et garantis; en 1926 le Royal Trust, le Montreal Trust, le National Trust et le Toronto General Trust (fusionné avec le Canada Permanent en 1961) en détenaient 95% et 43% respectivement. L'extrême centralisation des fonds n'a pas changé en cinquante ans[59].

La question se pose alors si le «contrôle bancaire», infirmé dans la section antérieure de notre travail, ne reviendrait pas maintenant sous la forme d'un contrôle des banques à charte sur les sociétés de fiducie. En effet beaucoup d'auteurs ont souligné l'intense échange d'administrateurs existant entre les banques à charte et les sociétés de fiducie; Park et Park en ont vu une preuve du contrôle des banques sur celles-ci. Le seul critère qu'ils ont retenu est encore celui des administrateurs communs. Ils soulignent qu'en 1958 il y avait quatorze administrateurs de la Banque de Montréal au conseil d'administration du Royal Trust, quinze de la Banque Royale au conseil d'administration du Montreal Trust, neuf de la Banque Canadienne de Commerce au conseil d'administration du National Trust et sept de la Banque Toronto-Dominion au conseil d'administration du Toronto General Trust et autant au conseil d'administration du Canada Permanent Trust[60]. En effet, tout au moins pour les grandes sociétés de fiducie telles que le Royal Trust, le Montreal Trust et le National Trust, leur association avec des banques (celles citées par Park et Park) a commencé à leur fondation même. Le Toronto General Trust par contre était lié à sa fondation en 1882 à la Banque Canadienne de Commerce[61] mais progressivement il a glissé dans l'orbite de plusieurs banques: celle de la Nouvelle-Écosse, la Banque Dominion, la Banque de Toronto et la Banque de Commerce. Entre-temps les banques se sont longtemps défendues d'exercer un contrôle sur les sociétés de fiducie, même lorsque l'échange d'administrateurs était très intense[62]. Au cours des années 1960, pourtant, les liens entre les banques à charte et les sociétés de fiducie se sont resserrés. La Commission Porter sur le système bancaire et financier (1964) évaluait ainsi ces liens:

> Cependant malgré cette tendance des banques à participer à d'autres entreprises financières, ce sont les relations entre les banques et les compagnies de fiducie qui présentent la forme la plus systématique. De plus, ces relations vont se resserrant et se généralisant. Chacune des banques est associée étroitement avec au moins une compagnie de fiducie; dans certains cas, il s'agit de simples relations d'affaires entretenues depuis longtemps et, dans d'autres cas, d'associations de date très récente grâce à des acquisitions d'actions. Ainsi la forme des relations entre banques et compagnies de fiducie varie beaucoup. Dans certains cas, on ne compte pas moins de 15 administrateurs communs et, dans d'autres, on n'en compte que quelques-uns. Cinq banques possèdent des actions d'au moins une compagnie associée, placements dont l'importance varie depuis des blocs relativement peu importants jusqu'à d'autres qui assurent un contrôle effectif; les autres banques ne possèdent pas d'actions de leur associée[63].

La Commission n'a cependant pas jugé bon de publier des chiffres sur la détention d'actions des sociétés de fiducie par les banques. Les premières données précises sur le contrôle des *trusts* ont été publiées en 1965 par Statistique Canada dans les *Liens de parenté entre les firmes*. On pouvait y constater que le Montreal Trust était contrôlé par Power Corp. à travers sa filiale Investors Group, qui détenait 24% des actions de la société de fiducie montréalaise; que le National Trust avait son principal actionnaire dans Canada Life Assurance (19,5% des actions); le Royal Trust n'y est pas mentionné, pas plus que le Canada Permanent Trust que nous savons être par l'annuaire *Moody's Bank & Finance*, sous le contrôle de la Canada Permanent Mortgage Corp. dont la Banque de la Nouvelle-Écosse et la Banque Toronto-Dominion sont actionnaires. Entre-temps, et suite aux recommandations de la Commission Porter, la loi des banques de 1967 a interdit l'échange d'administrateurs entre les banques à charte et les sociétés de fiducie, et aux banques de posséder plus de 10% des actions votantes d'une société de fiducie à partir de juillet 1971, ceci afin d'augmenter la concurrence. Les institutions en question s'y sont conformées.

Il semble évident que pendant trois quarts de siècle chacune des grandes banques à charte a contrôlé effectivement au moins une grande société de fiducie. Ce lien semble être brisé aujourd'hui. La question demeure de savoir si ce contrôle visait à employer les vastes ressources financières des trusts dans le but de s'assurer la mainmise sur des sociétés non financières, suivant la théorie léniniste que Park et Park adoptent, ou, plus simplement, si cette mainmise tendait à faire participer les banques à des activités fiduciaires qui leur étaient légalement interdites. Nous penchons pour cette dernière hypothèse, qui est celle de la Commission Porter[64]. La tradition canadienne veut que les banques à charte aient toujours fait la pluie et le beau temps *en matière de législation financière*. Si les banques à charte avaient eu de sérieuses objections au divorce qui leur est imposé d'avec les *trusts* elles les auraient vivement manifestées pour empêcher ces restrictions. Par ailleurs, rien ne prouve que les sociétés de fiducie emploient leurs actifs en actions autrement que comme de simples investisseurs, même s'il est vrai que les données sont rares à ce sujet. Finalement, disons que la loi des banques de 1967 survient en pleine expansion des fonds E.F.A. gérés par les sociétés de fiducie, c'est-à-dire au moment où les ressources financières disponibles dans les *trusts* sont en plein essor; si les banques avaient voulu infléchir la direction du placement de leurs affiliées, elles ne se seraient pas départies si facilement du contrôle qu'elles exerçaient sur les sociétés de fiducie. Nous écartons, en somme, l'hypothèse d'un contrôle bancaire indirect via les sociétés de fiducie et nous considérons comme très difficile à démontrer la thèse d'un contrôle direct des *trusts* sur les sociétés dont ils sont actionnaires[65].

3.3 Les compagnies d'assurance-vie

C'est à partir du début du siècle que les compagnies d'assurance-vie se sont emparées de la deuxième place en importance, derrière les banques à charte, parmi les intermédiaires financiers du Canada. C'est encore le deuxième rang qu'elles occupent aujourd'hui.

La concentration dans le secteur a toujours été très élevée comme le tableau V le montre.

TABLEAU V

Canada. Compagnies d'assurance-vie fédérales
Actif en %, années choisies

	1900	*1930*	*1969*
Canada Life	38,1%	12,5%	8,1%
Confederation Life	13,1%	5,4%	4,9%
Great West Life	1,6%	8,5%	9,2%
Manufacturers Life	3,8%	7,2%	12,6%
Mutual Life of Canada	8,7%	7,7%	7,7%
Sun Life	17,6%	39,0%	23,1%
London Life	1,7%	4,3%	10,1%
Autres compagnies	15,4%	15,4%	20,5%
Nombre des autres compagnies	10	19	27

Source: E. Neufeld: *The Financial System of Canada,* Toronto, 1972, p. 247.

Jusqu'en 1929, toutes les compagnies d'assurance-vie étaient cana-diennes. Cette année-là il y eut la première prise de contrôle étrangère; la deuxième eut lieu en 1954 et plusieurs autres suivirent entre 1954 et 1961. Le danger d'une mainmise étrangère sur ce champ clos de chasse de la bourgeoisie canadienne, poussa celle-ci à amender la Loi canadienne et britannique sur les compagnies d'assurance en 1965 pour empêcher que plus de 25% des actions d'une compagnie canadienne d'assurance-vie soient détenus par des étrangers, et qu'aucun actionnaire étranger individuel ne puisse détenir plus de 10% des actions de ces compagnies. Par ailleurs, en raison des changements dans le secteur l'on permettra aux compagnies d'assurance-vie de devenir des mutuelles (par loi fédérale) et la législation ontarienne leur permit en 1971, d'obtenir une double licence, à la fois comme compagnie d'assurance et comme fonds mutuel. La loi fédérale força aussi les sociétés d'assurance-vie à charte fédérale à avoir au conseil d'administration une majorité de citoyens canadiens résidant au Canada. Cette loi autorisait les conseils d'administration des compagnies à charte fédérale à interdire la vente d'actions de leurs compagnies à l'étranger.

La transformation en mutuelles des grandes compagnies d'assurance-vie, entamée au cours des années 50, a répondu, en grande partie, au désir des administrateurs d'éviter leur absorption par des groupes financiers américains. Ainsi quatre des six plus grandes compagnies canadiennes d'assurance-vie sont devenues des sociétés mutuelles : Canada Life à partir de 1959, Confederation Life à partir de 1958, Manufacturers Life depuis 1958, Sun Life en 1959 ; Mutual Life l'était depuis toujours ; Great West Life est passée sous le contrôle de Power Corp. à travers sa filiale Investors Group[66].

Toutefois, il est très probable que cette reconversion des compagnies d'assurance-vie en sociétés mutuelles n'ait rien eu de nationalisme économique. Les bénéfices non répartis de ces compagnies hautement rentables s'étaient accumulés pendant trois quarts de siècle ; si on les avait employés pour payer de très forts dividendes, l'impôt sur le revenu personnel en aurait pris une bonne partie : les dividendes «normaux» ont évité une hausse excessive des cotes boursières sur le marché et ont permis aux compagnies de faire leurs profits sans attirer sur elles l'attention du public. Pour avoir accès à ces bénéfices non distribués, les actionnaires n'ont eu qu'à former des sociétés mutuelles, qui rachetèrent les actions en répartissant parmi les détenteurs tout l'avoir des actionnaires qui fut alors taxé de façon minime comme gain de capital. Mais les grands détenteurs canadiens d'actions des compagnies d'assurance-vie ont failli perdre cette manne, puisque de nombreux financiers américains, attirés par la cote boursière des actions, se disposaient à en faire autant[67].

Les compagnies d'assurance-vie ont été réticentes envers l'investissement industriel impliquant des risques. Par conséquent elles l'ont toujours été aussi envers le contrôle des sociétés non financières du Canada. Leurs actifs montrent deux champs principaux de placement des fonds : les obligations (majoritairement en provenance des gouvernements canadiens ou étrangers) et les hypothèques. Les actions de sociétés canadiennes n'ont jamais occupé plus de 6% de leurs actifs, et ce, seulement au début du siècle[68]. Et ce ne fut nullement la législation fédérale ou provinciale qui leur a bloqué l'accès au contrôle de sociétés non financières. Jusqu'en 1899 aucune loi ne fixait de limites ou de restrictions aux investissements des compagnies d'assurance-vie. La loi fédérale de 1899 donna aux compagnies la plus grande liberté quant aux placements; toutefois à part quelques emplois des fonds particulièrement bénéfiques pour les administrateurs, peu d'actions ont été achetées par les compagnies[69]. Les révélations de la Commission royale d'enquête sur l'assurance-vie au Canada (1907) ont donné lieu à une législation plus restrictive en 1910: en ce qui concerne les actions, les compagnies d'assurance-vie ne pouvaient acheter plus de 30% des actions d'aucune compagnie; encore fallait-il que celle-ci eût payé des dividendes réguliers au cours des sept dernières années. La loi ne stipulait pas de restrictions quant à la proportion d'actifs que les compagnies d'assurance-vie pouvaient placer en actions. Au cours des années 1920 la législation fut considérablement adoucie et pourtant les compagnies d'assurance, sauf la Sun Life, sont restées peu intéressées par le placement en actions. Quant à la Sun Life, elle préférait les actions de compagnies américaines (plus rentables et plus sûres) mais ne participait pas à l'administration des sociétés dont elle était actionnaire, et ne détenait jamais plus de 10% des actions d'une société[70].

La législation fédérale de 1932 — réponse partielle aux problèmes financiers de la Sun Life — ramena à 25% la part des actifs que les compagnies d'assurance-vie pouvaient investir en actions, mais *à la demande de l'industrie* cette proportion fut réduite à 15%[71], un comportement qui ne coïncide nullement avec celui des «capitalistes financiers» de Hilferding, mais plutôt avec celui de financiers très conservateurs inspirés du modèle anglais. En 1965, enfin, la part des actifs que les compagnies d'assurance peuvent investir en actions a été augmentée à 25%, encore une fois à la demande de l'industrie en quête de titres à revenus variables, en vue de se protéger contre l'inflation, et sans but de contrôle. Les clauses concernant le maximum à investir dans une corporation, et sur la rentabilité minimale des titres sont demeurées. Soulignons que cette revue de la législation fédérale est valable pour toute l'industrie, puisque non seulement la grande majorité des sociétés d'assurance-vie est incorporée à Ottawa, mais aussi parce que la législation provinciale est largement tributaire des lois fédérales.

Un dernier développement est à remarquer. Depuis dix ans, les compagnies d'assurance-vie s'intéressent à la fondation et l'administration de sociétés immobilières. En conséquence, la loi de 1965 abolissait le maximum de 30% qu'elles pouvaient détenir des actions des sociétés dites de développement urbain. Et les grandes compagnies d'assurance ont créé ou élargi leurs filiales dans ce secteur hautement spéculatif. Mais ceci ne change en rien leur comportement traditionnel de désintérêt vis-à-vis du développement industriel.

3.4 Les sociétés de placement

Ces intermédiaires financiers se sont développés à partir des années 1920 au Canada, en deux étapes bien définies: de 1920 à 1930 ce furent les sociétés de placement à fonds fixes; depuis 1932, les sociétés de fonds mutuels. Parmi les premières il faut encore considérer deux types différents: les sociétés d'investissement, constituant la grande majorité, et les sociétés de portefeuille. Les sociétés d'investissement sont un autre emprunt du système financier canadien au modèle anglais: elles se capitalisent au moyen d'émissions périodiques d'actions et elles investissent les fonds ainsi obtenus en actions, sans chercher à contrôler les sociétés dont elles sont actionnaires.

Ces sociétés d'investissement ont été largement la création des banquiers de placement canadiens: la maison Nesbitt Thomson en créa trois au cours des années 1920, la maison Wood Gundy en incorpora quatre, le financier et Premier ministre du Canada Arthur Meighen quatre autres, etc. Vers la fin de l'année 1929, il y avait environ cinquante sociétés de placement au Canada, toutes à fonds fixes, et parmi elles seulement quatre ou cinq sociétés de portefeuille[72].

La croissance de ces sociétés de placement s'explique par le développement, au cours de la Première Guerre mondiale, d'un marché canadien pour les titres gouvernementaux. L'intérêt du public pour les titres fut ravivé après la guerre par les banquiers canadiens de placement pour écouler les valeurs mobilières en provenance des sociétés, valeurs dont l'émission était stimulée par la vague de fusions des années 1924-1930. Les banquiers de placement étaient souvent les promoteurs de ces fusions, puisqu'ils étaient à la recherche de titres à négocier. Les sociétés de placement qu'ils mettaient sur pied constituaient des débouchés intéressants pour leur commerce[73]. Dans le cas des pures sociétés de placement, le contrôle des sociétés n'était pas recherché. Au cours des années 1930 les sociétés de placement à fonds fixes perdirent de leur popularité: les titres qu'elles détenaient en portefeuille se révélaient bien souvent n'être que du vent et le public ne pouvait pas se défaire des actions de ces sociétés. Pour y remédier les financiers canadiens, encore une fois, à l'instar des anglais, se sont tournés vers les fonds mutuels, c'est-à-dire, vers les sociétés de placement à fonds variables. Le premier fonds mutuel, Canadian Investment Fund, était créé en 1932 par un groupe de financiers-politiciens réunis par Calvin Bullock pour l'occasion: l'ancien Premier ministre du Canada Robert L. Borden, le Premier ministre du Québec Louis A. Taschereau, le sénateur C.C. Ballantyne, le Très Honorable Arthur B. Purwis (président de Canadian Industries), l'Honorable Charles A.

Dunning (ancien ministre des Finances) ainsi que Sir Edward Beatty, président du C.P.R., Sir Charles Gordon, président de la Banque de Montréal, et d'autres hommes d'affaires[74]. Depuis 1930, le fonds mutuel a gagné du terrain. Dans ce type d'intermédiaire financier les titres de la société de placement pouvaient être revendus par l'actionnaire du fonds à n'importe quel moment au fonds même, celui-ci était tenu de les racheter à leur cote boursière.

Les fonds mutuels ne cherchent pas plus le contrôle des sociétés dont elles sont actionnaires que la grande majorité des sociétés de placement à fonds fixes. Les unes et les autres diversifient leur portefeuille et ne désignent pas d'administrateurs au conseil d'administration des sociétés dont elles sont actionnaires. Cette affirmation, difficile à constater au cours des années 1920, alors que les sociétés de placement ne publiaient pas leur portefeuille, est aujourd'hui évidente en regardant le *Financial Post Survey of Investment Funds* qui leur est consacré, et qui paraît depuis 1962. On y constate une extrême diversification des titres qui ne varie pas à travers le temps, et l'absence presque complète de liens personnels entre les sociétés de placement à fonds variables et à fonds fixes (non *holding*) et les sociétés dont elles sont actionnaires.

À titre d'exemple nous avons calculé le pourcentage des actions votantes de 31 sociétés (banques à charte, compagnies industrielles, commerciales et de services) parmi les plus grandes du Canada selon les listes du *Financial Post,* détenues par le groupe de fonds mutuels contrôlés par Investors Group. Ces fonds mutuels sont au nombre de huit: Investors Mutual of Canada, Investors Growth Fund of Canada, Investors International Mutual Fund, Investors Japanese Growth Fund, Investors Retirement Mutual Fund, Provident Mutual Fund, Provident Stock Fund et Investors Mortgage Fund. En 1969, ce groupe de fonds mutuels détenait 31 % des actifs de tous les fonds mutuels du Canada, et il était de loin le plus important du Dominion. Il est contrôlé par Power Corporation. Nous avons aussi cherché des administrateurs communs entre ces fonds mutuels et les compagnies, choisies par le fait que leur contrôle est supposé rester au Canada. Les résultats sont contenus dans le tableau VI.

Nous arrivons ainsi au second type de société de placement à fonds fixes, les sociétés de portefeuille ou *holding companies*. Faisons tout d'abord la distinction entre d'une part les sociétés *holding* pures, c'est-à-dire les institutions financières spécialisées dans la détention d'actions choisies d'un nombre réduit et fixe de compagnies que le *holding* administre totalement ou partiellement, et d'autre part les sociétés *holding* mixtes, qui

TABLEAU VI

Investors Group et filiales.
Proportion d'actions votantes détenues dans 31 compagnies canadiennes,
au 31 décembre 1974

Compagnie	Actions votantes		Administrateurs communs	
	Nombre	(%)	Avec les Fonds mutuels	Avec Power Corporation
Abitibi P & P	180 640	(1,0%)	1	1
Alcan Aluminium	158 000	(0,4%)	—	—
Algoma Steel	155 170	(1,3%)	—	1
Banque de Montréal	569 365	(1,7%)	—	—
Banque de la Nouvelle-Écosse	516 630	(2,8%)	—	—
Banque Canadienne Impériale de Commerce	1 311 825	(3,8%)	—	2
C.P. Ltd.	1 750 000	(2,4%)	1	1
Consumers' Gas	793 576	(4,5%)	1	—
Dofasco	726 070	(4,6%)	—	—
Dominion Stores	398 400	(4,8%)	—	—
Domtar	137 000	(0,9%)	—	—
Falconbridge	148 375	(3,0%)	—	—
Hudson Bay	215 500	(1,5%)	—	—
I.N.C.O.	1 054 237	(1,0%)	—	—
McMillan-Bloedell	694 620	(3,3%)	—	—
Massey Ferguson	481 910	(9,6%)	—	—
Molson Ind.	521 867	(4,2%)	—	—
Moore Corp.	549 425	(1,9%)	—	—
Noranda Mines	519 439	(2,2%)	—	—
Northern & Central Gas	345 200	(2,6%)	1	—
Price Co.	62 000	(0,6%)	—	—
Seagram Co.	568 650	(1,6%)	—	—
Stelco	665 971	(2,8%)	—	—
Thomson Newspapers	953 750	(1,9%)	—	—
Toronto-Dominion Bank	681 498	(4,0%)	—	—
Trans-Canada Pipelines	1 310 544	(4,2%)	—	1
Union Gas	572 826	(3,8%)	—	—
Hiram Walker	235 260	(1,5%)	—	—
Royal Bank	969 990	(2,9%)	—	2
Bell Canada	120 076	(0,3%)	—	1
Dominion Textile	—	—	1	—

Source: F. Post Survey of Investment Funds, 1975; Moody's Bank & Finance, 1975; Moody's Transportation, 1975; Moody's Industrials, 1975; F. Post Directory of Directors, 1975.

Le tableau VI montre l'absence de relation entre le pourcentage d'actions détenues par les fonds mutuels du groupe *Investors* et les conseils d'administration où les administrateurs du groupe et de Power Corporation se placent. Les plus hauts pourcentages d'actions ne s'accompagnent pas d'échange d'administrateurs. Même si certains pourcentages sont très élevés, on peut en tirer la conclusion que les fonds mutuels agissent comme de purs investisseurs.

sont à la fois actionnaires d'autres firmes et sociétés industrielles, commerciales ou de transport. Nous nous intéressons uniquement au premier type de société, puisque n'importe quelle compagnie non financière détenant des filiales tombe dans la deuxième catégorie.

Avec les sociétés de portefeuille pures (*pure holding compagnies*) nous nous trouvons en face d'institutions financières qui contrôlent, c'est-à-dire qui détiennent les actions et qui nomment les administrateurs de sociétés financières et non financières. La loi les y autorise et c'est là l'objet même de ces sociétés de placement. Les exemples canadiens que tous les auteurs citent sont Argus Corporation et Power Corporation. Serions-nous enfin arrivés à identifier nos capitalistes financiers canadiens?

Voyons un peu le développement au Canada de ce type d'intermédiaires. Leur croissance a été parallèle à celle des simples sociétés de placement, surtout dans les années 1920, mais beaucoup d'autres se sont formées par la suite. La première que nous connaissions est Brazilian Traction Light Heat & Power formée en 1912 par Sir William Mackenzie du Canadian Northern, Sir Henry Pellatt, banquier de placement de la firme Pellatt & Osler de Toronto, Sir William Van Horne du C.P.R., l'avocat de sociétés Z.A. Lash, et d'autres capitalistes de Londres, New York et Toronto. La société Brazilian Traction détenait la presque totalité des actions de trois compagnies de tramways, électricité et de téléphone à Rio et São Paulo (Brésil). Pendant plus de cinquante ans Brazilian Traction prit le contrôle de nombreuses sociétés de services publics au Brésil, mais depuis une dizaine d'années, elle s'est tournée vers d'autres secteurs dans ce pays (secteur alimentaire, bancaire, hôtelier, minier) et a acquis le contrôle de sociétés industrielles et de services canadiens dont John Labatt en mai 1967, Western Minerals et Great Lakes Power Corp. en 1973.

Power Corporation a été incorporée en 1925 par la banque de placement Nesbitt Thomson & Co. pour prendre le contrôle de plusieurs sociétés hydro-électriques canadiennes dont Canada Northern Power Corp., Ottawa-Montreal Power Corp., Ontario, Ottawa & Hull Power Corp., ainsi que pour gérer des participations minoritaires à East Kootenay Power Co. (Alberta et Colombie-Britannique), Southern Canada Power

Co. (Québec), Winnipeg Electric Co., Dominion Power & Transmission Co. et Manitoba Power Co. Ces propriétés avaient une capacité installée de 300 000 chevaux-vapeur et une capacité potentielle de 600 000. Dans chaque cas Power Corp. nomma ses principaux partenaires au conseil d'administration de ces compagnies: A.J. Nesbitt et P.A. Thomson s'occupèrent donc directement des sociétés contrôlées. Pendant trente ans Power Corp. ne modifia pas sa politique d'investissements et resta fidèle au secteur hydro-électrique. Il est vrai qu'en 1944 elle avait cédé à l'Hydro-Ontario les actifs de la Canada Northern Power dans cette province. Le changement substantiel de stratégie quant à la composition de son portefeuille a commencé en 1957 avec la vente à la Shawinigan Water & Power de sa filiale Southern Canada en échange d'actions de la Shawinigan. À partir de 1957, elle acheta des actions dans des sociétés de divers secteurs: papier (Bathurst Power & Paper), banques (Banque Royale), transport (Trans-Canada Pipe Lines), etc. En 1963, elle vend au gouvernement du Québec ses actions de la Shawinigan Water & Power et garde le contrôle des filiales industrielles de la Shawinigan regroupées par la Shawinigan Industries. Dès 1964, Power Corp. n'est plus enregistrée par le *Moody's Public Utility* mais par le *Moody's Bank & Finance*: elle n'est plus une *holding company* du secteur hydro-électrique. Par ailleurs, cette année-là, ses placements par secteur se répartissaient comme suit:

Secteur	*% des valeurs en portefeuille*[75]
1) Hydro-électricité	4,25%
2) Pétrole, gaz, oléoducs	11,10%
3) Finance	9,00%
4) Industrie chimique	17,06%
5) Industrie papetière	15,07%
6) Transport	14,09%
7) Industrie minière	8,15%
8) Immobilier	5,19%
9) Divers	3,87%
10) Billets à court terme	12,22%

De 1964 à nos jours Power Corp. a concentré son portefeuille sur quelques grandes sociétés (dont Consolidated Bathurst, Investors Group, Laurentide Finance, Canada Steamships Lines, etc.) et vendu ses participations dans d'autres sociétés.

Alcan Aluminium Ltd. fournit un exemple de société de portefeuille dans le secteur manufacturier. Formée en 1928 pour détenir les actions de l'Aluminium Company of Canada (ancienne filiale d'Alcoa) et de nombreuses filiales d'Alcoa au Canada et à l'extérieur, elle organise un conglomérat multinational dont le noyau du conseil d'administration reste américain[76]. Ses secteurs privilégiés de placement n'ont pas varié depuis son incorporation.

Argus Corporation est une société de portefeuille diversifiée quant à ses secteurs de placement et ce, dès son incorporation en 1945. Elle détient des actions dans un nombre très restreint de sociétés sur lesquelles elle exerce un contrôle minoritaire et auxquelles elle envoie un nombre variable d'administrateurs, nombre toujours inférieur à la moitié du conseil d'administration de la filiale. À son incorporation, ses placements se répartissent ainsi en valeur[77]:

Canadian Breweries	39%	Dominion Malt	3%
Massey-Ferguson	13%	Orange Crush	3%
Canadian Food Products	9%	Autres	6%
Standard Chemical	9%	Cash	11%
Dominion Stores	7%	Total	100%

Au cours de sa courte histoire ses placements se sont peu modifiés. Canadian Breweries qui était la compagnie du fondateur d'Argus Corp., E.P. Taylor, fut séparée du groupe en 1968 (le contrôle a été vendu à Rothman's of Pall Mall). Argus Corp. a gardé le contrôle de Dominion Stores et Massey-Ferguson. Standard Chemical fut absorbée par Domtar en 1951 et Argus Corp. reçut des actions de celle-ci qui lui en donnèrent le contrôle. En 1951, Argus s'est départie des actions qu'elle détenait dans Orange Crush. Le contrôle de plusieurs sociétés a été acquis au cours des années: B.C. Forest Products depuis 1946, Standard Radio (devenue Standard Broadcasting Corp.) en 1960, Hollinger Mines en 1955 a été relâchée en 1961. St. Lawrence Corp., contrôlée en 1955, a été revendue en 1961.

Un dernier exemple de société de portefeuille est C.P. Investments. Organisée en 1962 par le C.P.R. elle contrôle les filiales du C.P. dans les secteurs autres que le transport. Parmi ses filiales, il y a Algoma Steel, un des trois grands de l'acier au Canada, Cominco, Fording Coal et Can Pac Minerals dans les mines, C.P. Hotels, Great Lakes Paper et Marathon Realty.

Les *holding companies* que nous venons de citer ne constituent que quelques exemples saillants d'un mode d'organisation financière qui est devenu très courant au Canada depuis les années 1920. Nous pourrions en donner de nombreux autres comme Loblaw Companies Ltd. du groupe

Weston dans l'industrie alimentaire; Canadian International Power (contrôlée à son tour par United Corporation de Delaware) dans le secteur des utilités avec des filiales en Amérique latine, Trizec Corp. dans le secteur immobilier. Essayons maintenant de placer les sociétés de portefeuille dans notre problématique du capital financier.

Chez Wallace Clement[78], il y a confusion quant à ces sociétés de portefeuille. Dans son analyse de certains groupes d'institutions financières, Clement passe en revue les banques, les compagnies d'assurance-vie et les sociétés de placement. Parmi celles-ci, il ne distingue pas les trois types que nous avons vus, mais il semble se concentrer sur les *holding companies*: «Les compagnies de placement représentent un collage de sociétés qui opèrent dans différents secteurs. La seule chose qu'elles ont en commun est que leur principale activité est celle de sociétés de portefeuille, avec des actifs dans plus d'un secteur[79].»

En fait les *holding companies* sont un *type particulier* de société de placement, et leurs actifs sont composés presque exclusivement d'actions ordinaires de compagnies. Les *holding companies* n'ont pas d'actifs ailleurs que dans le secteur financier (à moins qu'il ne s'agisse de *mixed holding companies* soit tout simplement des sociétés non financières ayant des filiales). Cette confusion mène Clement à construire un tableau (page 402) où des sociétés de placement de type *holding*, comme Argus Corp., Power Corp. et C.P. Investments sont mêlées à des sociétés industrielles ayant des filiales (comme Moore Corp.). Au même tableau Clement compare les actifs de sociétés comme Argus Corp. et Power Corp. qui ne consolident pas les bilans de leurs filiales avec les leurs, avec des sociétés comme Brascan et Alcan Aluminium qui, elles, consolident une partie des bilans des firmes qu'elles contrôlent avec leurs propres bilans. Dans cette comparaison, Argus Corp. et Power Corp. s'avèrent perdantes et se retrouvent parmi les plus petits *holding companies* du Canada. Clement classifie le plus grand *holding* de sociétés de placements à fonds variables du Canada (*Investors Group*) comme société d'hypothèques (p. 137 et 406) mais affirme en page 264 que c'est un fonds mutuel. Brascan est classifiée comme *utility* en page 32 et comme *investment company* en page 162, alors que, selon Moody's, Brascan est: «Une société de portefeuille qui ne possède pas d'actifs physiques. [...] La compagnie est une société d'administration et placement qui fournit des services publics au sud-est du Brésil à travers des filiales de production[79].»

En fait la société de portefeuille est un type d'institution financière que le système canadien a importé des États-Unis. La tradition britannique est celle des *investment trusts* avec diversification du portefeuille et sans contrôle sur les sociétés dont ils détiennent des actions. Aux États-Unis et au Canada la *holding company* a été employée pour obtenir le contrôle de sociétés avec un minimum d'investissements, recapitaliser les sociétés contrôlées et réduire la concurrence, sans en arriver à la fusion des firmes contrôlées (soit à cause de l'incorporation provinciale de certains types de sociétés, comme dans le cas de l'hydro-électricité, soit pour contourner une législation *antitrust*, soit pour détenir des filiales à l'étranger, ou encore pour contourner l'opposition réelle ou potentielle d'une partie des actionnaires à une fusion éventuelle). Comme mode de centralisation du contrôle et quant à sa solidité elle se trouve à mi-chemin entre le *gentlemen's agreement* (trop faible) et la fusion complète des sociétés. Aux États-Unis la société de portefeuille a été employée, dès la fin du XIXᵉ siècle dans tous les secteurs. La U.S. Steel (1901) dans le secteur manufacturier, Electric Bond & Share (1905) dans le secteur des utilités publiques, et I.N.C.O. (1902) dans celui des mines constituent des exemples de leur usage multiple[81].

Au Canada, les *holding companies* ont été utilisées, comme on l'a vu, dans tous les secteurs. Les promoteurs de ces sociétés ont été parfois des banquiers de placement (comme Nesbitt Thomson par rapport à Power Corp.) parfois elles ont servi à la réorganisation de conglomérats déjà existants (comme dans le cas de C.P. Investments, Loblaw Companies ou Alcan Aluminium) souvent elles sont sorties de l'initiative des industriels-financiers canadiens comme Sir William Mackenzie dans le cas de Brascan ou E.P. Taylor dans le cas d'Argus Corp. On ne peut nullement dire qu'elles aient été l'apanage exclusif ou privilégié des banquiers, pas même des financiers, canadiens ou américains, pour s'assurer le contrôle de l'économie du Canada. Elles n'ont été qu'un moyen technique de plus pour la centralisation, le contrôle et la capitalisation de compagnies, à côté d'autres comme les *pools,* les *gentlemen's agreements,* les combinaisons, les fusions, etc.

3.5 Les banques de placement (*Investment Banks*)

La théorie marxiste classique du contrôle financier explique la domination bancaire sur l'industrie à partir de plusieurs mécanismes, dont la fondation et la réorganisation de sociétés et le financement à long terme par l'émission de titres. Ces deux types d'activités financières correspondent au Canada et aux États-Unis au domaine des firmes d'investissement.

Aux États-Unis les banques de placement se sont développées au cours de la seconde moitiée du XIXe siècle et elles ont eu un rôle important dans la centralisation des sociétés de chemin de fer ainsi que dans la vague de fusions industrielles de 1896-1905[82]. Les banquiers américains de placement ont acquis bien souvent des positions de contrôle dans les compagnies qu'ils réorganisaient ou dont ils étaient les pourvoyeurs de fonds à long terme. Nous avons vu plus haut que plusieurs des groupements financiers américains comme décrits par A. Rochester en 1936, par P. Sweezy en 1939 ou par V. Perlo en 1961 ont été formés par des banquiers de placement, tels J.P. Morgan & Co., Goldman Sachs, Lehman Bros., Kuhn Loeb, etc. D'après Sweezy, Baran, Magdoff et O'Connor, mais aussi selon des auteurs non marxistes, tel V. Carosso, l'influence des banquiers de placement sur l'industrie aurait décliné depuis la Grande Crise.

Le Canada a connu au moins trois vagues de fusions importantes au XXe siècle[83] : celle de 1909-1913, celle de 1924-1929, et celle qui commence à la fin de la Seconde Guerre mondiale et va jusqu'en 1951. Dans les deux premières, les banquiers canadiens de placement ont joué un rôle essentiel en tant que promoteurs de consolidations. Par ailleurs, dans les émissions d'actions et d'obligations de sociétés, les banquiers canadiens de placement ont un rôle de premier plan depuis la Première Guerre mondiale. Est-ce qu'ils auraient eu une place semblable à celle de leurs homologues américains dans la réorganisation et le financement de l'industrie canadienne, et par ce biais acquis des positions de contrôle dans les grandes sociétés du Dominion? Pour répondre à ces questions nous examinerons d'abord le développement du secteur de placement au Canada, et ensuite nous étudierons l'évolution de cinq des plus importantes maisons d'investissement canadiennes.

Les firmes canadiennes de placement se sont développées beaucoup plus tard que leurs semblables américaines. Des maisons comme J.P. Morgan & Co. ou Drexel & Co. étaient déjà très importantes en 1860, autant par leur place sur le marché financier américain que par leurs liaisons internationales avec des firmes européennes. Au Canada, par contre, les principales firmes ont été fondées à la fin du XIXe siècle et au début du XXe : A.E. Ames & Co. en 1889, Dominion Securities Corp. en 1901, Royal Securities Corp. en 1903, Wood Gundy & Co. en 1905, Nesbitt Thomson & Co. en 1912. À l'instar des maisons américaines et européennes, elles étaient soit des corporations privées, soit des sociétés en commandite (*partnerships*). Elles n'étaient donc pas tenues de publier de bilan ou d'état financier; elles appartenaient entièrement (et c'est le cas encore aujourd'hui) aux quelques partenaires associés qui en sont les propriétaires et les administrateurs.

Les activités de ces firmes étaient largement indifférenciées: elles agissaient comme syndicataires (*underwriters*) dans l'émission de titres publics ou privés, dans la réorganisation (fusion, recapitalisation) de sociétés, comme courtiers à la bourse de Montréal et/ou de Toronto, comme détaillants de titres. Dans l'émission d'obligations fédérales et provinciales, les banquiers de placement ont concurrencé les banques à charte, qui exerçaient ces fonctions au Canada au XIXᵉ siècle, même si la plupart des emprunts publics et privés canadiens d'envergure étaient négociés directement à Londres ou à New York par des firmes d'investissement de ces centres-là. Ce ne fut qu'au cours de la Première Guerre mondiale que les firmes canadiennes ont développé une importance considérable. Jusque-là, le prestige et les fonds des firmes londoniennes et new-yorkaises, les mécanismes de distribution bien rodés de ces marchés, avaient relégué Montréal et Toronto à des places très secondaires. Ainsi de 1904 à 1914, 73% des obligations canadiennes étaient vendues au Royaume-Uni, 9% aux États-Unis et seulement 18% au Canada. Entre 1915 et 1920, la proportion est passée à 3%, 30% et 67% respectivement[84]. C'est là le début de l'industrie canadienne du placement. La guerre, en fermant le marché anglais de capitaux, a rapporté au Canada les opérations de financement à long terme.

Les firmes canadiennes d'investissement se sont organisées suivant le modèle établi aux États-Unis. En 1912 les banquiers de placement américains formaient la Investment Bankers Association of America pour répondre aux critiques croissantes du public, et aux demandes en faveur d'une législation restrictive. Au Canada, la Bond Dealers Association of Canada fut fondée en juin 1916 avec trente-deux membres; en 1925, elle changea de nom pour s'appeler Investment Bankers Association of Canada; elle avait alors 108 membres. En 1934, un amendement à la Loi des banques du Canada interdira aux firmes de placement de porter le nom de «banques» sans leur interdire pourtant les opérations de ce qu'on appelle aux quatre coins de la planète «banques de placement». Le nom de l'association corporative fut changé en Investment Dealers Association of Canada, mais leurs activités économiques réelles sont demeurées inchangées.

Les banques de placement ont joué un rôle essentiel en tant que promoteurs des fusions industrielles au cours du premier tiers du XXᵉ siècle au Canada. Un bon nombre de ces consolidations ont été réalisées par les *senior partners* des firmes d'investissement, à la recherche de nouveaux titres à écouler sur le marché. La procédure suivie généralement était l'achat des sociétés concurrentes ou produisant dans des secteurs connexes, et leur fusionnement (*merger*); parfois on mettait sur pied une société de portefeuille (*holding company*) et on achetait la majorité ou la totalité des actions votantes des sociétés en question, qui continuaient à fonctionner comme des entités légalement, mais non économiquement indépendantes. Parfois l'on se servait d'une des sociétés à fusionner comme société de portefeuille (*operating holding company*) pour les sociétés absorbées.

Les auteurs qui ont étudié et souligné le rôle des promoteurs financiers dans le processus de consolidation canadien entre 1900 et 1930 ne sont pas d'accord sur le *quantum* de contrôle que les financiers se réservaient dans les sociétés issues de la consolidation. La Commission royale d'enquête sur les écarts de prix de 1935 est convaincue que le contrôle à bon compte était un des buts principaux recherchés par les banquiers de placement.

> Pour les propriétaires de la compagnie venderesse, la réorganisation financière est simplement une opération qui leur permet de revendre leurs titres à des conditions qui leur semblent avantageuses. Pour le promoteur ou le banquier de placement, c'est un moyen d'arriver aux buts suivants: créer une demande de valeurs susceptibles d'être vendues au public moyennant profit; obtenir le contrôle de l'entreprise cédante et acquérir un titre à tous les profits sans participation à aucune des pertes. [...] Le promoteur s'assure le contrôle et un droit aux profits sans risque de perte, en vendant au public des obligations sans droit de vote portant un intérêt ou dividende fixe, et en se réservant la totalité ou la majeure partie des actions comportant droit de vote dans la nouvelle compagnie[85].

Les commissaires de 1935 sont donc des partisans acharnés de la théorie d'Hilferding sur le capital financier. Notons cependant que, même s'ils présentent des données statistiques très intéressantes sur 374 consolidations qui ont eu lieu de 1900 à 1933, aucune donnée ne permet d'estimer l'ampleur réelle du contrôle des banquiers de placement sur ces nouvelles firmes. Les trois exemples qu'ils présentent (la réorganisation de Simpsons Co. par Wood Gundy & Co., celle de Burns & Co. par Dominion Securities Corporation, et celle de Canadian Canners par Avern Pardoe & Co.) confirment leur thèse du contrôle par les banques de placement des firmes réorganisées.

Dans une étude approfondie portant sur la période 1909-1913, A.E. Epp soutient le point de vue contraire. D'après lui, seul le gain rapide en provenance de la vente de nouveaux titres comptait pour les financiers: «Les financiers qui ont aidé à organiser ces compagnies n'en retenaient que rarement le contrôle une fois qu'elles étaient organisées. Parmi les directeurs des firmes engagées dans la réorganisation de ces industries,

Alfred Ernest Ames et Cawthra Mulock restaient liés aux nouvelles compagnies. Les partenaires des autres firmes dédiées aux fusions et au financement n'ont pas retiré de contrôle industriel de l'organisation de ces fusions[80]. »

Une position intermédiaire est adoptée par H.G. Stapells[87]. Pour lui le motif principal des fondateurs était le profit de promoteur et non le contrôle. Par ailleurs, il cite des exemples de banquiers de placement qui n'ont gardé aucun contrôle des firmes issues de la fusion, et d'autres exemples où les financiers ont conservé les postes clés des conseils d'administration. Plus important encore, dans l'étude de Stapells qui porte sur la période 1900-1922, est le fait qu'il présente les fusions comme étant l'œuvre non pas des firmes de placement comme telles, mais de leurs principaux partenaires :

> La fondation de sociétés n'a pas été la fonction principale des maisons de placement au Canada. De par sa nature même, la fondation est une tâche plus personnelle qu'institutionnelle. Ce dont le fondateur avait besoin et que ces maisons financières lui fournissaient, c'était les connexions et les facilités pour mettre en marché les titres de la nouvelle société. Et c'est dans ce rôle plutôt que dans celui de fondateur, que les maisons de placement ont participé au mouvement de fusion[88].

En examinant rapidement l'histoire de cinq des plus grandes banques de placement du Canada, nous allons confirmer les hypothèses de Stapells; nous verrons quelques cas où les banquiers de placement se sont bâti de véritables empires, d'autres où leur activité correspond seulement à celle de chercheurs de profits à court terme. Par ailleurs, nous illustrerons avec ces exemples le fait que ce sont les promoteurs (et non pas les maisons de placement) qui obtiennent les profits et/ou le contrôle des sociétés à travers les fusions et les réorganisations. Certes, il est difficile de séparer les promoteurs et les banques de placement alors que celles-ci sont des sociétés privées détenues par les financiers. Néanmoins, un examen attentif des exemples nous aide à trouver le vrai vilain de notre histoire. Enfin, nous allons soutenir, que tout comme aux États-Unis, le banquier de placement canadien a commencé à décliner aussitôt arrivé au sommet de son pouvoir, et que le zénith de ce mouvement a été la crise de 1929-1933. Pour illustrer nos affirmations nous avons choisi les cinq plus grandes maisons de placement canadiennes à la fin des années 1920: Wood Gundy & Co., A.E. Ames & Co., Nesbitt Thomson & Co., Dominion Securities Corporation et Royal Securities Corporation.

Fondée en 1889 par Alfred Ernest Ames, beau-fils du sénateur George Cox de Toronto, Ames & Co. intervenait en 1898 dans l'organisation d'Imperial Life et du National Trust. En 1899, elle offrait sa première émission industrielle, «$300 000 d'actions privilégiées, 7% de la Dunlop Tire & Rubber Company. L'émission fut un succès immédiat et elle assit la firme en tant que maison de placement. L'émission déblaya le chemin pour une série d'autres; parmi les premières il y eut celles des actions privilégiées par la Carter-Crume Company, maintenant intégrée à la Moore Corp... Wm A. Rogers Ltd. et City Dairy Company, aujourd'hui faisant partie de la Compagnie Borden[89].»

Plus tard au cours du *boom* boursier de 1909-1913 il y eut F.N. Burt & Co., American Sales Book et d'autres compagnies. À la fin de sa carrière, en 1931, Alfred Ames se trouvait au conseil d'administration de vingt-quatre compagnies dont celles qu'il avait réorganisées[90]. Toutefois aucun des autres partenaires principaux de A.E. Ames & Co. n'était au conseil d'administration des compagnies réorganisées. Hilton R. Tudhope, qui succéda à Ames comme président de la firme à la mort du fondateur, en 1934, n'occupait en 1931, alors qu'il était vice-président de Ames & Co., que peu de postes d'administrateur; F.J. Coombs, un autre vice-président et administrateur de Ames & Co. en 1931, ne dirigeait que trois autres compagnies, toutes de deuxième rang. Au cours du boom des années 1924-1929, Ames & Co. fut la maison de placement la moins intéressée par les titres de sociétés: presque 70% des émissions souscrites l'ont été dans les titres publics, le plus haut pourcentage de toutes les grandes firmes d'investissement (voir tableau VII).

Pendant les années 1930, Ames & Co. est la maison de placement qui a le moins souffert de la récession (voir tableau VII), et paradoxale-ment ce fut grâce à une augmentation absolue et relative de ses affaires avec les sociétés. Plusieurs des anciens clients de Ames & Co. pouvaient encore emprunter sur le marché de capitaux (malgré l'aide du banquier) et de nouveaux clients corporatifs s'y ajoutèrent. Parmi les sociétés qui employaient régulièrement les services de Ames & Co. et qui ont continué à le faire pendant la crise il y eut International Milling qui émit $4 500 000 en actions en 1935, Cosmos Imperial Mills qui émettait $1 010 000 en actions en 1936, et Hamilton Cotton qui vendit $1 150 000 en obligations en 1938 (H.R. Tudhope, président de Ames & Co. depuis 1934 était aussi administrateur de ces deux dernières compagnies). Il y eut aussi les nouveaux clients: British American Oil ($5 000 000 en obligations en 1930, $4 000 000 en 1935), etc. mais les partenaires de Ames & Co. ne siégeaient pas au conseil d'administration de ces filiales étrangères.

TABLEAU VII

Structure de l'activité des cinq principales maisons de courtage (1924-1929 et 1930-1937)
(en millions de dollars canadiens courants et %)

	Obligations gouvernementales	Obligations de sociétés	Actions	Total
1. Wood, Gundy & Co.				
1924-1929	150 (29%)	218 (43%)	142 (28%)	510 (100%)
1930-1937	293 (64%)	157 (35%)	3 (1%)	453 (100%)
2. Dominion Securities Corp.				
1924-1929	276 (64%)	96 (22%)	60 (14%)	432 (100%)
1930-1937	151 (75%)	49 (24%)	2 (1%)	202 (100%)
3. Royal Securities Corp.				
1924-1929	5 (3%)	128 (77%)	34 (20%)	167 (100%)
1930-1937	2 (3%)	57 (95%)	1 (2%)	60 (100%)
4. Nesbitt, Thomson & Co.				
1924-1929	2 (1%)	109 (65%)	58 (34%)	169 (100%)
1930-1937	18 (19%)	69 (73%)	7 (8%)	94 (100%)
5. A.E. Ames & Co.				
1924-1929	72 (69%)	11 (11%)	21 (20%)	104 (100%)
1930-1937	47 (54%)	17 (20%)	23 (26%)	87 (100%)

Source: Monetary Times, numéros annuels, 1925-1938.

Pendant la Deuxième Guerre mondiale, les émissions de titres des compagnies ont été très restreintes et Ames & Co. garda une partie de ses anciens clients et en ajouta quelques nouveaux. Parmi les anciens, British American Oil ($6 000 000 en obligations en 1939, $3 000 000 en 1943), Cosmos Imperial Mills ($380 000 en obligations en 1940), Victoria Realty Corp. ($436 000 en 1941), Hamilton Cotton ($850 000 en obligations en 1943, et $1 500 000 en 1945), Building Products ($1 000 000 en obligations en 1945); parmi les nouveaux, le plus important fut Alcan ($4 250 000 en obligations en 1945).

Enfin, après la guerre, Ames & Co. s'est fait de nouveaux clients, tels que Bell Telephone, Imperial Tobacco, Dominion Textile ou Dunlop Tire & Rubber, mais ses administrateurs n'ont pas gagné des postes au conseil d'administration de ces compagnies. Les partenaires et directeurs de Ames & Co. ont gardé pendant les années 50 des places à l'administration des anciens clients: Hamilton Cotton, Monarch Knitting, Toronto Brick ou Brantford Cordage. Quant aux sociétés avec lesquelles Ames & Co. s'affaire après la Deuxième Guerre mondiale, ni Ames & Co. ni ses partenaires ne participent à leur administration. En outre, une fois les vieux partenaires de Ames & Co. disparus (A.E. Ames est mort en 1934, H.R. Tudhope a laissé la présidence en 1949 et il est devenu président du conseil jusqu'en 1957, Roy Warren a été président de 1950 à 1957) les nouveaux partenaires n'occupent presque pas de postes d'administrateurs ailleurs. Des onze membres du conseil d'administration de A.E. Ames & Co. Ltd. en 1975 seuls deux occupaient un poste d'administrateur ailleurs, et ce n'était ni le président du conseil, E.C. Lipsit, ni le président, P.D. Harris ni le vice-président exécutif, P.M. Fisher. Cela nous porte à croire que les anciens partenaires de Ames & Co. avaient acquis des actions des compagnies qu'ils avaient réorganisées ou financées au cours des années 1900-1930, mais que A.E. Ames & Co. comme telle ne détenait pas d'actions de ses clients[91].

Ces hypothèses se confirment quand on examine l'histoire de Royal Securities Corporation. Fondée en 1903 en tant que corporation privée par un groupe de capitalistes d'Halifax, elle eut Max Aitken comme premier manager. Les autres partenaires étaient des financiers-politiciens de la Nouvelle-Écosse: John Stairs (président de l'Union Bank et de la Nova Scotia Steel & Coal Co. et président du Parti conservateur de la province), l'Hon. Robert E. Harris (plus tard juge en chef de la Nouvelle-Écosse), Charles H. Cahan (plus tard secrétaire d'État conservateur de la province). Stairs fut le premier président de Royal Securities et son principal actionnaire; c'était lui qui soutenait Aitken. À la mort de Stairs, en 1904, les autres partenaires exigèrent d'Aitken de plus hauts dividendes et des comptes plus clairs et complets. Au lieu d'y accéder, Aitken se retira de Royal Securities et acheta le Montreal Trust en 1906, qu'il vendit en 1908 à un groupe de capitalistes liés à la Banque Royale[92]. En cette première période chez Royal Securities, il acheta et réorganisa plusieurs compagnies de services publics en Amérique latine: Trinidad Electric, Puerto Rico Railways, West Indies Electric, Demerara Electric, Camaguey Electric, ainsi qu'au Canada (Calgary Power). Les actions de ces compagnies furent réparties entre les actionnaires de Royal Securities mais Aitken s'y assura un contrôle ferme.

En 1908, Aitken acheta Royal Securities à ses anciens partenaires d'Halifax et l'installa à Montréal. Il avait alors comme employés (et non comme partenaires) trois futurs millionnaires canadiens: Richard B. Bennett, futur Premier ministre du Canada, Arthur J. Nesbitt, futur président de Nesbitt Thomson & Co. et Izaac W. Killam, futur président de Royal Securities. En 1910, Aitken et Royal Securities organisèrent deux des plus retentissantes fusions de l'époque: celles qui ont donné Canada Cement et Steel Co. of Canada. Dans chaque cas, Aitken reçut des actions et du comptant pour ses services et il se départit lentement des actions sans exercer le contrôle qu'elles lui conféraient. La même année il partait pour Londres; en 1915 il laissa la présidence de la compagnie à Izaac W. Killam (Nesbitt était parti en 1912 fonder sa propre banque de placement) et en 1919 il la lui vendait pour $6 millions. Il lui vendit aussi ses actions des compagnies hydro-électriques[93]. En 1920, Calgary Power était présidée par Bennett; les autres administrateurs étaient Killam, Aitken (devenu Lord Beaverbrook entre-temps), E.R. Wood (président de Dominion Securities) V.M. Drury (de la belle-famille d'Aitken, millionnaires-politiciens de Westmount) et deux employés. En 1925 Killam organisa International Power, une société de portefeuille, dont il devint président, pour administrer ses compagnies de services publics en Amérique latine[94].

Entre-temps Killam associa de nouveaux partenaires à Royal Securities: en 1929 il y avait H.J. Symington (avocat de nombreuses compagnies dont le Grand Trunk Pacific, Price Bros et Canadian Marconi, et plus tard administrateur du Canadien National, de Trans-Canada Air Lines et haut fonctionnaire libéral fédéral pendant la Deuxième Guerre mondiale), A.F. Culver, S.B. Hammond, N.S. Brooke et J.C. McKeen. Tous ceux-ci toutefois sont restés à une position de *juniors* puisque Killam détenait la majorité des actions de Royal Securities. Plus tard Killam engagea aussi plusieurs ingénieurs, devenus par la suite des associés mineurs et des administrateurs de Royal Securities, dont G.A. Gaherty et F. Krug.

Du côté de la structure de son activité, Royal Securities a toujours été liée essentiellement au financement de sociétés. C'est pourquoi elle a été la maison de placement la plus durement touchée par la Grande Crise (voir tableau VII). De 1924 à 1937, 97% de ses activités publiques consistèrent en l'achat d'émissions d'actions et d'obligations de compagnies. De 1919 à 1929 elle participa à des émissions d'au moins soixante sociétés différentes, quelques-unes sous le contrôle de Killam et de ses associés (dont Calgary Power et International Power et ses filiales), d'autres constituant d'anciens clients de la maison, dont Price Bros, Riordon Co., Fraser Co., Moirs Ltd. (dans lesquelles Royal Securities avait des administrateurs). À partir de 1930, Royal Securities s'est vue réduite aux émissions des compagnies sous son contrôle et celles des clients les plus fermes. Pendant la Deuxième Guerre mondiale, Royal Securities n'a eu que quelques émissions dans le secteur des services publics (Nova Scotia Light & Power, Newfoundland Light & Power), plus les émissions des sociétés sous son contrôle et quelques nouveaux clients (New Brunswick Telephone, Northon Telephone, Saskatoon Pipelines, etc.). Elle était devenue, cependant, la plus petite des grandes maisons de courtage. En 1954, un an avant de mourir, Killam vendit la compagnie à ses partenaires mineurs de l'époque: Alan S. Gordon, J.R. Hughes entre autres; il leur céda aussi ses intérêts dans les sociétés hydro-électriques. L'empire bâti par Aitken et conservé par Killam s'est lentement dissous. En 1964, United Corp. de Delaware prenait une part majoritaire dans les actions d'International Power; en 1969 Merrill Lynch, la plus grande maison de New York (et du monde), achetait Royal Securities provoquant un tollé d'indignation chez les financiers canadiens. C'était la première grande maison de courtage absorbée par une société américaine.

Royal Securities a fonctionné sous la présidence d'Aitken, puis de Killam, en tant que «capital financier» dans le plus pur style des banques de placement américaines. Mais il y a toutefois des différences remarquables à souligner. La première est qu'elle s'est concentrée dans le contrôle de sociétés de services surtout hydro-électriques, grâce à Calgary Power et à International Power; en d'autres termes, le secteur industriel ne semble pas lui être accessible. La deuxième est que bon nombre de ces sociétés de services publics se trouvent à l'extérieur du Canada, en Amérique latine. Enfin, comparé même aux empires de services publics aux États-Unis, celui de Royal Securities est de second ordre, tant par le nombre que par la taille des sociétés contrôlées. Il s'agit bel et bien de capitalisme financier, mais d'un capitalisme financier de pays périphérique.

Dominion Securities Corporation fut fondée en 1901 par des financiers de Toronto: le Sénateur George A. Cox, principal actionnaire de Central Canada Loan & Savings, président de Canada Life, administrateur et actionnaire de Imperial Life, la Banque Canadienne de Commerce, le National Trust, etc.; également Henry Pellatt associé avec William Mackenzie dans de nombreuses aventures, Edward R. Wood, vice-président de Central Canada Loan et administrateur de la Banque de Commerce, et autres. Du capital autorisé d'un million de dollars on émit $300 000 et Central Canada Loan prit $115 000, Pellatt $80 000 et E.R. Wood $50 000. Wood fut président de 1901 à 1903 et après la mort de Cox, entre 1912 et 1932. George H. Wood et James H. Gundy étaient, dès la fondation et jusqu'en 1905, respectivement, secrétaire et comptable; en 1905, ils se sont séparés pour former leur propre banque de placement, Wood Gundy & Co.

Dès le début, Dominion Securities était spécialisée dans l'achat garanti et la distribution d'obligations fédérales, provinciales et municipales, tel que le tableau VII le montre. Elle ne méprisait pas cependant des incursions dans le monde des sociétés, tel que l'exemple de Burns & Co. l'illustre. Burns & Co. Ltd. était une corporation fondée en 1890 à Calgary par Pat Burns; depuis 1908 elle faisait des affaires avec Dominion Securities qui était sa maison de banque et qui organisait ses émissions de titres. En 1928, M. Burns décidant de se retirer, appela Dominion Securities pour organiser une nouvelle compagnie dont les actifs seraient surévalués afin de pouvoir mouiller le capital-actions; le butin ainsi obtenu fut réparti entre M. Burns et Dominion Securities qui, en plus, reçut «toutes les actions ordinaires comme rémunération pour ses services dans le refinancement[95]». Suite aux désastreux résultats financiers de Burns & Co. une nouvelle réorganisation fut nécessaire en 1934 pour «dégonfler» les actifs et le capital-actions; à ce moment-là Dominion Securities possédait encore 60% des actions ordinaires. Parmi d'autres clients corporatifs il y eut la St-Lawrence Paper, la Beauharnois Power (à partir de 1929 lors de sa fondation) General Steel Wares et Toronto Elevators. Dominion Securities était représentée au conseil d'administration de ses compagnies au cours des années 1920 et 1930, le plus souvent par son président.

La compagnie resta dans l'orbite des grandes institutions financières torontoises jusqu'à la Deuxième Guerre mondiale sous la présidence de E.R. Wood et de Arthur F. White qui lui succéda en 1933. Pendant la guerre, la maison passa progressivement entre les mains d'employés qui y avaient fait carrière. Harry Bawden succéda à A.F. White à la présidence et fut lui-même remplacé par Geoffrey Phipps en 1953, un courtier de métier.

Après la guerre de 1939-1945, Dominion Securities s'ajouta quelques clients de taille: Shawinigan Water & Power Corp., Consumer's Gas, Steinberg's, Canadian Canners et Great Lakes Paper mais ses administrateurs ne sont pas représentés au conseil d'administration de ces compagnies. En fait, la seule importante compagnie qui est liée par un administrateur à Dominion Securities est Dofasco, où siège H. Bawden, qui reste administrateur de la maison de placement, même s'il n'en est plus président du Conseil. En 1973, Dominion Securities fusionna avec Harris & Partners, une firme d'investissements canadienne fondée en 1932, dans laquelle deux *merchant banks* de Londres avaient des intérêts: Baring Bros et Morgan Grenfell & Co. Par cette fusion, Dominion Securities a maintenant des actionnaires anglais, sans que l'on puisse dire l'importance de leur participation.

À l'opposé de Royal Securities, Dominion Securities ressemble plus aux banques londoniennes de placement qu'aux américaines. La grande majorité de ses affaires sont faites avec des titres publics, malgré quelques émissions de titres lui donnant un certain contrôle de compagnies industrielles et de services au cours des années 1920 et 1930. Toutefois elle ne conserva pas ces rapports privilégiés, ne fonda pas de société de portefeuille pour garder ces actions. En somme, elle semble être jusqu'à la Deuxième Guerre mondiale un appendice au groupe torontois formé par la Banque de Commerce, le National Trust et Central Canada Loan.

L'histoire de Wood Gundy & Co. est à la fois plus courte et plus complexe: fondée en 1905 par deux ex-employés de Dominion Securities elle devint, vingt ans plus tard (et le reste jusqu'à nos jours) la plus grande banque de placement au Canada. Pendant la période de 1924-1929 elle se consacra surtout au financement de sociétés (voir le tableau VII). Elle arriva trop tard à la vague de fusions de 1909-1913, mais participa pleinement aux réorganisations de compagnies de 1924-1929. On lui doit notamment Canada Power & Paper (en 1928, devenue Consolidated Paper en 1931 et Consolidated-Bathurst en 1967), le holding Simpson's Ltd., la réorganisation du géant British Empire Steel Corp. en 1928 qui devint Dominion Steel Corporation, et de Canada Cement en 1927. Elle fonda quatre sociétés de placement de fonds fixes au cours de la période de 1925-1929. Parmi ses autres clients importants de l'époque il y avait Dominion Tar & Chemical (dont Wood Gundy faisait les émissions associé à Greenshilds & Co.), Howard Smith Paper Mills, Great Lakes Paper, Montreal Light, Heat & Power Cons. À l'époque, Wood Gundy & Co. travaillait en association avec une autre maison de placement, qui a existé pendant seulement quelques années (de 1928 à 1931, environ): Holt Gundy & Co. Il semblerait qu'il y eut une certaine division des tâches entre ces deux maisons: Holt Gundy & Co. s'occupaient des fusions, Wood Gundy de la distribution des titres des nouvelles compagnies consolidées. Dans Holt Gundy & Co. on trouvait Sir Herbert Holt, le tout-puissant président de la Banque Royale et de Montreal Light, Heat & Power associé à James H. Gundy et à quelques avocats de compagnies, dont George Montgomery. Grâce à leurs réorganisations au moyen de mouillage d'actions, le groupe Holt Gundy & Co. — Wood Gundy a réussi quelques-unes des faillites les plus retentissantes de l'histoire industrielle du Canada: celle de Dosco et de Canada Power & Paper en 1931 et celle de Great Lakes Paper. Par ailleurs la création du holding Simpson's Ltd. donna à Wood Gundy environ 40% des actions votantes de cette société de portefeuille[96]. Suite à ces activités, J.H. Gundy se trouvait en 1931 au conseil d'administration de quelque cinquante compagnies dont plusieurs des plus importantes au Canada: Canada Power & Paper, Dominion Steel Corp., Simpson's Ltd., Dominion Tar & Chemical, Canada Cement Co., Massey-Harris Co. ainsi que leurs principales filiales[97]. En revanche G.H. Wood, président de Wood Gundy jusqu'à sa retraite en 1933, ne participait pas à l'administration des compagnies «clientes» pas plus que les vice-présidents de la maison de placement, N. McIlwraith, G.T. Finch et A.W. Scripture[98]. Deux des administrateurs de Wood Gundy, A.H. Williamson et A.D. Cobban occupaient cependant quelques directorats dans les compagnies clientes.

La crise a réduit les affaires de Wood Gundy, mais le volume des transactions des titres n'a été réduit que de 15% environ. La conséquence fondamentale de la crise fut de réorienter la firme torontoise vers les obligations gouvernementales. Certes, les vieux clients qui n'étaient pas en faillite, restèrent fidèles à la maison: Canada Cement, Simpson's Ltd., Dominion Tar & Chemical, Massey-Harris, Howard Smith Paper Mills et les administrateurs de Wood Gundy continuèrent à siéger au conseil d'administration de ces compagnies. La firme gagna même quelques nouveaux clients, tels que Great Lakes Power et Canadian Food Products. Les principaux partenaires de la maison de placement sont allés enrichir de leur expérience les conseils d'administration de ces sociétés.

Après la Deuxième Guerre mondiale, James H. Gundy laissa la présidence de la firme à son fils, Charles L. en 1948, et il devint président du conseil jusqu'à sa mort en 1951. William P. Scott, son neveu, le remplaça comme président du conseil. Puis William Price Wilder devint président en 1967 et enfin Charles L. Gundy en 1967. Pendant toute l'après-guerre les membres de la famille Gundy, principaux partenaires de la firme, se trouvaient représentés aux conseils d'administration des «vieux clients», c'est-à-dire des compagnies que Wood Gundy a recapitalisées ou réorganisées au cours des années 1920, à l'exception de celles qui ont fait faillite lors de la Grande Crise. Ainsi en 1955 et en 1964, Charles L. Gundy et William Scott se trouvaient tous deux au conseil d'administration de Simpson's Ltd. et de Simpson's Sears, le premier siégeait aussi au conseil d'administration de Domtar, Canada Cement, Abitibi Power & Paper, Massey-Ferguson et Dominion Life, tel que son père l'avait fait. Scott siégeait davantage chez les «nouveaux clients»: Great Lakes Power Corp., Trans-Canada Pipelines et Canadian Food Products. En 1975, Charles L. Gundy, devenu président honoraire du conseil siège encore au conseil d'administration des «vieux clients». Medland président directeur-général, et John N. Cole, vice-président du conseil, sont au conseil d'administration des nouveaux clients: Medland administre aussi Distillers-Corp-Seagram et Interprovincial Pipeline Co. (entre autres) et Cole est au conseil d'administration de Bombardier Ltd., Sherwin-Williams of Canada et Belding-Corticelli, entre autres[99]. Cela confirme la thèse de Stapples, à savoir que ce ne sont pas les maisons de placement qui gagnaient des positions dominantes lors des réorganisations, recapitalisations ou émissions, mais les partenaires «senior». Pour chacune des années mentionnées, plusieurs vice-présidents de Wood Gundy n'occupent aucun poste d'administrateur à l'extérieur de la firme. Remarquons enfin que Wood Gundy reste la première banque de placement du Canada et qu'elle est l'intermédiaire, comme les exemples le montrent, de nombreuses grandes sociétés canadiennes.

Nesbitt Thomson fut fondée en 1912 par Arthur J. Nesbitt, ancien employé de Royal Securities, et par Peter A. Thomson. Les deux partenaires furent respectivement président et vice-président de la maison jusqu'en 1952. Tout comme Wood Gundy, les principaux partenaires de la firme appartenaient aux deux familles impliquées: James M. Aird, beau-père de A.J. Nesbitt en fut lui aussi vice-président de 1931 à 1956; en 1952 la présidence passa à Arthur D. Nesbitt, fils d'Arthur J., et en 1966 à Peter Nesbitt Thomson, fils de P.A. Thomson. C'est donc à une compagnie familiale que nous avons affaire. Nesbitt Thomson s'est spécialisée dans le financement corporatif, quoique la maison se soit quelque peu reconvertie, à partir de 1930, dans les émissions publiques. À l'intérieur du secteur privé elle s'est occupée, dès les premières années, des sociétés hydro-électriques. Au cours des émissions d'actions et d'obligations de ces sociétés Nesbitt, Thomson acquit ou reçut en partie de paiement des actions votantes de ces compagnies. C'est ainsi qu'elle put constituer en 1925 le *holding* hydro-électrique Power Corporation. (Voir ci-dessus, pages 41-42). Jusqu'à l'arrivée du groupe Desmarais-Parisien en 1968, Power Corp. resta sous le contrôle des familles Nesbitt et Thomson. La maison de placement servit pendant ces quarante-trois ans à grossir le portefeuille de Power Corp., à travers les actions reçues au cours des émissions financées par Nesbitt Thomson. En 1925 Power tenait sous son contrôle huit sociétés hydro-électriques: Canada Northern Power, Ottawa & Hull Power, Ottawa River Power, East Kootenay Power, Southern Canada Power, Winnipeg Electric Co., Dominion Power & Transmission et Manitoba Power. Plusieurs de ces compagnies avaient (ou ont constitué ultérieurement) des filiales dans l'industrie minière. Nesbitt Thomson ajouta au portefeuille de Power Corp. des intérêts substantiels dans British Columbia Power Corp., Canada Steamships Lines (dès 1926), Bathurst Power & Paper Co. (dès 1928), Canadian Celanese (dès 1926), Canadian Oils Co. (dès 1940), Trans-Canada Pipe Lines (dès 1957). Par ailleurs, Nesbitt Thomson constitua ses propres sociétés de placement à fonds fixes: Foreign Power Securities Corp. (en 1927), Great Britain & Canada Investment Corp. (en 1929), Canada Power & Paper Investments (en 1920). Les émissions de titres de ces compagnies ont été faites par Nesbitt Thomson. D'autre part, les principaux partenaires et cadres de Nesbitt Thomson détenaient les plus importants sièges au conseil d'administration de Power Corp. et de toutes les compagnies contrôlées ou influencées par celle-ci. Ainsi en 1931, Arthur J. Nesbitt, président de Nesbitt Thomson, détenait 20 postes d'adminis-trateur, P.A. Thomson en détenait 21, James S. Aird, vice-président et partenaire *junior* n'en détenait que trois[100]. En 1955, vingt-cinq ans plus tard, Arthur D. Nesbitt, président de la firme, détient onze postes d'administrateur, Peter N. Thomson, vice-président et managing-director, en détient vingt-huit, deux vice-présidents, associés mineurs, D.K. Baldwin et R.H. Dean en détiennent cinq et quatre respectivement[101]. Dans tous les cas il s'agit de compagnies clientes, c'est-à-dire dont les émissions d'actions et d'obligations sont financées par Nesbitt Thomson. Enfin, depuis la Deuxième Guerre mondiale, la firme gagna quelques clients importants, au-delà de Power Corp. et de ses filiales. Le principal est Trans-Canada Pipe Lines pour laquelle Nesbitt Thomson organisa en 1957 deux émissions d'obligations, au moyen de syndicats, de $54 millions et $104 millions. À partir de cette année-là d'autres émissions se sont succédé et des partenaires *senior* de Nesbitt Thomson sont allés siéger au conseil d'administration de la compagnie d'oléoducs. Au cours des années 1960 les familles Nesbitt et Thomson ont vendu une partie de leurs actions de Power Corp. et en ont ainsi cédé le contrôle au groupe canadien-français ayant à sa tête Paul Desmarais. Seul A.D. Nesbitt siège encore au conseil d'administration de Power Corp., et ce comme simple administrateur.

À l'instar de Royal Securities, les principaux partenaires de Nesbitt Thomson ont constitué au cours des années 1920 et 1930 un empire dans les services publics, empire qui était géré par Power Corp. Fonctionnant comme des capitalistes financiers dans les secteurs «marginaux» de l'activité économique, A.J. Nesbitt et P.A. Thomson ont donné lieu à la création du deuxième plus grand conglomérat canadien, après celui du Canadien Pacifique.

Après avoir passé en revue l'histoire des cinq plus grandes maisons de placement canadiennes de l'époque 1924-1929, nous devons tirer un certain nombre de conclusions générales et jeter une lumière plus étendue sur le secteur. Une première constatation qui s'impose est que toutes les maisons de placement ne fonctionnent pas avec les mêmes principes, ni sur les mêmes marchés. Des cinq firmes qu'on a vues, deux, soit Nesbitt Thomson et Royal Securities, ont servi à la constitution de groupements financiers, deux autres, Dominion Securities et A.E. Ames & Co. faisaient partie de groupements financiers plus vastes, dont les firmes de placement n'étaient qu'une institution, et non pas la plus importante. Wood Gundy se trouve à mi-chemin entre les deux: elle exerce une influence certaine sur plusieurs compagnies, mais elle n'a pas créé une société de portefeuille pour gérer leurs actions. Une deuxième conclusion est le déclin des banques d'investissements: celles qui s'étaient créé des groupes financiers les ont abandonnés au cours des années 1960, c'est rarement que les adminis-trateurs des firmes de placement siègent à des conseils d'administration de compagnies de taille (Wood Gundy et Nesbitt Thomson font exception). C'est que, tout comme aux États-Unis, à partir de 1930 les banquiers canadiens de placement ont commencé à décliner. Cet affaiblissement s'explique: 1) par la réduction brutale du volume des titres corporatifs émis par les compagnies canadiennes à partir de 1930; en ce qui concerne les actions, de 1924 à 1929 il y eut $788 millions d'actions offertes publiquement, une moyenne annuelle de $131,3 millions, alors que de 1930 à 1937 le total ne fut que de $145 millions, pour une moyenne annuelle de $18,1 millions (voir le tableau VIII). À partir de 1937, le *Monetary Times* ne publie plus de chiffres sur les émissions canadiennes d'actions, mais tous les renseignements dont nous disposons indiquent que le marché est resté aussi réduit de 1938 à 1946 que de 1930 à 1937. En ce qui concerne les obligations de corporations (y compris les chemins de fer), de 1920 à 1929 les ventes canadiennes ont été de $2 334,7 millions, pour une moyenne de $233,5 millions par an; de 1930 à 1939 elles ont décliné à $1 548,2 millions, soit $155 millions par an[102]; 2) par la création de la Banque du Canada qui prit en charge une proportion croissante de la mise sur le marché des emprunts fédéraux, et par l'entrée massive des banques à charte

TABLEAU VIII

Principales émissions canadiennes d'actions selon les maisons de courtages (1924-1937)*
(millions de dollars canadiens courants et %)

	1924	1925	1926	1927	1928	1929	1924-29	1930-37
Wood Gundy & Co.	—	4,3	9,2	84,4**	12,5	31,9	142,3	3,4
Dominion Securities Corp.	—	—	0,8	10,1	47,5	1,5	59,9	1,5
Nesbitt Thomson & Co.	4,5	5,5	8,1	13,5	20,5	5,9	58,0	7,1
Royal Securities Corp.	7,0	—	7,0	2,3	8,1	9,9	34,3	0,6
A.E. Ames & Co.	0,6	3,8	6,1	0,9	3,9	5,9	21,2	22,5
Sous-total cinq cos ($)	12,1	13,6	31,2	111,2	92,5	55,1	315,7	35,1
Sous-total cinq cos (%)	24%	23%	32%	61%	37%	38%	40%	24%
Total ($)	50,7	59,6	97,0	183,5	253,5	143,8	787,8	145,2

*Les données incluent les émissions organisées par chaque maison de courtage agissant seule ou à la tête d'un syndicat financier.
**Dont $81 millions de l'émission d'actions privilégiées du Canada Cement, organisée par Wood Gundy & Co. sans l'aide d'un syndicat.

Source : Monetary Times, numéros annuels, 1925-1938.

canadiennes dans le placement des titres fédéraux (pendant la Crise et la Deuxième Guerre mondiale le gouvernement fédéral est devenu le principal émetteur d'obligations au Canada) (voir tableau IX); 3) par la fin de la période de réorganisation industrielle de base du Canada, en 1930. De 1924 à 1930, il y eut, selon Weldon, 315 consolidations industrielles au Canada, pour un volume de $968 millions (le volume est mesuré par les actifs bruts, moins la dépréciation, des firmes absorbées), alors que de 1931 à 1945 inclusivement il n'y eut que 232 consolidations pour un volume de $306 millions[103]. Désormais les financiers faisaient face à de grandes sociétés industrielles dans à peu près tous les secteurs importants de la manufacture et des mines, et les administrateurs en place dans ces corporations étaient beaucoup moins facilement délogeables que ceux des petites compagnies d'avant les fusions. 4) Par un environnement politique et social plus sévère à l'égard des banquiers de placement. Il est vrai qu'il n'y a pas eu au Canada d'enquête gouvernementale semblable à celle menée par le Comité Gray-Pecora aux États-Unis en 1932-1934, et la Commission canadienne sur les écarts de prix n'en est qu'un pâle reflet. Mais sous l'impulsion de l'évolution des lois anglaises et américaines, la législation canadienne sur les valeurs mobilières s'est modifiée graduellement. Jusqu'en 1930, la législation fédérale canadienne sur les valeurs mobilières avait pris la forme d'amendements à la loi des compagnies, amendements qui avaient pour but d'obliger les compagnies qui offraient publiquement des titres à divulguer dans leurs prospectus ou rapport les noms des promoteurs, des officiers et des souscripteurs, ainsi que la publication des contrats passés avec la compagnie promue. Au niveau provincial, les mêmes dispositions furent incorporées aux lois des compagnies, également sous l'inspiration de la législation anglaise. Les provinces ajoutèrent cependant la législation d'origine américaine de type *blue sky laws* forçant l'enregistrement des titres et des maisons de placement, et ce depuis 1912. À partir de la Crise mondiale, et des changements fondamentaux dans la législation américaine et anglaise sur les valeurs mobilières, les lois fédérales et provinciales sur les compagnies furent modifiées pour augmenter la quantité d'information donnée par les administrateurs et les promoteurs aux actionnaires. Ainsi les amendements de 1935 permettent à chaque actionnaire d'être informé sur les transactions des administrateurs concernant les actions de la compagnie (mais les actionnaires se sont rarement prévalu de cette clause)[104]. En 1945, l'Ontario promulga une autre loi de valeurs mobilières du Canada sous les pressions combinées d'une vague de promotions frauduleuses et du gouvernement américain. «Les actions minières canadiennes offraient un véhicule presque parfait pour la fondation frauduleuse, et aux opérateurs américains approvisionnant Toronto et Montréal s'ajouta un élément

TABLEAU IX

*Part des banques à charte et de la Banque du Canada
dans les émissions d'obligations du Gouvernement du Canada*
(1924-1940, dollars courants)

	1924	1925	1926	1927	1928	1929	1930	1931	1932	1933	1934	1935	1936	1937	1938	1939	1940
Banques à charte	—	—	45	45	—	—	40	—	85	80	15	444,3	510	585	674,9	820	1075
Banques américaines	90	70	40	—	—	—	100	—	60	60	50	136	48	85	88,7	20	—
Banque du Canada	—	—	—	—	—	—	—	—	—	—	—	75	100	213,5	139,8	184,5	430
Syndicats mixtes*	85	—	20	—	—	—	—	858	81,3	225	265	60	—	—	—	—	—
Banquiers de placement	—	75	—	—	—	—	—	—	—	—	—	—	—	—	—	—	—
Autres**	—	24,3	—	—	—	—	—	—	—	75	70	20	135	—	—	—	575,6
Total	175	169,3	105	45	—	—	140	858	226,3	440	400	739,3	793	883,5	903,4	1 024,5	2 080,6

*Banques à charte et banquiers de placement.
**Vendues à Londres, ou vendues de façon privée, etc.

Source: *Monetary Times*, numéros annuels 1925-1941.

marginal canadien avide d'apprendre l'art de tromper des niais. Il est difficile de savoir combien on a ainsi extorqué aux dupes (et aux ambitieux), mais les rapports annuels de la Securities Exchange Commission décrivent la gravité croissante du *problème canadien*[105].»

La loi augmentait le nombre et type d'information que l'émetteur devait divulguer avant une émission de titres, et les autres provinces ont suivi. Tous ces développements égaux ont sans doute réduit davantage la marge des promoteurs financiers dans le contrôle des compagnies.

Un dernier point qui mérite d'être souligné est le rapport entre les banques de placement et les banques à charte. Sauf pour les trois premiers présidents de Dominion Securities (G. Cox, E.R. Wood et A.F. White), nous n'avons pas trouvé d'échange d'administrateurs entre les deux types d'institutions. Bien sûr, étant des compagnies privées ou des sociétés en commandite par actions, on ne peut avoir accès aux listes des actionnaires des maisons de placement. Par ailleurs, les marchands en valeurs emploient du crédit à court terme qui leur est offert par les banques à charte; ainsi il semble évident que certaines associations aient pu se former dès le début du siècle entre chaque maison de placement avec une banque à charte qui lui fournit de préférence du crédit (par exemple: de Dominion Securities et A.E. Ames & Co. avec la Banque Canadienne de Commerce, de Wood Gundy avec la Banque Royale, et de Nesbitt Thomson avec la Banque de Montréal) mais rien n'autorise à en déduire une influence quelconque des banques à charte sur les maisons de placement.

Conclusion

Nous avons vu au cours de notre étude que les principales institutions financières canadiennes (les banques à charte, les sociétés de fiducie, les compagnies d'assurance-vie, la grande majorité des sociétés de placement et des banques de placement) n'entretiennent pas de relations de contrôle avec les sociétés non financières. On a pu constater quelques développements mineurs particulièrement chez les banques à charte, les *trusts* et les compagnies d'assurance, qui tendent à donner à ces institutions, depuis une quinzaine d'années le contrôle de quelques compagnies soit financières, soit immobilières. Mais le tableau traditionnel du système financier canadien n'a pas varié: il s'abstient d'intervenir directement dans la fondation, la réorganisation et le contrôle de sociétés non financières. La raison principale de cet «abstentionnisme» est l'influence du système financier anglais sur le canadien. La législation financière canadienne largement forgée par les banquiers eux-mêmes n'a en rien empêché la participation et le financement industriels à long terme des institutions financières. Ce sont ces institutions elles-mêmes qui se sont interdit de jouer un rôle à ce niveau, en refusant d'imiter les modèles continental et américain de contrôle et de participation financière dans l'industrie.

Pourquoi le système financier anglais a-t-il pu avoir une si grande influence sur le système canadien? D'une part parce que celui-ci s'est formé au XIXᵉ et au début du XXᵉ siècle et que les modes d'organisation ont été calqués sur ceux de la métropole dominante de l'époque. En deuxième lieu, parce que la classe dominante canadienne, qui mit sur pied ses institutions, était majoritairement britannique. Et troisièmement, parce qu'un modèle où les banques et les autres institutions financières ne se «mêlent» pas du contrôle de l'industrie correspond très bien à la structure dépendante du Canada, où l'industrie était en retard, éparpillée sur le plan économique, ou bien sous contrôle étranger. L'attachement à un système financier calqué sur le britannique n'est donc pas le résultat d'une imposition formelle et légale de la Grande-Bretagne: il correspond à la structure économique et sociale dépendante du Canada.

La seule exception majeure à ce tableau semble être les sociétés de portefeuille, empruntées au système américain. Mais ce type de société financière est loin de constituer la norme en ce qui concerne le contrôle des compagnies au Canada. Sur les cent plus grandes sociétés manufacturières, minières et de services publics de la liste du *Financial Post* de 1975[106] seulement quarante n'étaient pas sous un contrôle étranger connu, et parmi ces quarante, seulement six (Massey-Ferguson, Domtar, Noranda Mines, reliées à Argus; Canada Steamship Lines et Consolidated-Bathurst contrôlées par Power, J. Labatt contrôlée par Brascan) étaient sous le contrôle d'un *holding*. Dans plusieurs cas, il y avait un contrôle institutionnel non financier comme celui d'Abitibi sur Price et d'Algoma Steel sur Dominion Bridge. Ailleurs on trouvait un contrôle familial (celui de la famille Molson sur le conglomérat de ce nom, ou celui de la famille Bronfman sur Distillers-Seagram). Dans d'autres compagnies on ne distinguait pas une institution ou un groupe important d'actionnaires détenant le contrôle de la société comme dans Bell Canada ou le Canadien Pacifique. Par ailleurs, le *Financial Post* publie dans la même page une liste de vingt-cinq des plus grandes institutions financières du Canada selon les actifs au 31 décembre 1974. Parmi ces compagnies nous avons les sept plus grandes banques à charte du Canada dont seulement une est sous contrôle financier (la Banque Provinciale, contrôlée par le Mouvement des Caisses Desjardins), les quatre plus gros *trusts* (dont seul le National Trust a un gros actionnaire institutionnel: Canada Life), les neuf plus grandes compagnies d'assurance (dont une seule est sous contrôle financier: la

Great West sous contrôle de Power Corp.), les deux plus importantes sociétés de prêt hypothécaire (dont une, la Canada Permanent Mortgage Corp. sous contrôle de la Banque Toronto-Dominion et de la Banque de la Nouvelle-Écosse), les trois principales sociétés de financement des ventes (dont une sous contrôle financier: Traders Group par Canadian General Securities). En somme, il y a tout au plus cinq cas de contrôle financier sur vingt-cinq et aucun cas de contrôle institutionnel non financier.

La théorie du contrôle financier ne peut être retenue que comme une hypothèse parmi d'autres. Dans sa forme la plus nette, celle du contrôle bancaire d'Hilferding, elle peut être mise à l'écart dans le contexte canadien. En sa forme plus nuancée, celle de Lénine en termes d'interpénétration banques-industrie, la théorie soulève plusieurs problèmes. Si l'interpénétration veut simplement dire qu'il y a des «liaisons personnelles» au niveau des conseils d'administration, elle est banale et ne revêt aucun intérêt. Si ces liaisons personnelles recouvrent des prises de participation institutionnelles, nous pouvons facilement constater que tel n'est pas le cas au Canada: les banques et leurs autres institutions financières, sauf les sociétés de portefeuille, ne contrôlent pas des sociétés non financières, et celles-ci ne contrôlent pas les institutions financières. Enfin, si l'interpénétration au niveau des conseils d'administration recouvre divers types de liens commerciaux (relations: par exemple entre une banque fournissant du crédit commercial et sa clientèle industrielle), financiers (les administrateurs communs étant les principaux actionnaires individuels des sociétés financières et non financières qu'ils dirigent) ou autres, ces liens doivent être mis à jour et étudiés. La théorie marxiste du contrôle financier ne peut, telle que formulée, qu'expliquer une partie du contrôle des sociétés par actions au Canada. On devra en même temps tenir compte de la théorie du contrôle interne de Berle et Means[107], des cas de contrôle familial, voire individuel de sociétés, du contrôle institutionnel non financier, etc.

Soulignons enfin que tout contrôle d'une société par une *holding company* n'implique nullement un contrôle financier dans tous les cas. On a vu de multiples exemples où la société de portefeuille est employée uniquement en tant que moyen technico-administratif de centralisation ou de réorganisation d'un groupement d'intérêts déjà existant: le cas de C.P. Investments à ce sujet est remarquable. Aussi, seulement quelques sociétés de portefeuille, dont Power Corp., ont été organisées par des financiers ou des banquiers. Bien souvent, les *holding companies* ne sont qu'une pièce au sein d'empires familiaux, comme ceux de G. Weston, ou de conglomérats à contrôle interne, tel que celui du Canadien Pacifique.

Quant aux banques de placement, elles sont abondamment intervenues dans le processus de fusion et de réorganisation de l'industrie canadienne entre 1900 et 1930. De cette intervention, les principaux partenaires des firmes d'investissement ont profité quelquefois pour s'assurer le contrôle des sociétés recapitalisées. Mais les maisons de placement elles-mêmes n'en ont pas hérité la domination de l'industrie; par ailleurs, de multiples facteurs ont provoqué le déclin des firmes de placement à partir de 1930. Ce processus de déclin aboutit depuis quelques années à la fusion des maisons de courtage pour éviter leur disparition, ainsi qu'à la prise en main de plusieurs d'entre elles par des banques de placement américaines ou britanniques[108].

NOTES DU CHAPITRE PREMIER

1. R. Hilferding, *le Capital financier* (1910), Paris, Éd. de Minuit, 1970, p. 180.
2. *Ibid.*, p. 181.
3. *Ibid.*, p. 319.
4. Lénine, «Cahiers de l'impérialisme», *Œuvres complètes,* Paris, Éd. Sociales, 1970, t. 39, p. 206 et 345-350; et l'*Impérialisme, stade suprême du capitalisme,* Pékin, Éd. en Langues étrangères, 1966.
5. Id., *l'Impérialisme,* p. 45.
6. *Ibid.*, p. 61.
7. A. Rochester, *Rulers of America, A study of finance capital,* Toronto, F. White Publishers Ltd., 1936, p. 13.
8. V. Perlo, *l'Empire de la haute finance,* Paris, Éd. Sociales, 1974, p. 26 (trad. française de *The Empire of High Finance,* New York, International Publishers, 1961).
9. P. Sweezy, *The theory of capitalist development* (1942), New York, Dobson, 1967, «The decline of the investment banker» dans *The Present as History,* New York, Monthly Review Press, 1955. — P. Baran et P. Sweezy, *le Capitalisme monopoliste,* Paris, Maspero, 1968 (trad. française de *Monopoly Capital,* New York, Monthly Review Press, 1966). — H. Magdoff, *l'Âge de l'impérialisme,* Paris, Maspero, 1970, (trad. française de *The Age of Imperialism,* New York, Monthly Review Press, 1967). Voir aussi, dans le même sens: J. O'Connor, «Finance capital or corporate capital?» dans *Monthly Review,* New York, décembre 1968, et E. Herman, «Do bankers control corporations?», dans *Monthly Review,* New York, juin 1973.
10. A. Rochester, *op. cit.*, chap. 2 à 5.
11. V. Perlo, *op. cit.*, chap. 7.
12. J.-M. Chevalier, *la Structure financière de l'industrie américaine,* Paris, Cujas, 1970, 2e partie.
13. P. Baran et P. Sweezy, *op. cit.,* p. 36.
14. J.-M. Chevalier, *op. cit.*
15. *Ibid.*, p. 106.
16. S. Menshikov, *Millionnaires and managers,* Moscou, Éd. du progrès, 1969.
17. *Ibid.*, p. 214-215.

18. R. Fitch et M. Oppenheimer, «Who rules the corporations?» dans *Socialist Revolution*, vol. 1, nos 4, 5 et 6, San Francisco, juillet-décembre 1970.

19. P. Sweezy, «The Resurgence of Financial Control: Fact or Fancy?» dans *Socialist Revolution*, vol. 2, no 8, mars-avril 1972 et dans *Monthly Review*, nov. 1972. — J. O'Connor, «Who rules the corporations? The Ruling Class» dans *Socialist Revolution*, vol. 2, no 7, janvier-février 1971.

20. R. Fitch, «Reply» dans *Socialist Revolution*, vol. 2, no 7, janvier-février 1971.

21. E.S. Herman, «Do bankers control corporations?» dans *Monthly Review*, juin 1973.

22. J. Bouvier, *Un siècle de banque française*, Paris, Hachette, 1973.

23. *Ibid.*, p. 116.

24. P. Barett Whale, *Joint Stock Banking in Germany*, Londres, MacMillan & Co., 1930.

25. R. Fitch, «Sweezy and corporate fetishism» dans *Socialist Revolution*, vol. 2, no 12, décembre 1972. — R. Cameron (édit.), *Banking in the Early Stages of Industrialization*, New York, Oxford University Press, 1967. — R. Cameron (édit.), *Banking and Economic Development*, New York, Oxford University Press, 1972.

26. A. Gerschenkron, *Economic Backwardness in Historical Perspective*, New York, F.A. Prager, 1965.

27. B.D. Nash, *Investment Banking in England*, Chicago et New York, A. Shaw & Co., 1924, p. 42-43.

28. *Ibid.*, p. 45.

29. A.T.K. Grant, *A study of the capital market in Britain from 1919-1936*, 2e éd., New York, A.M. Kelley, 1967, p. 173.

30. V.P. Carosso, *Investment Banking in America*, Cambridge, Mass., Harvard University Press, 1970.

31. J.C. Bonbright et G. Means, *The holding company* (1932), New York, A.M. Kelley & Co., 1969.

32. V.P. Carosso, *op. cit.*, chap. 17 à 19.

33. D.J. Baum et N.B. Stiles, *The Silent Partners: Institutional investors and corporate control*, New York, Syracuse University Press, 1965.

34. F. Morin, *la Structure financière du capitalisme français*, Paris, Calman-Lévy, 1975.

35. J. O'Connor, *op. cit.*

36. J. Bouvier, *op. cit.*

37. F. et L. Park, *Anatomy of Big Business* (1962), Toronto, J. Lewis & Co., 1973.

38. *Ibid.*, p. 71.

39. *Ibid.*, p. 73.

40. *Ibid.*, p. 79.

41. F. et L. Park, *Anatomy of Big Business* (1962), Toronto, J. Lewis & Co., 1973, p. 80.

42. *Ibid.*, p. 84-85.

43. *Ibid.*, p. 74.

44. T. Naylor, *The History of Canadian Business 1867-1914*, Toronto, J. Lorimier & Co. 1976, 2 vol.

45. *Ibid.*, vol. 1, chap. VI.

46. E.P. Neufeld, *The Financial System of Canada*, Toronto, MacMillan, 1972, p. 612-621.

47. *Ibid.*

48. À ce sujet voir, entre autres: H. Marshall et *al.*, *Canadian-American Industry* (1936), Toronto, McClelland and Stewart, 1976. — H. Aitken, *American Capital and Canadian Resources*, Toronto, 1961. — K. Levitt, *Silent Surrender*, Montréal, 1970.

49. E.P. Neufeld, *op. cit.*, p. 114-116.

50. Comité permanent de la Chambre des Communes sur la banque et le commerce, session de 1928, p. 108.

51. Comité permanent de la Chambre des Communes sur la banque et le commerce, session de 1934; voir en particulier le témoignage de Sir Charles B. Gordon.

52. *Commission royale d'enquête sur le système bancaire et financier*, 1964, Ottawa, Imprimeur de la reine, chap. 7.

53. Entre autres, voir E.P. Neufeld, *op. cit.*, p. 105-138.

54. Parmi les autres actionnaires il y aura les financiers W.H. McDonald, Michael Boyd et G. Howard Eaton, les sociétés Alcan, Time, Edper Investment (de Edward et Peter Bronfman), les régimes de retraite d'Air Canada et du Canadien National, Duke Sealbridge Ltd. (de la famille Guiness d'Angleterre) et la maison de placement Houston Willoughby and Co. de Regina (cf. *la Presse*, 3-6-76, p. A-13).

55. E.P. Neufeld, *op. cit.*, p. 310.

56. *Ibid.*, p. 312.

57. *Commission royale d'enquête sur le système bancaire et financier*, p. 218.

58. D.J. Baum, *The Investment Function of Canadian Financial Institutions*, New York, Praeger, 1973, p. 71.

59. E.P. Neufeld, *op. cit.*, p. 306 et 307.

60. F. et L. Park, *op. cit.*, p. 244.

61. *Monetary Times*, plusieurs articles, février et mars 1882.

62. Voir entre autres, les déclarations citées des banquiers devant le Comité permanent de la Chambre des Communes sur la banque et le commerce, en 1928 et 1934.

63. *Commission royale d'enquête sur le système bancaire et financier*, p. 220.

64. *Ibid.*

65. En partie les fonds des sociétés de fiducie sont gérés en tant que fonds mutuels. Les données concernant les actions détenues dans ces fonds, dont le plus important est le Royal Trust «M» Fund, montrent l'extraordinaire dispersion des titres en portefeuille et l'absence presque totale de liaisons personnelles entre les *trusts* et les sociétés dont ils détiennent des actions. Voir à ce sujet le *Financial Post Survey of Investment Funds*, annuaire, de 1962 à 1976.

66. *Moody's Bank and Finance*, 1958 et 1959. Pour une description de la tentative de prise de contrôle de Sun Life en 1950-1956 et la subséquente mutualisation de la compagnie, voir J. Schull, *The Century of the Sun*, Toronto, MacMillan of Canada, 1971.

67. S. Schwarzchild et E.A. Zubay, *Principles of Life Insurance*, Homewood, Ill., R.D. Irwin & Co., 1964, vol. II, p. 4-16.

68. E.P. Neufeld, *op. cit.*, p. 260 et 261.

69. À ce sujet voir le *Rapport de la Commission royale d'enquête sur l'assurance-vie* (1907); T. Naylor, *op. cit.*, vol. I, p. 192-197; J. Schull, *op. cit.*, p. 15-22.

70. J. Schull, *op. cit.*, p. 58-59. En 1927, les actifs de la Sun Life étaient composés d'actions à 55%.

71. E.P. Neufeld, *op. cit.*, p. 241.

72. Pour une description des principales compagnies, voir H. Bullock, *The Story of Investment Trusts*, New York, Columbia University Press, 1959.

73. *Rapport de la Commission d'enquête sur les écarts de prix* (1935), Ottawa, Imprimeur du roi.

74. H. Bullock, *op. cit.*, p. 125. Pour comparer le développement parallèle des fonds mutuels anglais (*Unit Trusts*), voir A.T.K. Grant, *op. cit.*, chap. XI. Pour les États-

Unis, voir J.S. Warner et C. Russell Doane, *Investment Trusts and Funds,* Mass., 1955.

75. *Moody's Bank & Finance,* New York, 1964.

76. F. Marshall *et al., Canadian American Industry* (1936), Toronto, McClelland & Stewart, Carleton Library, 1976.

77. *Moody's Bank & Finance Manual,* New York, 1946, p. 1066.

78. W. Clement, *The Canadian Corporate Elite,* Toronto, McClelland & Stewart, Carleton Library, 1975.

79. *Ibid.,* p. 135.

80. *Moody's Public Utility,* 1973, p. 2243.

81. J.C. Bonbright et G. Means, *The Holding Company* (1932), New York, A.M. Kelley Publishers, 1969.

82. V.P. Carosso, *op. cit.*

83. *Commission royale d'enquête sur les écarts de prix,* Président W.M. Kennedy, 1935, Imprimeur du roi, Ottawa. — J.C. Weldon, «Consolidations in Canadian Industry 1900-1948» dans L.A. Skeoch, *Restrictive Trade Practices in Canada,* Toronto, 1966, p. 228-279.

84. E.P. Neufeld, *op. cit.,* p. 492.

85. *Commission royale d'enquête sur les écarts de prix* (1935), p. 35.

86. A. Ernest Epp, *Cooperation among capitalists: the canadian merger movement, 1909-1913,* thèse présentée en vue de l'obtention d'un doctorat au Johns Hopkins University, Baltimore, Maryland, 1973.

87. H.G. Stapells, *The Recent Consolidation Movement in Canadian Industry,* thèse présentée en vue de l'obtention d'une maîtrise ès arts à l'Université de Toronto, 1922, p. 313.

88. *Ibid.,* p. 70-71.

89. *A.E. Ames & Co. 1899-1949,* Toronto, 1950, publication privée.

90. *Financial Post Directory of Directors,* Toronto, 1931, p. 11-12.

91. Les renseignements sur A.E. Ames & Co. sont extraits des numéros annuels du *Monetary Times* (1915-1962), du *Financial Post Directory of Directors* (1931-1975), de plusieurs rapports annuels de A.E. Ames & Co. ainsi que du *Canadian Who's who* (1928-1969).

92. A.J.P. Taylor, *Beaverbrook,* Londres, Penguin Books, 1974, ch. 1 et 2. The Globe Publishing Co., *Commercial Register of Canada,* Londres, 1930, p. 123-125.

93. A.J.P. Taylor, *op. cit.,* p. 37.

94. *Annual Financial Review,* Toronto, Houston Publ. Co., 1920 et 1926.

95. *Commission royale d'enquête sur les écarts de prix* (1935), Rapport, p. 384.

96. *Ibid.,* p. 377 et suiv.

97. *Financial Post Directory of Directors,* 1931, p. 150.

98. The Globe Publishing Co., *op. cit.,* p. 127-128.

99. Wood Gundy, *Rapports annuels,* 1955, 1964, 1973.

100. *Financial Post Directory of Directors,* 1931, p. 8, 276 et 369.

101. *Financial Post Directory of Directors,* 1955, p. 20, 94, 299 et 399.

102. *Monetary Times,* numéros annuels, 1931 à 1940.

103. J.C. Weldon, *op. cit.,* p. 233.

104. C.A. Ashley et J.C. Smyth, *Corporation Finance in Canada,* Toronto, MacMillan, 1956, p. 203.

105. J.P. Williamson, *Securities regulation in Canada,* Toronto, University of Toronto Press, 1960, p. 380.

106. *Financial Post,* le 26 juillet 1975, p. 13.

107. A. Berle Jr et G. Means, *The Modern Corporation and Private Property* (1932), New York, Harcourt, Barce & World, 1968.

108. Voir «Brokers, the battle for survival» dans *Montreal Star,* le 26 octobre 1974, p. G-1.

CHAPITRE II

CONTRÔLE INTERNE, CONGLOMÉRATS ET AUTRES FORMES DE CONTRÔLE

La théorie du contrôle interne, ou du contrôle par les administrateurs professionnels, s'oppose carrément à la thèse du capital financier. Pour cette dernière, dans ses différentes versions, le pouvoir dans les grandes sociétés industrielles et commerciales tend à se concentrer ailleurs, c'est-à-dire dans les institutions financières et dans les banques, en particulier. Selon la théorie du contrôle interne, le pouvoir dans les grandes firmes est passé des actionnaires aux «managers», aux administrateurs sans propriété, aux directeurs, par suite d'un processus d'éparpillement des actions. Le contrôle des grandes sociétés par des familles, par des capitalistes individuels ou par des groupes restreints de capitalistes associés, aurait tendance à disparaître, ou aurait même déjà disparu. Dégagées de l'emprise des propriétaires, les firmes à contrôle interne ne seraient plus orientées vers la maximisation des profits; leurs gestionnaires constitueraient une technocratie neutre qui les administrerait selon les pressions des consommateurs, des gouvernements, des travailleurs et des actionnaires.

Dès lors, la doctrine «managérialiste» vient en même temps attaquer la pensée économique classique et néo-classique. En réalité, pour la quasi-totalité de l'économie théorique la question du contrôle ne se posait même pas. Le capitaliste ou l'entrepreneur prenaient les décisions clés dans la firme, mais ils le faisaient suivant les lois impersonnelles du marché, lois qui étaient fixées par le libre jeu de l'offre et de la demande en concurrence parfaite: ils n'avaient pas le choix de ne pas se conformer à ces lois, sous peine de disparaître en tant que capitalistes. Quel qu'en fût le détenteur du contrôle, les entreprises étaient condamnées à rechercher le profit maximal.

On peut dater la naissance du courant «managérialiste» à 1932, avec la publication de l'ouvrage d'Adolf A. Berle Jr et de Gardiner C. Means, *The Modern Corporation and Private Property*[1]. Les idées de Berle et Means ont fait de nombreux adeptes parmi les économistes et les sociologues académiques, dont James Burnham, Ralph Dahrendorf et John K. Galbraith, pour ne citer que les plus connus. Les critiques, cependant, n'ont pas manqué, et elles sont venues autant des économistes et sociologues orthodoxes, que de leurs confrères (ou homologues) marxistes. Nous verrons dans une première partie le débat autour de la théorie de Berle et Means, les arguments de ses partisans et ceux de ses adversaires, afin d'en tirer nos propres conclusions. Dans une deuxième partie, nous mettrons à l'épreuve cette théorie dans le contexte canadien, et ce sur la base de données de 1975 relatives à la répartition des actions dans 136 des plus importantes sociétés financières, industrielles, commerciales, de services et transports, et immobilières du Dominion.

1. La théorie du contrôle interne et sa critique

Dans l'ouvrage qui a jeté les bases du courant «managérialiste», Berle et Means passent par les étapes suivantes: ils affirment et démontrent que (*a*) l'unité économique de base dans le système capitaliste contemporain est la société par actions; (*b*) les sociétés par actions centralisent une partie croissante des actifs dans tous les secteurs d'activité économique; (*c*) que la propriété des actions dans ces sociétés a tendance à se disperser parmi des milliers d'actionnaires et que, par conséquent, la grande majorité d'entre eux a perdu toute possibilité de contrôle effectif sur les sociétés; (*d*) que le vote par procuration, demandé par les conseils d'administration en place tend à renforcer le pouvoir des administrateurs et à en faire des oligarchies pratiquement indélogeables. Berle et Means définissent le contrôle comme suit: «Le contrôle est entre les mains de l'individu ou du groupe qui a le pouvoir effectif de choisir le conseil d'administration (ou la majorité de celui-ci), soit en exerçant le droit légal de les élire — en contrôlant une majorité des voix directement ou à travers un dispositif légal — soit en exerçant une pression pour imposer son choix[2].»

Après avoir passé en revue les modes de contrôle des 200 plus grandes sociétés non financières des États-Unis, Berle et Means en concluent que le contrôle interne, c'est-à-dire le contrôle par les administrateurs, devient de plus en plus le type dominant de contrôle au sein des grandes sociétés américaines:

> La séparation de la propriété et du contrôle devient presque complète quand il n'existe même plus un intérêt minoritaire

substantiel, comme dans la American Telephone & Telegraph Co., dont le principal actionnaire aurait moins de un pour cent des actions de la compagnie. Dans de telles conditions, le contrôle peut être détenu par les administrateurs ou par la haute direction, qui peuvent employer le mécanisme du vote par procuration pour devenir un organisme qui s'autoperpétue, même si en tant que groupe ils ne possèdent qu'une petite fraction des actions émises[3].

Les conclusions que les auteurs tirent de leurs constats sont nombreuses. Parmi les plus importantes, il y a le rejet de la théorie de la maximisation des profits en tant que guide du comportement des grandes firmes. Ce sont les actionnaires qui sont intéressés au profit, et ceux-ci ne sont plus au pouvoir dans les grandes sociétés. Les administrateurs ne sont plus obligés de chercher la maximisation des bénéfices, et par conséquent le comportement des entreprises dans le marché devient indéterminé, et ceci d'autant plus que le monopole et l'oligopole sont les formes les plus fréquentes de concurrence. Les théories classiques et néo-classiques de formation des prix et d'allocation des ressources ne s'appliquent plus. Cependant, Berle et Means ne croient pas que le pouvoir des administrateurs soit illimité; de nouvelles contraintes vont surgir: les pressions des travailleurs salariés, des consommateurs et de l'État feront en sorte que ce corps indélogeable d'administrateurs distribue les fruits de la production de façon équitable: «Il est concevable — il apparaît même presque essentiel pour la survie du système «corporatif» — que le contrôle des grandes sociétés revienne à une technocratie neutre, équilibrant une variété de demandes de plusieurs groupes de la communauté et attribuant à chacun une portion du revenu sur la base de politiques publiques plutôt que de la cupidité privée[4]».

Dans un texte postérieur, *Power Without Property*[5], A. Berle réaffirme ses théories sur le contrôle interne, mais en y introduisant des changements importants. En fait, dans cette nouvelle version, le contrôle dans les grandes compagnies passe par quatre étapes: la première est celle du contrôle majoritaire par les actionnaires-fondateurs, et elle ne dure qu'une génération; la deuxième est celle d'un contrôle de fait, fonctionnel (*working control*), où un individu ou un groupe détient une minorité des actions, mais garde son influence sur les autres administrateurs et sur la compagnie. La troisième phase est celle du contrôle interne, et c'est le stade auquel en est, selon Berle, l'industrie américaine contemporaine. Mais Berle prévoit que cette phase sera aussi transitoire et qu'elle débouchera sur la prise de contrôle par des institutions financières: «Maintenant apparaît le quatrième stade. Dans cette étape émergent les nouveaux mécanismes, soit les institutions fiduciaires, dans lesquelles les actions dispersées sont à nouveau concentrées. [...] Mais au fur et à mesure que la distribution du revenu augmente, le vote devient de plus en plus concentré[6].»

La concentration des actions dans les institutions financières selon Berle ne change pas les conclusions de son premier ouvrage. Tout d'abord parce que le processus, d'après lui, ne fait que commencer; ensuite, parce que les administrateurs des banques, compagnies d'assurance-vie et fonds mutuels sont aussi coupés des actionnaires que ceux des sociétés industrielles. Et finalement, parce que dans la finance comme dans l'industrie, des forces compensatrices (les consommateurs, les travailleurs, l'État) se développent en même temps que les pouvoirs des administrateurs.

Le lecteur aura reconnu dans notre exposé tous les éléments des théories de John K. Galbraith sur le pouvoir de compensation et sur les technostructures[7]. Les différences entre Berle et Galbraith ne sont pas suffisamment importantes pour que l'on en fasse mention. Dans une certaine mesure, Galbraith a vulgarisé les résultats des recherches de Berle et Means, dans des ouvrages plus accessibles au public.

James Burnham produisit une théorie du contrôle interne passablement différente[8]. Tout comme Berle et Means, Burnham soutient que le contrôle des sociétés par actions a échappé aux mains des actionnaires pour aboutir dans celles des «managers», mais ce n'est pas au même type d'administrateur que Burnham fait référence; l'explication du processus n'est pas la même que chez Berle et Means. Pour Burnham c'est la complexité croissante de la technologie et de la gestion des grandes sociétés (et non pas la dispersion progressive des actions) qui renforce le pouvoir des «managers». Et ce ne sont pas les administrateurs comme tels qui héritent du contrôle des grandes sociétés mais les techniciens de la haute direction. Cette variante de la théorie du contrôle interne, énoncée en 1940 sous l'influence combinée de la montée du fascisme et des doctrines de Berle et Means, n'a pas eu beaucoup d'adeptes. La version de Berle et Means, par contre, a été à la base de la constitution d'une véritable école.

Parmi les principaux tenants de la thèse de Berle et Means, R.J. Larner occupe une place très importante[9]. Larner a reproduit la recherche de 1929 au moyen des mêmes définitions, classifications et procédés que Berle et Means, et en se servant de données de 1963. Ses résultats aboutissent à la confirmation de la tendance vers le contrôle interne au sein des 200 plus grandes sociétés non financières des États-Unis. Alors qu'en 1929 le pourcentage de compagnies à contrôle interne était de 44%, Larner affirme que la proportion est passée à 84,5% en 1963. Au niveau des actifs totaux la tendance semble plus marquée encore: en 1929 les compagnies à contrôle interne centralisaient 58% des actifs des 200 plus grandes sociétés. En 1963, la proportion était de 85%. Larner apporta ainsi des arguments en faveur de la théorie de Berle et Means, et les données compilées dans son étude ont largement contribué à en maintenir la crédibilité dans les milieux académiques.

Ralph Dahrendorf adopta la théorie du contrôle interne de Berle et Means; il affirme, que le divorce entre propriété et contrôle au sein des sociétés par actions est une des principales caractéristiques des sociétés industrielles contemporaines[10]. D'après le sociologue allemand, ce phénomène s'étend aux pays occidentaux les plus avancés, dont les États-Unis, la France, l'Allemagne et la Grande-Bretagne. Dahrendorf en tire des conclusions imaginatives sur la structure sociale issue de la séparation de la propriété et du contrôle industriels, notamment l'apparition d'une nouvelle classe supérieure, distincte de celle des capitalistes, et formée par des «managers» dont le recrutement n'est plus fondé sur l'héritage mais sur la compétence.

Des répliques du travail de Berle et Means ont été faites en Grande-Bretagne[11] où la thèse du contrôle interne a été adoptée entre autres par le parti travailliste. Aux États-Unis, la doctrine du «capitalisme populaire», largement diffusée par les milieux d'affaires, reprend l'essentiel des théories de Berle et Means. Nous avons donc affaire à une idéologie et à une théorie très répandues dans le monde capitaliste contemporain.

La critique du contrôle interne

On peut maintenant se tourner vers ceux qui, soit dans une perspective académique, soit dans une optique marxiste, ont essayé d'infirmer les théories de Berle et Means. Parmi les premiers, Edward S. Mason occupe une place très importante. Dans un article déjà célèbre, Mason attaque les conclusions du raisonnement «managérialiste» au niveau de la théorie économique[12]. Pour lui, cependant, l'extension du contrôle interne est un fait irréversible: «L'atténuation du rôle de la propriété et l'expansion de l'aire du contrôle interne dans les grandes sociétés sont d'autres développements correctement soulignés dans la littérature *managérialiste*[13].»

En revanche, Mason souligne que la théorie de Berle et Means n'explique pas les mécanismes par lesquels les ressources sont allouées, les facteurs de production sont rémunérés ou les prix sont déterminés dans un système d'entreprises oligopolistiques à contrôle interne. Les «managérialistes» n'expliquent pas plus ce qui contrerait les abus de pouvoir commis par les grandes sociétés, et les «pouvoirs compensateurs» ne lui semblent guère convaincants:

> Les tenants du «pouvoir compensateur» n'ont jamais pu expliquer pourquoi ce pouvoir n'aboutit simplement pas à un partage de profits monopolistiques aux dépens du reste de l'économie. Si ce partage était limité par la crainte d'une action gouvernementale restrictive, quelle action du gouvernement est appréhendée et quelle preuve y a-t-il qu'elle sera prise? La conscience de la haute direction, dûment éduquée par l'opinion publique, n'apparaît pas non plus comme un élément compensateur très fiable[14].

Les critiques des radicaux ou des marxistes, pour leur part, ont porté davantage sur le contrôle interne lui-même que sur ses conséquences éventuelles en ce qui a trait au fonctionnement de l'économie capitaliste[15]. Au contraire, ils montrent que l'éparpillement des actions est loin d'être aussi prononcé que les «managérialistes» l'ont affirmé. Ainsi, par exemple, la part du 1% des plus riches détenteurs d'actions aux États-Unis est passée de 61,5% en 1922 à 76% en 1953[16]. Par ailleurs, au sein des conseils d'administration des grandes sociétés les principaux actionnaires sont très bien représentés tant personnellement qu'à travers leurs avocats ou leurs fiduciaires: la séparation de propriété et de contrôle ne signifie alors rien d'autre que la dépossession de la masse des petits épargnants actionnaires de tout pouvoir sur les compagnies. Nombre d'exemples montrent que les administrateurs professionnels ne peuvent pas résister à l'opposition des principaux actionnaires dans les rares cas où les décisions qu'ils avaient prises allaient à l'encontre des intérêts des principaux détenteurs de titres. En même temps, beaucoup d'administrateurs professionnels, retenus à cause de leur compétence technique, légale ou financière, achètent des actions dans les firmes qui les emploient et deviennent, eux aussi, d'importants actionnaires. Bien entendu, aucun des critiques ne met en question le fait que la proportion d'administrateurs professionnels aux conseils d'administration des grandes sociétés n'ait pas augmenté à travers le temps:

> À mesure que les compagnies industrielles grandissent et deviennent plus complexes, elles ont besoin de plus de personnel qualifié pour la bonne marche des affaires. En outre, les développements technologiques rapides de notre siècle ont créé de nouvelles demandes vis-à-vis de la direction des grandes sociétés. Les décisions fondées sur une compréhension technique deviennent plus fréquentes, et les exigences qui se posent aux «managers» augmentent en conséquence. Ainsi, en très grande partie ces directeurs ont fait carrière comme spécialistes de tel ou tel domaine[17].

D'autre part, la critique marxiste souligne que, quel que soit le mode de contrôle, les grandes firmes n'ont pas le choix de chercher ou non à maximiser leur profit: elles doivent le faire puisque les profits élevés sont la clé de leur croissance (à travers le réinvestissement des bénéfices non répartis) et de la possibilité de se capitaliser au moyen d'actions (de bas profits entraîneraient de bas dividendes et par conséquent des cotes boursières trop basses). En d'autres termes, le comportement de marché des grandes sociétés est déterminé structurellement par les conditions de la concurrence oligopolistique, et aucune firme n'échappe à ces contraintes[18].

Conclusions

Les critiques qui ont été adressées à la théorie du contrôle interne semblent être décisives quant au comportement des firmes qui seraient dirigées ainsi. La théorie de Berle et Means n'a pas expliqué les mécanismes de formation des prix, d'allocation des ressources ou de rétribution du travail et du capital dans un tel système. Les propositions des «managérialistes» sur la responsabilité sociale et la neutralité bienveillante des administrateurs professionnels ont trop ouvertement l'apparence d'une idéologie visant à justifier certains traits du stade monopoliste du capitalisme avancé.

Par ailleurs, selon les derniers textes du fondateur même de cette théorie, Adolf Berle, la centralisation des actions dans les départements fiduciaires des banques commerciales ainsi que dans les compagnies d'assurance-vie et dans les sociétés de fonds mutuels, annule la dispersion des actions. Berle présuppose dans tout son cheminement que ces institutions financières sont, elles aussi, en train de tomber sous le contrôle d'administrateurs professionnels, mais il ne fournit aucune preuve empirique de ce postulat. Aussi bien son étude de 1929 que celle de Larner pour 1963 ne portent que sur des institutions non financières; rien ne leur permet d'affirmer que le même processus est en train de se produire au sein de ces dernières.

Au niveau méthodologique, on peut aussi se poser nombre de questions quant aux «constats» des tenants de cette théorie. Combien de cas de sociétés cataloguées par Berle et Means ou Larner comme étant à contrôle interne le sont vraiment? Dans combien de cas sommes-nous en présence d'un manque d'information (des listes complètes d'actionnaires ne sont pas disponibles), ou encore d'un mauvais classement de l'information? On sait que les détenteurs du contrôle des grandes sociétés n'ont pas souvent intérêt à dévoiler leur situation dominante. Leur tâche est facilitée aujourd'hui par les nombreux mécanismes de contrôle minoritaire, et par l'utilisation de sociétés prête-nom, de sociétés privées de placement, de fondations, etc. Ainsi le type et le nombre de sources utilisées par le chercheur peuvent grandement influer sur les résultats qu'il obtient. Comparons, à titre d'exemple, les données de Larner pour 1963 avec celles de Chevalier pour 1965-1966. Le premier trouve 169 sociétés à contrôle interne parmi les 200 plus grandes sociétés non financières des États-Unis[19]; le deuxième n'en trouve que 80 parmi les 200 plus grandes sociétés industrielles[20], alors que Larner avait constaté que 91 compagnies étaient sous contrôle interne parmi les 117 firmes industrielles de sa liste. Il est difficile de savoir quelle proportion de cette énorme différence est due aux sources, et quelle autre est attribuable à des nuances dans les définitions opérationnelles employées. Sur ce dernier plan, soulignons que la définition de Larner de «contrôle interne» est plus large, établissant un seuil de moins de 10% alors que dans l'étude de Chevalier le seuil du contrôle interne se situe à 5%.

Dans le texte qui suit nous nous bornerons à étudier l'étendue du contrôle interne dans une liste des plus grandes institutions financières et non financières du Dominion. Nous avons éliminé de notre liste les filiales de sociétés étrangères, puisque l'étude du contrôle ultime de ces compagnies nous amènerait à étendre notre analyse au niveau des maisons mères à l'étranger. Nous ne ferons aucun présupposé quant au comportement du marché des firmes ni quant à la responsabilité des administrateurs vis-à-vis des compagnies qu'ils gèrent ou de l'ensemble de la société. En fait, nous n'allons pas nous occuper de ces questions. Comme Berle et Means, Larner, Villarejo ou Chevalier, nous étudierons le type de contrôle des sociétés, qu'il soit interne ou non, et dans ce cas nous distinguerons les formes de contrôle que nous trouvons. En d'autres mots, l'extension plus ou moins grande du contrôle interne que nous pourrions trouver n'infirme ni ne confirme les conclusions des «managérialistes» sur la «révolution des administrateurs», «l'âme des sociétés» ou la responsabilité sociale des administrateurs. Nous croyons comme Baran et Sweezy que le comportement de marché des firmes (et des administrateurs) est structurellement déterminé et que la question du contrôle y est indifférente. Nous voulons dans ce texte mettre à l'épreuve uniquement le cœur de la théorie du contrôle interne, c'est-à-dire l'existence d'une large majorité de grosses sociétés sous l'emprise d'administrateurs professionnels. Latéralement nous pourrons, si la thèse de Berle et Means se révèle fausse, jeter un regard (discret) sur la composition de la grande bourgeoisie canadienne, c'est-à-dire sur la composition de la classe qui possède et administre les principales compagnies du Canada.

2. Contrôle interne, conglomérats et autres formes de contrôle au Canada

Pour tester la validité de la théorie du contrôle interne, nous allons faire appel à des données sur la propriété des actions des sociétés. Nous commencerons tout d'abord par expliciter les sources et les méthodes employées, pour arriver ensuite aux données et aux conclusions d'ensemble. Pour mieux cerner l'univers des compagnies que nous incluons dans la catégorie de contrôle interne, nous nous arrêterons à étudier de plus près les plus importantes de ces sociétés. Ensuite nous passerons aux sociétés qui sont exclues de la catégorie, les sociétés familiales, à contrôle individuel et de groupe. Nous verrons, enfin, ce que nous considérons comme le principal facteur de résistance à l'éparpillement des actions et qui est le processus de formation de conglomérats. Même si nos données se rapportent à une date précise (décembre 1975), nous émettrons quelques hypothèses quant aux tendances apparentes des divers types de contrôle.

Les sources et les méthodes employées

Le but de l'étude était de connaître le mode de contrôle des sociétés *canadiennes*. Nous avons en conséquence éliminé d'emblée de notre liste toutes les compagnies filiales de sociétés étrangères dont le contrôle immédiat est généralement absolu ou majoritaire et dont le contrôle ultime se trouve outre-frontières. Pour éliminer les filiales nous nous sommes servi de sources comme le *Financial Post Survey of Industrials,* le *F.P. Survey of Mines*, le *F.P. Survey of Oils*, le *Moody's Industrial Manual*, le *Moody's Bank and Finance Manual*, le *Moody's Transportation Manual* et le *Moody's Public Utility Manual* dans leur édition de 1976, ainsi que des listes des grandes sociétés canadiennes fournies par le journal *Financial Post* dans son édition du 31 juillet 1976. Ces données furent par la suite confirmées par celles des bulletins mensuels des Commissions des valeurs mobilières du Québec et de l'Ontario[21].

Il nous fallait ensuite limiter notre liste de sociétés à contrôle canadien du point de vue de leur taille; nous avons retenu un seuil minimal de $100 millions d'actifs totaux pour obtenir à la fois une liste aux dimensions maniables, et afin que les grandeurs soient comparables avec celles des études faites ailleurs, notamment aux États-Unis. En effet, si nous avions choisi un seuil plus bas, par exemple, des actifs minimaux de $50 millions, nous aurions obtenu une liste beaucoup plus longue et nous aurions eu des compagnies de taille moyenne, nullement comparables aux sociétés étudiées par Larner ou Chevalier.

Du point de vue de leur secteur d'activité, la liste comprend les 50 plus grandes sociétés industrielles (minières et manufacturières), ce qui constitue la totalité de sociétés à contrôle canadien ayant des actifs totaux de $100 millions et plus. En outre, la liste comprend 50 institutions financières, dont sept banques à charte, et la Banque d'Épargne de la Cité et du District de Montréal[22], les dix plus importantes compagnies d'assurance-vie à contrôle local, les onze plus grandes sociétés de fiducie détenues par des Canadiens, les neuf plus importantes sociétés de portefeuille et dix autres institutions financières: les plus grandes compagnies de finance, sociétés de prêt hypothécaire, sociétés de placement à fonds fixes et à fonds variables et la première banque de placement. Nous avons inclus aussi les seize plus grandes compagnies commerciales, les quinze plus grandes sociétés de services publics et de transport et les 15 plus puissantes sociétés immobilières. Dans ces trois derniers secteurs, comme dans le secteur industriel, notre liste épuise complètement le nombre de compagnies à contrôle canadien ayant des actifs totaux de $100 millions et plus en décembre 1975.

Les données sur les actifs sont tirées du dernier bilan présenté en 1975, bilan qui, pour la majorité des compagnies, porte la date du 31 décembre. Pour quelques sociétés ce bilan est présenté le 31 octobre, notamment pour les banques et les sociétés de fiducie. Dans quelques cas nous avons dû employer le dernier bilan disponible, quelle qu'en fût la date de présentation aux actionnaires. Le tableau I, en annexe du chapitre, donne la liste complète des compagnies retenues, de leur actif et de la date du bilan employé.

Pour déterminer la composition de notre liste, il fallait encore décider si l'on devait ou non inclure les filiales, ayant $100 milions ou plus d'actifs, des sociétés qui étaient déjà sur la liste. Berle et Means (1932) ont conservé les filiales là où il y avait une structure pyramidale qui méritait d'être analysée. Larner, en 1966, a suivi les mêmes critères, mais il a par ailleurs ajouté les filiales qui sont contrôlées majoritairement par des sociétés plus petites qu'elles, non comprises dans les 200 majeures. Il a alors traité ces dernières filiales comme des sociétés indépendantes à contrôle majoritaire. Nous avons retenu toutes les sociétés filiales ayant au moins $100 millions d'actifs, que la société mère fût ou non sur notre liste (c'est-à-dire, que la société mère ait ou non $100 millions d'actifs) et quelle que soit la forme de contrôle (absolu, majoritaire ou minoritaire). Nous avons seulement éliminé certaines filiales de notre liste lorsque la consolidation de leurs états financiers avec ceux de la société mère rendait impossible l'obtention des chiffres sur les actifs totaux de la filiale. Ainsi, nous avons éliminé des sociétés comme le Canada Permanent Trust, filiale à 100% de Canada Permanent Mortgage Corporation, et Shawinigan Industries Ltd., contrôlée à 100% par Power Corporation of Canada. Dans les deux cas, les états financiers de la filiale sont consolidés avec ceux de la maison mère, et les filiales ne publient aucune donnée sur leurs actifs. Notre liste comprend par conséquent 81 sociétés indépendantes, 55 filiales de ces sociétés indépendantes, sept banques à charte (qui ne rendent publique aucune donnée sur la propriété des actions) et deux filiales de ces banques à charte. Enfin, nous n'avons pas inclus des sociétés de la Couronne (comme le chemin de fer Canadien National), ou des sociétés à contrôle provincial absolu (comme Sidbec) ou majoritaire (comme Churchill Falls Labrador Corporation), à cause du fait que, s'il existe un processus d'éparpillement des actions qui conduit au contrôle interne, ce processus ne touche pas les sociétés d'État ou mixtes.

Nous postulons que le contrôle des sociétés est le fait de leur conseil d'administration et, suivant en cela Berle et Means, Larner, Chevalier et d'autres, nous définissons le contrôle comme le pouvoir de choisir le conseil d'administration ou sa majorité. Et puisque le conseil d'administration est choisi par les détenteurs d'actions votantes, nous allons définir des types de contrôle suivant le pourcentage du vote. Berle et Means, et par la suite Larner, ont classifié les firmes selon cinq types de contrôle:

(a) Privé ou quasi absolu, lorsqu'un individu, une famille ou un groupe d'associés détient 80% ou plus des actions votantes;

(b) Majoritaire, lorsque le pourcentage du vote se situe entre 50% et 80%;

(c) Minoritaire, quand le détenteur du contrôle a entre 20% et 50%;

(d) Au moyen d'une procédure légale, lorsque le détenteur du contrôle se sert de structures pyramidales, de l'émission d'actions sans droit de vote, d'actions ayant un droit de vote trop élevé, ou de *voting trusts*;

(e) Interne, lorsque aucun individu, groupe ou famille ne détient pas plus de 5% du vote; la société en question peut alors être considérée comme étant contrôlée par ses administrateurs.

Larner avait adopté cette classification en y introduisant quelques modifications mineures; il a ramené le seuil entre le contrôle minoritaire et le contrôle interne à 10% pour éviter les difficultés de classement des firmes dont les détenteurs du contrôle avaient entre 5% et 20% des actions. Chevalier (1970) est allé plus loin; d'abord a-t-il souligné, dans aucune grande société américaine on ne trouve aujourd'hui une situation de contrôle absolu: en conséquence, la distinction entre ce type de contrôle et le contrôle majoritaire lui semble inutile. Chevalier propose de fusionner ces deux catégories. Deuxièmement, les structures pyramidales peuvent se ramener soit à un contrôle majoritaire, soit à un contrôle minoritaire, ou encore à un contrôle interne. Pour ce faire, Chevalier rappelle la distinction entre le contrôle initial et le contrôle final, distinction qui s'applique aux sociétés filiales, et qui désigne respectivement le type de contrôle de la société mère sur sa filiale, et le type de contrôle au sein de la société mère elle-même. Pour prendre un exemple, Bell Canada possède 69,2% des actions votantes de Northern Electric Co., le contrôle initial de cette filiale est donc majoritaire. Mais étant donné que Bell Canada est une société à contrôle interne, le contrôle final de Northern Electric Co. l'est aussi. Par ailleurs, Chevalier propose de ramener la frontière entre le contrôle minoritaire et le contrôle interne à 5%.

Nous allons classifier les types de contrôle des sociétés canadiennes en adoptant des critères et de Berle et Means et de Chevalier. D'une part, nous allons conserver la différenciation entre le contrôle quasi absolu et le contrôle majoritaire; en effet, alors que Larner et Chevalier n'ont trouvé aucune grande société américaine contrôlée à plus de 80% dans leur liste, nous avons trouvé, au Canada, dix sociétés indépendantes dans ce cas, ainsi que 2 filiales d'une de ces sociétés. Par ailleurs, nous allons adopter le seuil de 5% proposé par Chevalier pour distinguer entre le contrôle minoritaire et le contrôle interne. Nous éliminerons aussi la catégorie de «contrôle au moyen d'une procédure légale» en la réduisant à des situations de contrôle majoritaire, minoritaire ou interne. Dans le cas des filiales de sociétés de notre liste (lorsque la filiale comme la société mère ont des actifs de $100 millions ou plus), nous classifierons la filiale deux fois: selon le contrôle initial ou immédiat — soit le pourcentage de contrôle détenu par la société mère, — et selon le contrôle final — soit selon le type de contrôle de la société mère elle-même. Quant aux filiales d'une société qui n'est pas dans notre liste (*i.e.*, quand la société mère a moins de $100 millions d'actifs et la filiale plus), la filiale sera incluse dans la liste en tant que société indépendante. Enfin, les filiales à contrôle initial minoritaire d'une société à contrôle majoritaire seront classées comme ayant un contrôle final minoritaire. Par exemple, Domtar, une compagnie contrôlée à 16,9% par Argus Corporation (elle-même contrôlée à 61%) sera classée à contrôle final minoritaire.

On s'est servi de l'échange d'administrateurs comme critère auxiliaire et aux seules fins de trancher plusieurs cas limites. Ainsi, Canada Life Assurance Company possède 4,9% des actions du National Trust, et nous devrions à priori classer ce dernier comme société à contrôle interne, puisque aucun groupe, individu, société ou famille n'en détient davantage. Toutefois, deux membres du conseil d'administration de Canada Life Assurance, le président de son conseil d'administration et le président de son comité exécutif, siègent aussi au conseil d'administration du National Trust, occupant en même temps des postes à la direction de la société de fiducie (vice-président et président honoraire du conseil respectivement). Nous en avons conclu que Canada Life Assurance Co. contrôle le National Trust. En cela, nous suivons des critères adoptés par Berle et Means, Larner et Chevalier.

Les principales sources de données sont les Bulletins mensuels publiés par les Commissions des valeurs mobilières de l'Ontario et du Québec. Ces Bulletins apportent la liste des transactions (publiques et privées) effectuées au cours du mois écoulé par les administrateurs et les officiers des compagnies enregistrées aux bourses de Toronto, de Winnipeg et de Montréal. La date de notre coupe temporelle étant décembre 1975, nous avons pris le montant d'actions détenues à cette date par chaque administrateur, ainsi que par tout autre actionnaire individuel ou institutionnel déclarant (le seuil minimal obligatoire pour ces derniers est de 10%). Nous avons corroboré et complété ces informations par les renseignements publiés par les *Surveys* du *Financial Post* et les Manuels de la compagnie Moody de New York. Dans quelques cas nous nous sommes servi d'information de la presse financière et quotidienne. Ces cas seront indiqués avec mention de la source. Les renseignements sur les conseils d'administration ont été tirés du *Financial Post Directory of Directors* de 1976, qui présente les données de 1975, quoique la date exacte ne soit pas spécifiée[23].

Présentation d'ensemble des résultats

Les tableaux A.II et A.III présentent, en annexe du chapitre, les données sur le contrôle de chacune des 136 compagnies à contrôle canadien sur lesquelles nous avons pu réunir des informations. Il faut toujours tenir compte du fait que nous ne disposons pas de listes complètes d'actionnaires mais de données sur les actions détenues par les administrateurs, les directeurs et les détenteurs de blocs de 10% ou plus, qu'ils soient ou non représentés au conseil d'administration et au conseil des directeurs. Les données que nous présentons doivent être prises avec autant de réserves que celles de Berle et Means, Larner, Villarejo ou Chevalier. Les résultats valident dans une certaine mesure, croyons-nous, les méthodes et les définitions que nous avons employées.

En tableaux-résumés, dans les pages suivantes, nous réunissons l'essentiel des données plus détaillées des tableaux A.II et A.III de l'annexe du chapitre II. En premier lieu, on remarquera qu'il existe des compagnies à contrôle privé et quasi absolu dans à peu près tous les secteurs de l'économie, mais que celles-ci sont proportionnellement plus importante dans le commerce et dans l'immobilier, deux secteurs à concentration plus récente et où les actifs moyens sont plus petits. L'existence de compagnies à contrôle privé et quasi absolu dans presque tous les secteurs de l'économie justifie notre inclusion de cette catégorie comme autonome par rapport au contrôle majoritaire.

En deuxième lieu, on peut voir que le nombre de compagnies augmente avec la diminution du pourcentage de contrôle. Dans un seul secteur (services et transports), les compagnies à contrôle interne sont les plus nombreuses. Dans tous les autres secteurs, les sociétés à contrôle minoritaire sont les plus fréquemment observées. Par contre, les firmes à contrôle interne sont dans trois secteurs, et dans l'ensemble, celles qui centralisent les actifs les plus importants: elles constituent 57% des actifs des 136 compagnies de notre liste. Si l'on examine la situation globale par secteur, on constate que dans le secteur financier moins d'un quart des compagnies est sous contrôle interne, mais que ces sociétés possèdent presque la moitié des actifs des grandes firmes du secteur. Dans l'industrie, les firmes à contrôle interne constituent 38% du nombre total des sociétés de notre liste dans cette branche, mais elles possèdent 56% des actifs. Dans l'immobilier, il n'y a pas de sociétés à contrôle interne. Dans ce secteur, comme dans le commerce, on trouve le plus souvent des sociétés à contrôle minoritaire. Cependant, on peut déduire de nos données que les sociétés à contrôle interne sont celles de plus grande taille que les autres et ce dans tous les secteurs où elles existent.

Nos données semblent rapprocher la situation canadienne de celle décrite par Chevalier, plutôt que de celle de Larner, quant à l'extension du contrôle interne. Il ne semble pas que le contrôle par des administrateurs professionnels soit devenu une situation aussi fréquente que celle que les «managérialistes» trouvent aux États-Unis en 1963, ou même en 1929. Bien sûr, il y a dans la comparaison Canada — États-Unis un facteur qui rend difficiles les rapprochements, à savoir la taille des compagnies en question. Les firmes américaines étudiées par Larner en 1963 étaient beaucoup plus grandes que les canadiennes en 1975. Si nous n'avions retenu que des compagnies aux actifs comparables, notre liste serait beaucoup plus courte et le pourcentage de cas de contrôle interne serait beaucoup plus élevé. Il n'en reste pas moins que les sociétés que nous avons retenues, même si elles

TABLEAU X

Type de contrôle final des 136 plus grandes sociétés appartenant à des Canadiens par secteur d'activité économique (1975)*

Secteur Type de contrôle	Finances	Industrie	Transport et services	Commerce	Immobilier	Tous les secteurs
Quasi absolu	3	3	—	3	3	12
Majoritaire	16	3	1	5	3	28
Minoritaire	12	25	—	6	9	52
Interne	9	19	14	2	0	44
Totaux	40	50	15	16	15	136

Secteur Type de contrôle	Finances	Industrie	Transport et services	Commerce	Immobilier	Tous les secteurs
Quasi absolu	8%	6%	—	19%	20%	9%
Majoritaire	40%	6%	7%	31%	20%	21%
Minoritaire	30%	50%	—	38%	60%	38%
Interne	22%	38%	93%	12%	—	32%
Totaux	100%	100%	100%	100%	100%	100%

*Ce tableau exclut les banques à charte, sur lesquelles nous n'avons pas de données, ainsi que les filiales de ces banques dont le contrôle final nous est par conséquent inconnu.

Source: Tableaux A.II et A.III de l'annexe à ce chapitre.

sont plus petites en moyenne, se trouvent être en fait les plus importantes entreprises du Dominion.

Examinons maintenant les compagnies et leurs caractéristiques selon le type de contrôle.

Les sociétés à contrôle interne

Nous venons de signaler que les sociétés à contrôle interne sont en moyenne les plus importantes de chaque secteur, à l'exception de celui de l'immobilier. Dans la finance cela s'avère pour chaque type d'institution. Ainsi, par exemple, les dix compagnies d'assurance de notre liste ont des actifs totaux moyens de $2 062 millions, mais ceux des compagnies d'assurance à contrôle interne s'élèvent à $2 587 millions. Les onze sociétés

TABLEAU XI

*Type de contrôle final des 136 plus grandes sociétés appartenant
à des Canadiens selon actifs totaux par secteur d'activité (1975)*
(Millions de dollars et pourcentage)

Secteur Type de contrôle	Finances	Industrie	Transport et services	Commerce	Immobilier	Tous les secteurs
Quasi absolu	3 464	441	—	673*	742	5 319
Majoritaire	10 893	445	394	2 108	812	14 652
Minoritaire	11 529	11 800	—	1 818	2 629	27 776
Interne	24 105	16 411	19 417	1 613	—	61 546
Totaux	49 990	29 097	19 811	6 212	4 183	109 293

Secteur Type de contrôle	Finances	Industrie	Transport et services	Commerce	Immobilier	Tous les secteurs
Quasi absolu	7%	1%	—	11%	18%	5%
Majoritaire	22%	2%	2%	34%	19%	13%
Minoritaire	23%	41%	—	29%	63%	25%
Interne	48%	56%	98%	26%	—	57%
Totaux	100%	100%	100%	100%	100%	100%

*T. Eaton Co. ne rend pas publics ses états financiers. Il y a par conséquent une sous-estimation du contrôle quasi absolu et dans le commerce et dans l'ensemble de l'économie.

Source: Tableaux A.I, A.II et A.III de l'annexe à ce chapitre.

de fiducie retenues ont des actifs moyens de $915 millions mais les deux *trusts* à contrôle interne (le Royal Trust et le National Trust) ont des actifs moyens de $2 300 millions.

Le même phénomène se répète pour les sociétés de portefeuille: les neuf firmes de notre liste ont un actif moyen de $850 millions mais le seul *holding* à contrôle interne (C.P. Investments) est le plus grand du Canada avec ses actifs totaux de $3 511 millions. Les sociétés à contrôle interne dans la finance se caractérisent par leur taille, mais elles ne sont pas les plus anciennes: le Royal Trust (fondé en 1892) et le National Trust (1898) sont aussi vieux que le Montreal Trust (1889) et le Crown Trust (1897); C.P. Investments est l'une des plus récentes sociétés de portefeuille du Canada, ayant été incorporée en 1962. Quant aux compagnies d'assurance-vie, le contraste avec la théorie de l'éparpillement progressif des actions est encore plus frappant: les six compagnies que nous avons classées comme ayant un contrôle interne sont les six sociétés mutuelles: North American Life, Sun Life, Manufacturers Life, Canada Life, Confederation Life et Mutual Life. Quatre de ces compagnies sont devenues des sociétés mutuelles au cours des années 1950 et 1960, c'est-à-dire tout récemment, alors que Mutual Life était dès son incorporation une société sans capital-actions. Et la transformation des compagnies d'assurance-vie de sociétés par actions en sociétés mutuelles, nous l'avons vu au chapitre antérieur, est due souvent, selon les spécialistes, à la *concentration* des actions entre les mains d'un petit nombre d'actionnaires voulant réaliser des gains de capital. Quelle qu'en soit la raison (il faudrait des études en profondeur pour la déterminer), la transformation des compagnies d'assurance en sociétés mutuelles n'est pas due aux mécanismes invoqués par Berle et Means, notamment à l'éparpillement des titres.

Les administrateurs des institutions financières à contrôle interne ne sont pas de grands détenteurs de titres. La question ne se pose pas, bien sûr, au niveau des compagnies d'assurance-vie qui sont des sociétés sans capital-actions. Par contre, on trouve les principaux actionnaires parmi les administrateurs internes, c'est-à-dire ceux qui occupent en même temps des postes à la haute direction de la compagnie (président du conseil, président, vice-présidents, président du comité exécutif et autres). Ces administrateurs internes détiennent d'importants blocs d'actions et exercent sans doute une influence décisive sur la compagnie et sur le choix des administrateurs externes.

TABLEAU XII

Société	Nombre moyen d'actions par administrateur	Valeur moyenne des actions par administrateur (1975)	Nombre moyen d'actions des administrateurs internes
Royal Trust	3 970	$88 576	8 758
National Trust	2 226	$36 173	3 764
C.P. Investments	4 619	$68 107	10 217

Dans les compagnies à contrôle interne du secteur industriel nous retrouvons les mêmes caractéristiques que dans le secteur financier. Les firmes administrées par des «managers» non propriétaires sont les plus importantes du secteur. Alors que les actifs totaux moyens des 50 firmes industrielles sous contrôle canadien montent à $582 millions, ceux des firmes à contrôle interne se chiffrent à $864 millions. Les sociétés industrielles à contrôle interne ne se caractérisent pas par leur ancienneté. Prenons par exemple, le secteur papetier: Abitibi Paper, société à contrôle interne, fut fondée en 1914 alors que les origines de Consolidated Bathurst Corporation (du groupe Power Corporation) et de Maclaren Power and Paper (de la famille Maclaren) remontent au XIXᵉ siècle. Dans l'industrie sidérurgique, Stelco, à contrôle interne, fondée en 1910, est sensiblement aussi vieille que Dofasco, incorporée en 1912 et sous contrôle minoritaire.

Le cas d'Abitibi Paper illustre bien, d'une part, l'ambiguïté de la catégorie de contrôle interne comme base d'une théorie du pouvoir des administrateurs professionnels, et d'autre part le problème des sources de données. Nous avons classé la société Abitibi Paper en tant que compagnie à contrôle interne sur la base des déclarations fournies à la Commission des valeurs mobilières de l'Ontario. En effet, les vingt membres du conseil d'administration de la compagnie déclaraient posséder un total de 149 477 actions votantes en décembre 1975, ce qui constitue 0,8% des votes. Aucune société n'a déclaré posséder des actions de cette compagnie, et elles n'y sont pas obligées tant qu'elles ne détiennent pas 10% ou plus des titres votants. Dans le même sens que le Bulletin de la Ontario Securities Commission, le quotidien *le Devoir*, dans sa section économique et financière du 14 décembre 1974 affirme: «Les actionnaires d'Abitibi sont nombreux et personne n'en possède un bloc important; la moyenne d'actions détenues est de 700 par actionnaire. Du point de vue technique, le contrôle serait facile à acquérir.»

Une semaine plus tard cependant le quotidien *la Presse* publiait une liste d'actionnaires principaux d'Abitibi Paper avec le nombre d'actions qu'ils détiennent. Nous reproduisons textuellement cette liste ci-dessous.

Actionnaires principaux	*Nombre d'actions*
Royal Trust (*in trust*)	1 362 000 (environ)
Montreal Trust (*trustees*)	575 000 (environ)
Bank of Montreal (prête-nom)	1 000 000 (environ)
Bank of Commerce (prête-nom)	460 000 (environ)
Royal Bank (prête-nom)	1 094 000 (environ)
Gilbert Securities Ltd.	400 000
Beckow Investments	175 000
Investors Growth Fund	180 640
Dayton Newspapers Inc. (Ohio)	400 000
Canada Permanent Trust	250 000 (environ)
Grator & Co.	250 000 (environ)[24]

Onze actionnaires institutionnels de la société papetière possèdent 6 146 640 actions, soit 34% du vote contrairement aux appréciations des analystes financiers du journal *le Devoir*. À noter qu'aucun des actionnaires institutionnels ne détient 10% des actions de Abitibi Paper et qu'ils ne sont pas, par conséquent, obligés de déclarer leurs titres aux Commissions de valeurs. Par ailleurs, les trois banques à charte se présentent comme de simples prête-noms, mais on n'indique pas l'identité du bénéficiaire des titres, des vrais actionnaires qui se cachent derrière les banques. Nous avons pu confirmer en partie les renseignements fournis par *la Presse*. Le *Financial Post Survey of Funds* de 1975 corrobore le nombre d'actions détenues par Investors Growth Fund. En outre, un des administrateurs (L. Norstad) de Abitibi Paper vient de Dayton Newspapers Inc. en Ohio, une liaison de longue date: «Jusqu'à tout récemment, Abitibi avait G.H. Mead de Dayton, Ohio, comme président du conseil et Alexander Smith, de Chicago, comme président. On croit que Mead a fait d'importants placements dans Abitibi, ce qui expliquerait la présence des Américains au conseil[25].»

Norstad est le seul administrateur de l'Ohio au conseil d'administration de Abitibi Paper. Toutefois, nous en trouvons trois du groupe Thompson Newspapers Ltd.: Lord Thompson of Fleet, l'Honorable K.R. Thompson (fils de Lord Thompson) et John A. Tory. La possibilité existe alors que les banques et/ou les trusts masquent un contrôle de la chaîne Thompson, ou du groupe de l'Ohio, ou des deux groupes de journaux à la fois. Les sources disponibles nous empêchent de trancher à ce sujet. La catégorie de «contrôle interne» nous apparaît alors en partie comme une catégorie résiduelle où, par manque d'information, l'on range les compagnies qui n'ont pu être classées ailleurs.

Tout comme dans le secteur financier, dans les compagnies industrielles à contrôle interne les administrateurs possèdent peu d'actions, à l'exception de ceux qui occupent en même temps des postes de direction.

Dans plusieurs de ces compagnies, le contrôle interne peut toutefois être remis en question. Nous avons déjà exposé les ambiguïtés du contrôle dans Abitibi Paper. Dans Alcan Aluminium, la situation est presque aussi confuse. Jusqu'en 1928, elle était une filiale à 100% de Alcoa, le géant américain de l'aluminium. Cette année-là, les poursuites antitrust aux États-Unis ont forcé la maison mère à se séparer de sa filiale. Elle fit en distribuant aux actionnaires de Alcoa une action de Alcan Aluminium Ltd.

TABLEAU XIII

Société	Nombre moyen d'actions par administrateur	Valeur moyenne des actions par administrateur (1975)	Nombre moyen d'actions des administrateurs internes
Abitibi Paper	7 474	$74 254	10 690
Alcan Aluminium	5 956	$135 111	11 540
Canada Packers	10 166	$191 883	10 166
Canron	2 626	$ 47 268	8 898
Dominion Textile	3 876	$ 30 524	5 598
Inco Ltd.	4 576	$117 260	7 629
Moore Corp.	10 275	$472 650	24 842
Steel Co. of Canada	4 977	$142 467	5 181
Hiram Walker	12 984	$478 785	34 578

pour trois actions qu'ils possédaient dans la maison mère. En 1939, la revue *Fortune* écrivait au sujet des actionnaires de Alcoa et de Aluminium Ltd. :

Les deux compagnies, techniquement séparées, étaient alors la propriété des mêmes personnes. L'identité des actionnaires n'existe plus à 100%, mais le président de Aluminum, Edward K. Davis, est le frère du Président du conseil de Aluminium (Alcoa), Arthur Vining Davis, et les deux compagnies sont sœurs à bien d'autres égards[26].

On a vu que la famille Mellon possède environ un tiers des actions de Aluminium Co. (Alcoa). Aluminium n'est pas une compagnie de Mellon dans le sens populaire du mot. [...] Un intérêt d'un tiers donne d'habitude un contrôle de fait. Mais ce n'est peut-être pas le cas dans Aluminium Co. parce que la majorité des deux tiers restants est détenue par les Davis, les Hunt et d'autres directeurs et associés fondateurs[27].

En décembre 1931, quatre actionnaires de Alcoa possédaient aussi, avec leurs familles plus de 50% des actions de Aluminium Ltd.[28]. Au début des années 1950, un jugement découlant de poursuites antitrust aux États-Unis ordonna à quatre familles américaines (les Mellon, les Duke, les Hunt et les Davis) de vendre leurs actions dans l'une ou l'autre des deux compagnies. En 1951, une offre publique de 333 000 actions ordinaires de Aluminium Ltd. pour une valeur globale de $30 000 000 fut placée à New York et au Canada. Il s'agissait de 223 000 actions de la famille Mellon, de 100 000 actions d'Arthur V. Davis et de 10 000 actions de Roy

A. Hunt. MM. A.V. Davis et R.A. Hunt conservaient leurs actions et leur poste d'administrateur dans Alcoa Ltd.[29]. En apparence, des membres de la famille Davis ont cependant gardé des blocs importants d'actions dans Alcan Aluminium Ltd. En effet, outre Nathaniel V. Davis, fils d'Edward K., président de Alcan depuis 1947, et président du conseil d'administration depuis 1971, d'autres membres de la famille sont représentés à la haute direction de la compagnie. H.R. Davis est directeur de Alcan, et B.L. Davis administrateur de Aluminium Co. of Canada, la filiale d'exploitation de Alcan. Les Davis qui siègent au conseil d'administration et au conseil des directeurs de Alcan ne semblent pas posséder beaucoup d'actions. En 1975, N.V. Davis et H.R. Davis ne détiennent que 0,1% chacun des actions émises de la compagnie et ils sont les plus importants actionnaires du conseil d'administration et du conseil des directeurs. On ignore si d'autres membres de la famille (non membres de la haute administration) possèdent des actions de Alcan. Les autres familles fondatrices ne sont pas représentées au conseil d'administration et au conseil des directeurs. La question de savoir si Alcan est une compagnie canadienne ou américaine est oiseuse. On sait que 43,1% des actions sont détenues aux États-Unis, 42% au Canada et 14,9% ailleurs. Le conseil d'administration est composé de huit Canadiens, quatre Américains et quatre Européens. Le siège social est à Montréal. Il serait probablement juste de dire qu'elle est une société canado-américaine.

L'autre géant du secteur est Inco Ltd., le premier producteur mondial de nickel. Fondée en 1902, la société était à ses débuts incorporée au New Jersey et contrôlée par le plus grand producteur d'acier du monde, la United States Steel: elle faisait partie du groupe Morgan. En 1916, elle s'incorpora au Canada mais le contrôle resta inchangé. La Commission ontarienne d'enquête sur le nickel établissait en 1917 que 96% des actions ordinaires étaient détenues aux États-Unis; le conseil d'administration était formé exclusivement d'Américains[30]. De 1917 à 1928, la part des actionnaires canadiens a augmenté. En 1928, à travers un échange d'actions, Inco Ltd. absorbait la Mond Nickel Co., son principal concurrent sur le continent nord-américain. La famille anglaise Mond, qui contrôlait la Mond Nickel et Imperial Chemical Industries reçut un important bloc d'actions. Les actionnaires de la Mond prirent un septième des actions de Inco, et obtinrent le droit de choisir cinq des vingt-cinq administrateurs de la nouvelle société qui, par ailleurs, transféra son siège social au Canada pour éviter des poursuites antitrust aux États-Unis. Dans la nouvelle International Nickel Co. de 1928, les Canadiens avaient le droit d'élire trois administrateurs, et cette année-là, J.P. Bickell, James A. Richardson et J.W. McConnel (du groupe Holt) furent élus[31]. À partir de la réorganisation de 1928, la part des actionnaires canadiens n'a cessé de croître; en 1975, ils détenaient 48% des actions contre 37% pour les actionnaires américains et 15% pour les européens. Le conseil d'administration est formé de quatorze Canadiens, dont G.T. Richardson (fils de James A. Richardson et frère de l'ex-ministre libéral fédéral) qui est le principal actionnaire du conseil d'administration; il y a aussi huit américains occupant les postes clés (dont ceux de président et vice-président du conseil, et président de la compagnie), et un administrateur anglais. Deux administrateurs de Inco Ltd. siègent au conseil d'administration de la United States Steel.

Dans d'autres compagnies industrielles «à contrôle interne», il y a un élément familial important dans l'évolution des conseils d'administration. Canada Packers Ltd. fut fondée en 1927 en tant que société de portefeuille pour prendre le contrôle de quatre abattoirs; par une consolidation de ses actifs, elle devint société industrielle en 1932. À sa fondation, deux membres de la famille McLean se trouvaient au conseil d'administration, formé alors de sept membres. James S. McLean fut le président de la compagnie de 1927 à 1954, poste auquel lui a succédé William F. McLean, son fils, et actuel président. Celui-ci possède à son nom 128 667 actions ou 2% des actions votantes émises par la société; il est de loin le plus grand actionnaire d'un conseil d'administration formé exclusivement d'administrateurs internes, parmi lesquels par ailleurs, en 1954, trois membres de la famille siégeaient. Il est difficile d'échapper à la présomption que les McLean contrôlent la société, présomption que Porter a lui-même faite pour 1960. Peter C. Newman n'hésite pas à affirmer que les McLean contrôlent la compagnie[33].

Dominion Textile Ltd. fut incorporée en 1905 pour fusionner plusieurs sociétés productrices de tissus en coton, et elle devint la plus importante société de textile du Canada. Sir Charles B. Gordon en fut le président pendant plusieurs décennies, et, de 1939 à 1965, il devrait être remplacé par son fils G. Blair Gordon. Au début des années 1960, Frank H. Sobey acheta un bloc d'actions de la compagnie et en devint administrateur. Il fut remplacé par son fils David F. Sobey, qui est le principal actionnaire du conseil d'administration; on ignore si le père a conservé les 300 000 actions qu'il détenait fin 1972 et si tel était le cas, Dominion Textile serait sous le contrôle de la famille Sobey.

Hiram Walker-Gooderham Worts fut incorporée en 1927 en tant que société de portefeuille des deux distilleries. H.C. Hatch en fut nommé président et il le resta pendant près de vingt ans. En 1964, H. Clifford

Hatch, son fils, est devenu à son tour président de la société dont il détient 0,7% des actions, tout en étant le principal actionnaire du conseil d'administration.

Steel Co. of Canada fut incorporée en 1910 par Max Aitken pour fusionner plusieurs sociétés de fabrication de fonte, d'acier et de ses produits de l'Ontario et du Québec. En 1914, Ross McMaster fut élu au conseil d'administration de la société, dont il fut plus tard président et président du conseil. Il fut remplacé par son fils, D. Ross McMaster, qui est le plus grand actionnaire du conseil d'administration.

Dans Moore Corp. et dans Canron Ltd., nous n'avons trouvé aucun élément d'héritage dans les conseils d'administration, et il est difficile d'estimer le poids véritable des descendants des fondateurs dans les autres sociétés. Dans nombre de cas cependant, le contrôle interne pourrait s'avérer un contrôle familial minoritaire dont les données ne sont pas publiées.

Dans le secteur commercial, une société «indépendante» semble être sous contrôle interne. Il s'agit de Simpson's Ltd. fondée originairement en 1925 en tant que société de portefeuille pour prendre le contrôle de la Robert Simpson Co., la compagnie commerciale fondée en 1872. Simpson's Ltd. fut réorganisée en 1929 par Wood Gundy & Co., et le banquier de placement reçut 41,7% des actions votantes en échange de ses services[34]. Les Gundy sont encore les principaux actionnaires du conseil d'administration; d'abord Charles L. Gundy, fils de James H. détient à son nom 571 536 actions, plus 283 668 en fiducie, plus 249 666 en fiducie pour ses enfants: un total de 1 104 870 actions qui valaient de 7 à 10 millions de dollars en 1975. Puis il y a son beau-frère, William P. Scott et le fils de celui-ci. William Scott déclarait en décembre 1973, alors qu'il était administrateur, posséder 300 000 actions; son fils en déclare 110 000 aujourd'hui, en tant que membre du conseil d'administration. En somme les Gundy-Scott possèdent près de 2% des actions votantes de Simpson's Ltd. Les Burton, descendants du manager du début du siècle, ont deux membres de leur famille au conseil d'administration, déclarant près de 400 000 actions, soit moins de un pour cent. En tout, le conseil d'administration possède plus de 4% des actions de Simpson's Ltd. Si d'autres membres des familles Gundy-Scott et Burton se trouvaient à détenir d'autres blocs d'actions, la compagnie serait donc sous le contrôle minoritaire des deux familles.

Tout comme dans les secteurs financier et industriel, la compagnie commerciale à contrôle interne n'est pas nécessairement la plus ancienne.

Simpson's Ltd. est comparable à des sociétés familiales comme Steinberg's Ltd. ou Canadian Tire Corp., fondées respectivement en 1930 et 1927. La théorie de Berle sur les trois étapes du contrôle des sociétés (étapes individuelle, familiale et interne) semble encore une fois infirmée par les faits.

Par ailleurs, dans Simpson's Ltd. comme dans les sociétés financières et industrielles à contrôle interne, les administrateurs-directeurs sont les principaux actionnaires. Alors que le nombre moyen d'actions par administrateur est de 142 472 (valant en 1975 au-delà d'un million de dollars), les administrateurs internes détiennent en moyenne 268 672 actions. Enfin, au point de vue de sa taille, Simpson's Ltd. et sa filiale à 50% Simpsons-Sears sont nettement plus grandes que la moyenne des sociétés commerciales dominantes: les actifs des deux sociétés en question sont respectivement de $562 millions et de $1 051 millions, contre une moyenne de $481 millions dans les compagnies géantes de notre liste.

Dans les utilités publiques et les transports, deux sociétés se détachent nettement de par leur taille: Bell Canada et le Canadien Pacifique. La première fut incorporée au Canada en 1880 en tant que filiale de l'American Bell Telephone Co., qui plus tard fut absorbée dans le système American Telephone and Telegraph Co. La maison mère a toujours détenu un contrôle minoritaire, et déclinant depuis 1890, de la filiale canadienne[35]. Un Comité spécial du Dominion avait enquêté en 1905 sur les rapports entre la société mère américaine et sa filiale canadienne, et les avantages et désavantages de cette filiation; le comité étudia la possibilité de proposer la nationalisation de Bell Telephone of Canada mais n'en fit pas la recommandation. Au cours du XXe siècle, AT&T s'est lentement départie de son contrôle dans la société canadienne, elle possédait 38,6% des actions en 1910, 32% en 1928, 23,7% en 1938, 14,8% en 1948[36], 3,5% selon Porter en 1960. Au cours des années 1960 et 1970, la société américaine n'a rien déclaré aux commissions canadiennes de valeurs mobilières; aucune trace de détention d'actions de Bell Canada par AT & T n'a pu être trouvée; aucun administrateur de Bell n'est lié en 1975 à l'ancienne maison mère. Aucun autre actionnaire de taille, institutionnel ou personnel, ne semble être représenté au conseil d'administration de la compagnie canadienne de téléphone. Les deux seuls administrateurs internes de la firme, le président du conseil d'administration et le président sont d'anciens hauts employés qui ont fait carrière dans Bell depuis 1937 et 1940 respectivement. Les autres sont des administrateurs recrutés à l'extérieur de la compagnie, parmi les présidents et vice-présidents d'autres grandes sociétés. Ils détiennent un nombre infime d'actions.

Le Canadien Pacifique avait à sa fondation en 1881, une capitalisation très concentrée. Neuf actionnaires détenaient 79% des actions de l'émission initiale[37]. Parmi eux, il y avait George Stephen, Richard B. Angus et Donald Smith (Lord Strathcona) de la Banque de Montréal, qui restèrent pendant de longues années au conseil d'administration du chemin de fer. Ils y amenèrent plus tard d'autres administrateurs de cette banque, mais aussi de Stelco, du Royal Trust et de Sun Life. Dans les émissions subséquentes, les actionnaires-fondateurs prirent une part importante. La majorité des administrateurs du CPR était issue de la haute finance montréalaise ou torontoise, jusqu'à la Deuxième Guerre mondiale. La liaison la plus permanente s'est maintenue pendant un siècle avec la Banque de Montréal: chaque année, de cinq à dix financiers de cette institutions siègent au conseil d'administration de chacune des deux sociétés. Cependant, les administrateurs internes du Canadien Pacifique sont, comme dans Bell Canada, des employés qui ont fait de longues carrières dans la compagnie. Le groupe de contrôle, comme Chodos l'a, à juste titre, signalé, semble avoir toujours été canadien, même si jusqu'à tout récemment la majorité des actions était détenue en Angleterre[38].

Deux autres compagnies d'utilités publiques à contrôle interne, Calgary Power et Newfoundland Light and Power, faisaient partie de l'ensemble de sociétés hydro-électriques contrôlées par Isaac W. Killam, propriétaire de Royal Securities Corp., qui les avait achetées à Max Aitken. Plusieurs anciens employés de Killam siègent au conseil d'administration des deux compagnies, dont ils ont acheté des actions.

Le tableau XIV nous renseigne sur la détention d'actions par les administrateurs dans les compagnies de services à contrôle interne.

TABLEAU XIV

Société	Nombre moyen d'actions des administrateurs	Valeur moyenne des actions des administrateurs (1975)	Nombre moyen d'actions des administrateurs internes
Bell Canada	678	$ 30 212	2 488
Calgary Power	2 449	$ 61 531	5 552
C.P. Ltd.	4 983	$ 74 097	5 175
Consumers' Gas	7 660	$106 742	2 606
Newfoundland Light & Power	6 346	$ 69 806	13 189
Norcen Energy Resources	8 934	*	20 816
Union Gas	26 583	$214 259	1 177

*Incorporée à la fin de 1975, il n'y a pas de cote boursière pour ses actions.

Dans les compagnies du tableau XIV, l'on retrouve la concentration des actions chez les administrateurs internes, avec deux exceptions, Consumers' Gas et Union Gas[39].

Les grandes sociétés d'utilités publiques et de transports sont presque toutes à contrôle interne. Seule Canada Steamship Lines n'est pas sous ce type de contrôle: elle appartient au groupe Power Corporation. Mais ces sociétés ne sont pas toutes arrivées à la situation présente par un processus quasi séculaire de dispersion des actions, tel que l'affirme la théorie de Berle et Means. Alberta Gas Trunk Line, par exemple, fut créée en 1954, et ses actions votantes, dont il n'y a que 1 699 d'émises au 31 décembre 1975, sont détenues par d'autres compagnies de services publics, d'exportation, de production et de transport de gaz naturel. Chaque actionnaire n'en détient qu'un nombre très restreint. Cet éparpillement des actions était recherché dès la fondation même de la compagnie et il n'a rien à voir, par conséquent, avec le processus décrit par Berle. Par ailleurs, ses actions votantes ne sont pas cotées en bourse, et trois des administrateurs sont nommés par le Lieutenant-Gouverneur en Conseil de l'Alberta. Quant à Norcen Energy Resources, elle fut incorporée en 1975 pour prendre le contrôle de Northern and Central Gas Corporation créée en Ontario en 1954. Les actions de cette dernière étaient relativement éparpillées en 1966-1967 quand Power Corporation en acheta plus de 2 000 000 (18 % du vote) qu'elle revendra en 1970 à des investisseurs institutionnels du Canada et du Royaume-Uni[40]. L'éparpillement des actions de Calgary Power et de la Newfoundland Light & Power Co. n'a commencé qu'en 1955 après la mort de Killam qui les contrôla pendant plus de trente ans. Seuls Bell Canada, le Canadien Pacifique, Consumers' Gas (fondée en 1848) et Union Gas (incorporée en 1911) pourraient correspondre au schéma de Berle et Means.

Après avoir passé en revue les principales sociétés indépendantes à contrôle interne dans les différents secteurs d'activité économique, on peut essayer de les caractériser de manière plus globale et d'en extraire les traits communs.

Premièrement, rappelons que les sociétés à contrôle interne se démarquent par leur plus imposante taille. La dimension et le contrôle interne ont une même explication: les nombreuses fusions que ces sociétés ont subi au cours de leur histoire. Le contrôle familial, individuel ou celui d'un petit groupe d'actionnaires peut difficilement se maintenir si la société doit en absorber d'autres par un échange d'actions: nombre de fusions s'effectuent par le biais d'un partage du contrôle entre les détenteurs du pouvoir dans les compagnies impliquées. Ce partage du contrôle entraîne nécessairement une dispersion des actions des compagnies qui résultent de la fusion. C'est là le principal moyen d'émiettement des gros blocs d'actions, et c'est là aussi une des principales méthodes d'expansion des grandes firmes.

En deuxième lieu, on a pu constater que, à l'intérieur de chaque secteur, les sociétés à contrôle interne sont aussi anciennes que celles qui se trouvent sous d'autres formes de contrôle. On peut maintenant ajouter que les sociétés à contrôle interne sont relativement plus nombreuses dans les secteurs d'activité les plus anciens (les services, les transports, la finance) et dans les secteurs qui se sont concentrés les premiers (les services, la finance, l'industrie). Elles sont relativement moins nombreuses dans les secteurs les plus récents (l'immobilier) et dans ceux qui se sont centralisés plus tardivement (le commerce de détail).

En troisième lieu, les principaux actionnaires se retrouvent, à deux exceptions près, parmi les administrateurs internes. Dans nombre de cas, ces administrateurs internes sont les descendants des fondateurs ou de personnes qui ont détenu, dans le passé, le contrôle de la compagnie. Dans ces cas, seule une liste complète des actionnaires permettrait de décider s'il ne s'agit pas là tout simplement de compagnies à contrôle familial.

Quatrièmement, non seulement les compagnies à contrôle interne ne sont pas le résultat d'un processus linéaire et quasi séculaire de dispersion des actions. De plus, nous allons nous attarder à le montrer ci-dessous, la formation des conglomérats d'après-guerre peut très facilement renverser toute tendance éventuelle à l'éparpillement des gros blocs d'actions. Par ailleurs, nombre de sociétés sont arrivées à une situation de contrôle interne par suite de l'action de l'appareil législatif ou judiciaire : la loi des banques de 1967 interdisant aux banques à charte de posséder plus de 10% des actions d'un trust et interdisant l'échange d'administrateurs entre les deux types d'institutions ; l'injonction émise en 1950 aux États-Unis contre les actionnaires de Alcan Aluminium Ltd. et de Alcoa pour les forcer à vendre leurs actions dans l'une ou l'autre des sociétés ; les restrictions imposées à la charte de Alberta Gas Trunk Line, etc. Dans d'autres cas, il s'agit d'un changement de statut juridique, comme celui qui a affecté les compagnies d'assurance-vie devenues sociétés mutuelles au cours des années 1950 et 1960. Tous ces cas différents montrent des situations de contrôle interne auxquelles des compagnies sont parvenues sans passer par les trois étapes que postule la théorie de Berle et Means.

Nous pourrons mieux saisir les caractéristiques des sociétés à contrôle interne, en les comparant aux firmes à contrôle familial, individuel ou de groupe, et en examinant la croissance des nouveaux conglomérats.

Les sociétés à contrôle familial

On entend par société à contrôle familial, une société dont le groupe principal des actionnaires, celui qui détient 5% ou plus des actions, provient d'une même famille, que les membres de cette famille soient ou non représentés au conseil d'administration de la compagnie. Cette définition exclut non seulement les firmes à contrôle interne (où aucun individu ou groupe ne détient 5% des actions), mais aussi les sociétés à contrôle personnel et celles qui sont sous le contrôle d'un groupe non familial d'associés. On traitera de ces dernières plus tard. Il suffit, pour l'instant, de dire que le contrôle individuel et de groupe sont des formes transitoires de contrôle, des formes qui s'achèvent avec la vie des capitalistes concernés, et qui peuvent évoluer vers un contrôle familial ou par l'éparpillement des titres, et dans ce cas, vers un contrôle interne.

Les sociétés à contrôle familial possèdent certains traits distinctifs. D'abord elles ne sont pas très anciennes. Seulement six des 37 compagnies familiales de notre liste existaient déjà au début du siècle. La doyenne sans équivoque est Molson Companies Ltd. dont les origines remontent à 1786 et qui n'est devenue une société publique qu'en 1945. Jusqu'à cette date, le capital-actions appartenait entièrement à des membres de la famille Molson, qui occupaient alors la totalité des postes du conseil d'administration. Aujourd'hui, divers membres de la famille détiennent directement et indirectement 36,3% des actions et seuls deux Molson siègent au conseil d'administration de la compagnie mère (voir tableau A.II en annexe au chapitre). La société commerciale T. Eaton Co., fondée en 1869 est, par ordre d'ancienneté, la troisième compagnie familiale. Elle reste une société privée dont toutes les actions sont la propriété des membres de la famille Eaton par l'intermédiaire d'une société privée de portefeuille, Eaton's of Canada Ltd. La plus importante filiale en termes d'actifs est T. Eaton Acceptance Co., établie en 1954 et contrôlée à 100% par T. Eaton Co. Elle fait aussi partie de notre liste en tant que quatrième plus importante compagnie de finance du Canada. Moins connue que les deux précédentes mais également très importante est la London Life Insurance Co. Établie à London, Ontario en 1874 par Joseph Jeffery et Edward Harris, Jeffery en fut le premier président. Ses fils Albert Oscar et James Edgar lui succédèrent à la haute direction de la compagnie. Les trois fils de James Edgar occupent aujourd'hui les postes de président du conseil, président et administrateur de la firme. La London Life reste une société dont le capital-actions n'est pas coté en bourse, tout en étant la troisième plus grande compagnie d'assurance du Canada, avec ses actifs de $2 392 millions en décembre 1975. F.P. Publications est une société privée, fondée en 1898 par le ministre et argentier libéral Clifford Sifton; elle appartient aux familles Sifton et Bell, qui par ailleurs ont laissé l'administration à R.H. Webster, actionnaire du groupe depuis 1965. F.P. Publications est devenue la principale chaîne d'éditeurs de journaux du Canada, devant les groupes Southam Press et Power Corporation. Enfin, MacLean-Hunter, établie en 1891 et contrôlée par la famille Hunter, et Hugh Russel Ltd., fondée en 1826 et sous contrôle des Russels, sont les autres vieilles compagnies familiales. Toutes les autres sont nées au XXe siècle.

Deuxième caractéristique importante: les compagnies familiales sont relativement plus nombreuses dans le commerce, où elles constituent 44% de notre liste, avec 48% des actifs. Il n'y a pas parmi les grandes sociétés de services et transports, de compagnie familiale. Elles constituent 26% de notre liste dans le secteur industriel, 20% dans l'immobilier, 32% dans les finances.

En troisième lieu, leur taille. Dans le commerce et dans l'immobilier, les compagnies familiales sont plus importantes que la moyenne; dans les finances elles sont d'une taille comparable; dans l'industrie manufacturière et minière, elles se comptent parmi les plus petites (voir le tableau A.I). Les sociétés à contrôle familial ont dans leurs rangs la plus grande compagnie commerciale du Canada (G. Weston Ltd.), la principale du secteur de l'immobilier (Cadillac Fairview Corporation), la première banque de placement (Wood Gundy & Co.), la première société de placement à fonds fixes (Canadian General Investments), la troisième compagnie d'assurance (London Life Insurance Co.), la principale compagnie de finance du Dominion (IAC Ltd.), la première compagnie d'aliments et de boissons (The Seagram Co.) et la plus puissante chaîne de journaux (F.P. Publications). C'est donc dire que le capitalisme familial se porte bien au Canada.

En quatrième lieu, soulignons que parmi les sociétés familiales il y a peu d'*outsiders*. Quelques familles font exception, notamment les Searle-Leach et les Bronfman. Les premiers détiennent 36,4% des actions de Federal Industries Ltd. Cette compagnie, fondée en 1929 sous le nom de Federal Grain était sous le contrôle minoritaire de la famille Sellers quand, en septembre 1966, elle absorba Searle Grain Co. par un échange d'actions. La famille Searle-Leach reçut alors plus d'un tiers des actions de Federal Grain et en devint la principale actionnaire. Aujourd'hui quatre membres de la famille Searle-Leach siègent au conseil d'administration de Federal Industries occupant les postes principaux de la haute direction. Les Bronfman ont établi en 1924 Distillers Corporation qui est devenue en quelques années la plus importante affaire de distillerie du Canada. En

1928, on créa une société de portefeuille, Distillers Corp.-Seagrams Ltd., pour absorber par un échange d'actions l'ancienne Distillerie Joseph E. Seagram & Sons de Waterloo, Ontario. À partir de cette société, dont la famille détient aujourd'hui un tiers des actions, les Bronfman sont entrés dans d'autres secteurs. Dans l'immobilier, ils ont fondé Cemp Holdings en 1958, devenue société publique en 1972 sous le nom de The Fairview Corp. Ils ont acquis par ailleurs le contrôle de Cadillac Development Corporation et ils l'ont fusionnée avec The Fairview Corp. et avec Canadian Equity and Development, une filiale de Cadillac Development Corp. La fusion a eu lieu en 1974. De la société résultante, The Cadillac Fairview Co., les Bronfman détiennent plus d'un tiers des actions et en sont les propriétaires dominants[41]. Dans le secteur financier, la famille Bronfman a acquis en 1974 le contrôle de IAC Ltd. Cette compagnie de finance est sur le point d'organiser une banque à charte sous le nom de Continental Bank of Canada.

Cinquièmement, les membres de la famille qui détiennent le contrôle occupent normalement les postes hiérarchiques dans l'administration et à la direction de la compagnie. En d'autres termes, les familles délèguent leurs membres aux postes d'administrateur et d'administrateur interne en particulier. Le tableau XV confirme cette conclusion.

En sixième lieu, on remarquera que douze des compagnies familiales se trouvent sous contrôle absolu ou sont des sociétés privées; sept sont sous contrôle majoritaire et les 22 autres sous contrôle minoritaire. Il n'y a pas trace de disparition des empires familiaux, après la première génération, tel que le postule la théorie de Berle et Means: au contraire, nombre des compagnies familiales en sont déjà à la deuxième ou à la troisième génération. Par ailleurs, plusieurs des groupes les plus dynamiques en termes de croissance, de diversification et d'absorption de compagnies déjà existantes, sont sous contrôle familial. Citons à ce sujet les groupes Bronfman et Eaton comme les exemples les plus remarquables. Dans peu de compagnies le contrôle familial semble diminuer au point de disparaître. Quelques compagnies que nous avons placées sous contrôle interne étaient autrefois sous contrôle familial: Alcan Aluminium, Canada Packers ou Hiram Walker-Gooderham & Worts. Dans d'autres cas, des compagnies familiales ont été absorbées dans des conglomérats, telles John Labatt ou Massey-Ferguson. Quelques sociétés familiales sont passées sous le contrôle d'individus ou de groupes d'associés, comme Burns Food, longtemps propriété de la famille Burns et, aujourd'hui, contrôlée par R.H. Webster. Dans la plupart des cas cependant, la transformation des sociétés privées en sociétés publiques n'a pas entraîné la perte de contrôle par les

TABLEAU XV

Sociétés à contrôle familial
Membres de la famille propriétaire au conseil d'administration
(et au conseil de direction)

A - *Finances*

Canadian Corporate Management	W.L. Gordon (président du c.a.)
Canadian General Investments	M.C.G. Meighen (président du c.a.); T.R. Meighen
City Savings and Trust	S. Belzberg (prés.); W. Belzberg (vice-prés.); H. Belzberg
T. Eaton Acceptance Co.	A.Y. Eaton; J.W. Eaton
E.L. Financial Corp.	H.N.R. Jackman (prés.); H.R. Jackman
First City Financial Corp.	S. Belzberg (prés.); W. Belzberg (vice-prés.); H. Belzberg
Huron & Erie Mortgage Corp.	M.C.G. Meighen (vice-prés.)
IAC Ltd.	P.F. Bronfman
London Life Insurance Co.	J. Jeffery (prés. du c.a.); A.H. Jeffery (prés.); G.D. Jeffery
Prenor Group	L.C. Webster (prés.)
Victoria and Grey Trust	H.N.R. Jackman
Wood Gundy & Co. Ltd.	C.L. Gundy (prés. du c.a.); J.M.G. Scott

B - *Industrie*

Bombardier Ltd.	A. Bombardier (vice-prés.); L. Beaudoin (prés.); J.L. Fontaine (vice-prés.)
Bow Valley Industries	D.K. Seaman (prés.); B.J. Seaman (vice-prés. exécutif); D.R. Seaman (vice-prés. senior)
F.P. Publications	Aucun
Federal Industries	A. Searle Leach (prés. du c.a.); S.A. Searle Jr (prés.); A. Searle Leach Jr, (vice-prés.); C.L. Searle
Irving Oil Co.	A.L. Irving (prés.); J.E. Irving; J.M. Irving
Ivaco Industries	I. Ivanier (prés.); P. Ivanier (vice-président exécutif); S. Ivanier (vice-président)
Kruger Pulp & Paper	G.H. Kruger (prés. du c.a.); B.J. Kruger (vice-prés. du c.a.); D. Kruger; J. Kruger II
MacLaren Power & Paper	D. MacLaren (vice-prés.); J.F. MacLaren; A.B. MacLaren; A.R. MacLaren; G.F. MacLaren

TABLEAU XV (*suite*)

MacLean-Hunter Ltd.	D.F. Hunter (président du c.a.)
Molson Companies	Hon. H. de M. Molson (prés. hon. du c.a.), E.H. Molson
Hugh Russell Ltd.	A.D. Russel (prés. du c.a. et chef de la direction)
The Seagram Co.	E.M. Bronfman (prés. du c.a.), Ch. R. Bronfman (prés.), A. Bronfman
The Southam Press	St. Clair Balfour (prés. du c.a.), G.N. Fisher (prés.), R.W. Southam (vice-prés.), G.H. Southam, G.T. Southam

C - Commerce

Canadian Tire Corp.	A.D. Billes, A.J. Billes, A.W. Billes, D.G. Billes
T. Eaton Co.	J.W. Eaton (vice-prés.), A.Y. Eaton
Kelly, Douglas & Co.	W.G. Weston
Oshawa Group	M. Wolfe (prés. hon. du c.a.), R.D. Wolfe (prés. du c.a.), H.S. Wolfe (prés.), L. Wolfe (vice-prés. exécutif), J.B. Wolfe (vice-prés.), H.J. Wolfe (secrétaire)
Steinberg's Ltd.	M. Dobrin (prés.), M.M. Dobrin (vice-président), S. Steinberg (prés. du c.a.), N. Steinberg (vice-prés. du c.a.), A. Steinberg (vice-prés. exécutif)
G. Weston	W. Galen Weston (prés. du c.a.), W. Garfield Weston (vice-prés. du c.a.), G.H. Weston
Woodward Stores	C.N.W. Woodward (président du c.a.)

D - Immobilier

Block Bros Industries	A.J. Block (prés. du c.a.), H.J. Block (prés.)
The Cadillac Fairview Corp.	Ch. R. Bronfman
Daon Development Corp.	G.R. Dawson (prés. du c.a.), J.W. Poole (prés.)
T. Eaton Realty	J.W. Eaton
Orlando Corp.	Orey Fidany (prés.); E. Fidany (vice-prés.)

familles. Ainsi Steinberg's (devenue société publique en 1955), et Oshawa Group (en 1960) sont restées sous contrôle absolu, respectivement des familles Steinberg et Wolfe. Dans d'autres sociétés, le contrôle familial absolu est devenu majoritaire avec leur transformation en sociétés publiques: c'est le cas de G. Weston Ltd. (transformée en société publique en 1928), Canadian Tire Corp. (en 1944) et Bombardier Ltd. (en 1969). Enfin, à certaines occasions les compagnies familiales privées se sont transformées en sociétés à contrôle minoritaire: ce fut le cas pour Distillers Corp.-Seagram et MacLaren Power & Paper, devenues publiques avec leur réorganisation en 1928, et pour Molson Companies, qui vendait ses premiers titres en bourse en 1945.

Les formes transitoires: le contrôle individuel et de groupe

Le contrôle par des individus ou par des groupes d'associés n'est pas une forme archaïque de maîtrise des sociétés par actions. Cette forme de contrôle a existé à toutes les étapes du capitalisme canadien, et n'est pas nécessairement associée à l'étape de fondation d'une compagnie. On peut rappeler parmi d'autres exemples, celui de Sir James Dunn, qui fut de 1935 à 1956 le maître absolu d'Algoma Steel et qui en prit le contrôle alors que la compagnie avait déjà vingt ans d'opération. Ou encore celui d'Isaac Killam qui contrôla un empire hydro-électrique des années 1920 jusqu'à 1954, empire qu'il avait acheté en opération à Max Aitken. En revanche, ce type de contrôle comme les exemples de Dunn et Killam le montrent, n'est pas de longue durée. Ainsi, dans toutes les compagnies de notre liste qui se trouvent sous cette forme de contrôle, les origines de la mainmise individuelle ou de groupe sont récentes.

Il y a tout d'abord plusieurs nouvelles compagnies: les fondateurs en sont les principaux actionnaires et les principaux administrateurs. C'est le cas de nombreuses grandes sociétés immobilières et de leurs propriétaires dont Campeau Corp. (R. Campeau), S.B. McLaughlin Assoc. (S.B. McLaughlin), Unicorp. Financial Corp. (G.S. Mann). Dans le secteur financier Argus Corporation, mise sur pied en 1945 est toujours entre les mains d'un groupe restreint d'associés (E.P. Taylor, J.A. McDougald, E. Phillips et M.W. McCutcheon en 1945; Taylor, McDougald, G. Black, A.B. Matthews et M.C.G. Meighen fin 1975).

Dans plusieurs compagnies en marche, des *outsiders* ont acquis des positions de contrôle. Le plus remarquable des *outsiders* est sans doute Paul G. Desmarais, actionnaire majoritaire dans Power Corporation. Peter Newman a déjà fait une description à la fois précise et savoureuse de la méthode dont Desmarais s'est servi pour prendre le contrôle de Power[42].

Rappelons-en les principales étapes en y ajoutant quelques données importantes. Desmarais a utilisé à plusieurs reprises la technique de la prise de contrôle inversée, décrite ci-dessus dans le cas de Federal Grain: il échangea chaque fois une compagnie plus petite contre une plus grande. Il avait commencé en 1950 avec une petite compagnie familiale d'autobus, pour arriver en 1961 au contrôle de Provincial Transport. Cette année, Gatineau Power fondait Gelco Entreprises Ltd., une société de portefeuille, avec les $12,5 millions reçus du Nouveau-Brunswick pour la nationalisation de ses actifs dans cette province. Les actionnaires de Gatineau Power reçurent une action ordinaire de Gelco pour chaque action qu'ils détenaient dans Gatineau. Cette même année, Desmarais achetait 20% des actions de Gelco pour $450 000 et il en obtenait plus tard le contrôle en échangeant Provincial Transport contre 6 531 776 actions nouvellement émises de Gelco. En 1963, il possédait 80% des actions de Gelco. En 1964, la société de portefeuille prit le contrôle (51,2%) de Imperial Life, une des principales compagnies d'assurance du Canada. L'année suivante, Desmarais échangeait 100% des actions de Provincial Transport et les actions de Imperial Life contre 56% des actions d'une plus grande société de portefeuille: la Corporation des valeurs Trans-Canada. Gelco prenait le contrôle de cette dernière qui à son tour détenait les actions de Provincial Transport et d'Imperial Life. La Corporation des valeurs, créée par Jean-Louis Lévesque en 1954 contrôlait alors une douzaine de firmes de taille moyenne du Dominion. En 1968, Desmarais échangea le contrôle de la Corporation des valeurs contre 4 136 810 actions privilégiées à 5% de Power Corporation, ayant chacune un vote. Ces actions, émises spécialement pour l'absorption de la Corporation des valeurs par Power Corp., ne donnaient pas à Desmarais le contrôle de cette dernière, puisque la capitalisation de Power comprenait en outre 6 198 550 actions ordinaires (donnant chacune une voix), et 1 194 570 actions privilégiées à 6% (donnant chacune dix voix). Aussitôt les actions privilégiées à 5% reçues, Desmarais offrit publiquement de donner 1 ⅓ action à 5% contre une action à 6%. En novembre 1968, au moment où l'offre expira, il avait réuni 500 000 actions à 6%, qui lui donnaient 5 millions de voix, et il conservait encore 2 600 000 actions à 5%. Il était devenu le premier actionnaire de Power, suivi de près par Peter N. Thomson, qui n'avait pas accepté son offre et qui détenait encore 600 000 actions à 6%. Il les lui acheta en 1969 pour $7,2 millions, prenant ainsi le contrôle majoritaire du deuxième conglomérat du Canada[43].

Outsiders moins connus mais tout aussi actifs, H. Reuben Cohen et Leonard Ellen ont acquis discrètement au cours de 1975 un bloc minoritaire du Crown Trust, une des plus anciennes sociétés de fiducie du Dominion (fondée en 1897) dont ils ne sont pas administrateurs en 1975. Par ailleurs, au cours d'une série de fusions de ces dernières années, ils ont acquis presque la moitié des actions du Central & Eastern Trust, qui devint en 1975 la cinquième société de fiducie du Canada.

Burns Food, incorporée en 1890 et contrôlée par la famille Burns pendant soixante ans, fut prise en main en 1965 par R.H. Webster, qui possède aujourd'hui un tiers de ses actions. Dans Denison Mines, mise sur pied en 1936 par un groupe d'associés, Stephen B. Roman accédait en 1953 au contrôle minoritaire, contrôle qu'il conserve toujours. Dominion Foundries & Steel Corp. fut fondée en 1917 par la famille américaine Sherman. De nos jours le président du conseil d'administration est un Sherman, mais le principal actionnaire du conseil est J. Daniel Leitch. Le père de ce dernier était administrateur et actionnaire minoritaire de Dofasco depuis la Deuxième Guerre mondiale. On ignore si la famille Sherman détient encore un bloc important d'actions dans cette compagnie.

Les sociétés «indépendantes» sous contrôle individuel ou de groupe figurent parmi les plus petites de notre liste. À part Dofasco dans le secteur industriel et le Central & Eastern Trust dans la finance, seules Argus et Power méritent une attention spéciale, et ce du fait qu'elles sont à la tête de deux des plus importants conglomérats du Canada. Par contre, parmi les sociétés «filiales», il y a nombre d'entreprises dominantes dans plusieurs branches de l'économie. On en traitera dans la section suivante.

En ce qui concerne leur distribution par grand secteur d'activité, les sociétés «indépendantes» sous cette forme de contrôle sont relativement plus nombreuses dans l'immobilier: neuf compagnies immobilières sur les 15 de notre liste sont sous le contrôle d'un individu ou d'un groupe. On en trouve moins fréquemment dans la finance, l'industrie et le commerce. En tout, il y a, en 1975, 26 sociétés indépendantes sous cette forme de contrôle ayant des actifs de plus de $100 millions; si l'on ajoute leurs filiales on a 44 sociétés.

De même que dans les compagnies familiales, les principaux propriétaires occupent, en général, des postes clés au conseil d'administration et de direction des firmes indépendantes à contrôle individuel ou de groupe.

Dans ce type de société, comme dans les sociétés familiales, le contrôle minoritaire est le plus fréquent (quinze cas sur vingt-quatre) alors qu'il y a deux compagnies à contrôle quasi absolu et sept sous contrôle majoritaire.

TABLEAU XVI

*Sociétés indépendantes à contrôle individuel ou de groupe
Place des propriétaires au conseil d'administration
(et au conseil de direction)*

A - *Finances*	
Argus Corp.	J.A. McDougald (prés. du c.a. et prés.); A.B: Matthews (vice-prés. exécutif); M.C.G. Meighen (vice-prés. et prés. du Comité exécutif); G.M. Black jr (vice-prés.)
Brascan Ltd.	J.H. Moore (prés.)
Central & Eastern Trust	H.R. Cohen, L. Ellen
Crown Trust	Aucun
Crown Life	C.F.W. Burns (prés. du c.a.); H.M. Burns (vice-prés.); J.J. Jodrey
Jannock Corp.	G.E. Mara (prés. du c.a.); D.G. Willmot, M. Tannembaum, W.M. Hatch
Power Corp.	P.G. Desmarais (prés. du c.a.)
Trust Général du Canada	Jean-Louis Lévesque (vice-prés.)
United Trust	G.S. Mann (prés. du c.a.)
B - *Industrie*	
Burns Food	R.H. Webster
Denison Mines	S.B. Roman (prés. du c.a. et chef de la Direction)
Dofasco	J.D. Leitch
Neonex International	J. Pattison (prés. du c.a., prés.)
C - *Commerce*	
Acklands Ltd.	L. Wolinsky (prés. du c.a.); H. Bessin (prés.); N. Starr (vice-prés. exécutif)
Finning Tractor & Equipment	Aucun
Westburne International Industries Ltd.	J.A. Scrymgeour (prés. du c.a.)
D - *Immobilier*	
Allarco Developments	Charles Allard (prés. du c.a. et prés.)
Bramalea Consolidated Development	J.A. Schiff (prés. et chef de la direction); K.E. Field (vice-prés. exécutif)
Campeau Corp.	R. Campeau (prés. du c.a. et chef de la direction)
Deltan Corporation	R.J. Prusac
S.B. McLaughlin Assoc.	S.B. McLaughlin (prés.)
Nu-West Development Corp.	R.T. Scurfield (prés.); C.J. McConnell
Oxford Development Corp.	G.D. Love (prés.), G.E. Poole, J.E. Poole
Unicorp Financial Corp.	G.S. Mann (prés.)

La croissance des conglomérats

Il n'existe pas de consensus sur la définition des concepts destinés à décrire les firmes et les groupements de firmes qui agissent sur des marchés à la fois différents et non reliés. Certains auteurs utilisent le terme «conglomérat» pour identifier la grande société diversifiée multidivisionnelle[44]. D'autres préfèrent les expressions de «groupements d'intérêt» ou de «groupements financiers», mais en les appliquant plutôt à des ensembles de firmes légalement indépendantes et sous contrôle unique[45]. Dans la tradition marxiste le concept de «groupement financier» s'applique à un groupe de firmes sous le contrôle d'une institution financière et tout particulièrement, sous le contrôle d'une banque. Dans ce qui suit on postule que les deux types d'entreprise (les grosses firmes multidivisionnelles et les groupements de sociétés indépendantes à contrôle unique) ne sont pas foncièrement différents, et que les dissemblances au niveau de la structure organisationnelle sont souvent le résultat d'éléments conjoncturels tels que la législation de compagnies — qui varie d'un pays à l'autre et même d'une province à l'autre, — la fiscalité ou des pratiques comptables. On utilisera le terme de conglomérat pour désigner et la grosse compagnie à produits multiples, et le groupe de grandes firmes à contrôle unique, quel que soit le type de société qui en exerce le contrôle.

Tout au long du XXᵉ siècle des conglomérats ont existé et se sont taillé une place dans l'économie canadienne: le Canadien Pacifique en fournit l'exemple le plus immédiat. Mais le processus de formation des conglomérats s'est grandement accéléré depuis la Deuxième Guerre mondiale et tout particulièrement au cours des années 1960. De ce point de vue, l'économie canadienne suit les contours organisationnels du capitalisme américain, qui connaît une restructuration parallèle et semblable du système monopoliste.

Le point qu'il nous intéresse de souligner, cependant, est que la formation de conglomérats renverse la tendance à l'éparpillement des actions. Les conglomérats essayent d'obtenir le contrôle des sociétés dont l'absorption est la plus facile, c'est-à-dire de celles dont les actions sont les plus éparpillées. Les conglomérats canadiens se sont formés soit par la mise sur pied de nouvelles sociétés, soit par la prise en main de sociétés en opération. Les deux formes de croissance ne sont pas mutuellement exclusives, quoique la deuxième semble, depuis quelques années, l'emporter sur la première.

Des trois grands conglomérats canadiens, c'est Argus Corporation qui a employé de la manière la plus systématique l'absorption de compagnies à contrôle interne comme mode d'expansion. Le fondateur du conglomérat, E.P. Taylor, exprime ainsi la stratégie du groupe: «Je cherche des compagnies où il n'y a aucun actionnaire important. Avec mes associés j'achète assez d'actions pour en obtenir le contrôle effectif. Alors la compagnie adopte notre point de vue[46].»

Un exemple frappant de cette stratégie a été la prise de contrôle par Argus Corporation du plus grand producteur de machinerie agricole canadien, Massey-Harris (aujourd'hui Massey-Ferguson). La firme Massey-Harris est issue en 1891 de la fusion de deux compagnies familiales; la famille Massey qui en détenait le contrôle depuis la fusion, s'en départit en 1927. Wood Gundy & Co. acheta ce bloc d'actions à la tête d'un syndicat et dispersa les titres rapidement. En l'absence d'actionnaires importants, James H. Gundy conserva un contrôle de fait sur Massey-Harris jusqu'en 1942. Cette année-là, E.P. Taylor et ses associés commencèrent à en acheter des actions. À la fondation d'Argus en 1945, ils étaient les principaux actionnaires de Massey-Harris, avec moins de 10% des titres votants. En 1948, quand le comité exécutif de Massey-Harris fut formé avec une majorité de membres d'Argus, il était évident que la société de portefeuille avait gagné le contrôle de la compagnie de machinerie agricole[47]. Un exemple semblable est celui de Dominion Stores, dont E.P. Taylor et ses associés achetèrent 35 000 actions de la trésorerie au début de 1945 pour un total de 11,8% du vote. Aussitôt quatre membres du groupe Argus ont été nommés au conseil d'administration de Dominion Stores, dont l'un prit la présidence. Argus compte sur l'éparpillement du reste des actions pour garder le contrôle de ses filiales de façon minoritaire.

Une autre technique de prise de contrôle largement employée par les conglomérats canadiens, notamment par le Canadien Pacifique et par Power Corporation, est l'achat d'un bloc minoritaire d'actions là où un tel bloc existe, achat qui est suivi d'une offre publique d'acquisition du reste des actions (ou tout au moins d'une partie suffisante pour prendre le contrôle majoritaire de la compagnie absorbée). Le Canadien Pacifique s'est servi de cette technique dans la prise de contrôle d'Algoma Steel Corp. en 1973 et 1974. En août 1973, C.P. Investments, la société de portefeuille du groupe C.P. achetait 25% des actions émises d'Algoma Steel, le troisième producteur canadien d'acier, appartenant à Mannesman, A.G., de Düsseldorf, République fédérale allemande. En juin 1974, la société de portefeuille lançait une offre publique pour l'achat de 2 500 000 actions d'Algoma Steel à $32 chacune. Cette offre, largement acceptée par les actionnaires de la société métallurgique, donna à C.P.I., plus de 50% des voix dans Algoma Steel qui en devint la filiale, conjointement avec Dominion Bridge (déjà sous le contrôle d'Algoma)[48].

Power Corp. s'est servi de la même technique pour réussir la majorité de ses *take-overs*: dans chaque cas il a d'abord acquis un bloc minoritaire d'actions et ensuite il a émis une offre publique d'achat pour s'assurer du contrôle majoritaire ou même absolu. En mai 1963, Power achetait à Algoma Steel une minorité des actions de Canada Steamship Lines; elle porta par trois autres opérations son contrôle à plus de 50%; en janvier 1972, elle s'en assurait le contrôle absolu à travers une offre publique d'achat[49]. La même technique fut employée dans le cas de Consolidated Paper. En mars 1965, Power achetait 13% des actions de la société papetière québécoise à Saint-Regis Paper de New York, qui en était le principal actionnaire depuis 1960; en avril 1970, Power lançait une offre publique pour l'achat de 2 300 000 actions de Consolidated-Bathurst, achat qui devait lui donner le contrôle majoritaire de la société papetière. L'offre ne reçut pas l'accueil attendu et Power y gagna seulement un contrôle minoritaire accru (34%) de la firme industrielle québécoise[50]. Pour l'absorption de Dominion Glass en mai 1967, Power Corp. et Consolidated Paper ont fait une offre conjointe d'achat d'un contrôle majoritaire de la firme productrice de verre, dans laquelle les acheteurs avaient déjà des «intérêts substantiels[51]». Dans la prise de contrôle de Great West Life par l'intermédiaire d'Investors Group en mars-avril 1969, Power Corp. acheta un bloc de 19,4% des actions de la compagnie d'assurance de Winnipeg à une société de portefeuille de la famille Bronfman, ensuite Investors Group acheta 307 000 actions par offre publique, pour ainsi ramasser 50,1% des actions de la Great West Life[52].

A contrario, l'absorption d'une société semble difficile lorsqu'elle est fermement contrôlée. Les tentatives avortées d'acquérir McIntyre Mines et Argus Corporation ont dû convaincre Power des obstacles qui se dressent devant l'acheteur qui veut prendre le contrôle à un groupe solidement installé. Nous pouvons faire là une première constatation: *le processus de regroupement financier se fait principalement aux dépens des sociétés à contrôle interne et minoritaire. On peut y voir le développement d'une tendance qui contrecarre l'éparpillement des actions sur lequel la théorie de Berle et Means est fondée.*

Au-delà de cette conclusion théorique, on peut, en regardant les figures 1 à 7, faire des remarques d'ordre méthodologique. Les différents groupements ou conglomérats emploient des méthodes diverses de contrôle: Bell Canada et Power Corporation préfèrent le contrôle majoritaire de leurs filiales; Argus Corporation et Canadian General Investments se servent de prises de participation minoritaires. Dans les autres conglomérats, les niveaux de contrôle des filiales sont variés et ne

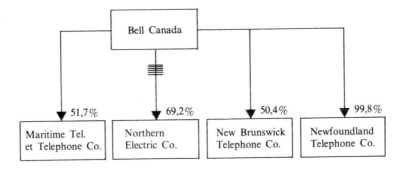

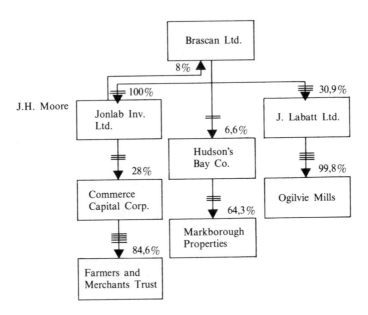

Figure 1. Le groupe Bell Canada et le groupe Brascan Ltd. (au Canada).
Sources: *Financial Post Directory of Directors*, 1976 et tableaux A.II et A.III.

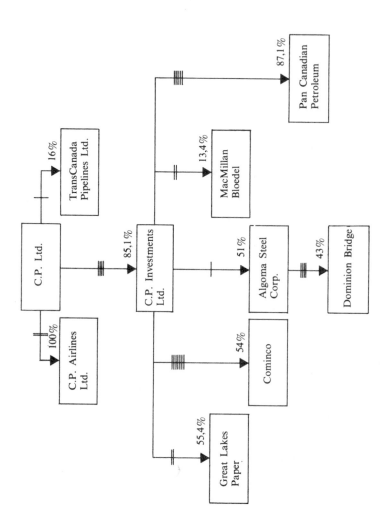

Figure 2. Le groupe Canadien Pacifique.
Sources: *Financial Post of Directors*, 1976, et tableaux A.II et A.III.

114

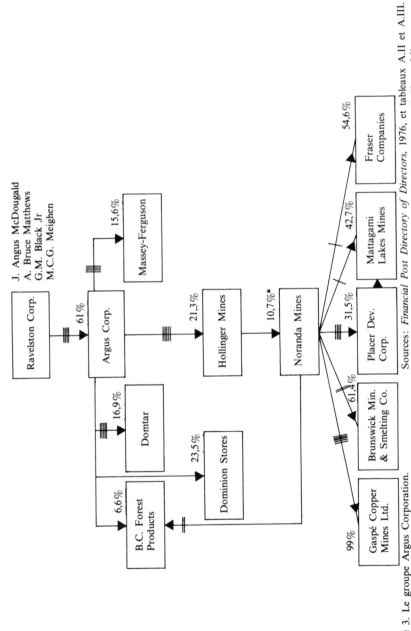

Figure 3. Le groupe Argus Corporation.

Sources: *Financial Post Directory of Directors*, 1976, et tableaux A.II et A.III.
*Incluant les 815 310 actions de Noranda Mines détenues par Labrador Mining & Exploration Co., filiale de Hollinger Mines.

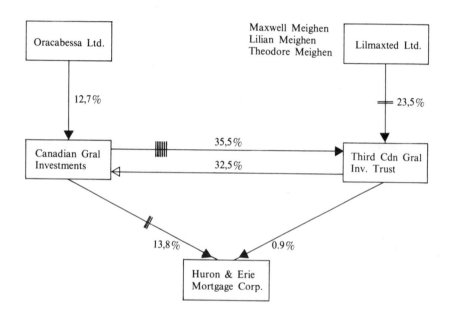

Figure 4. Le groupe Canadian General Investments (groupe Meighen).
Sources: *Financial Post Directory of Directors,* 1976, et tableaux A.II et A.III.

116

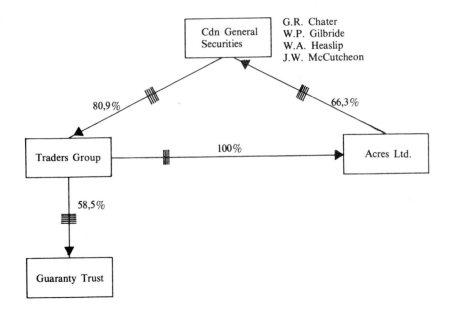

Figure 5. Le groupe Canadian General Securities.
Sources: *Financial Post Directory of Directors,* 1976, et tableaux A.II et A.III.

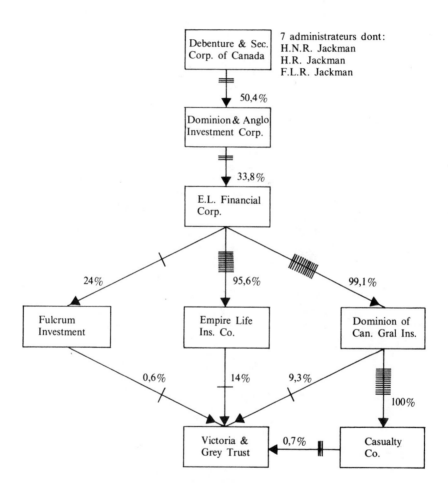

Figure 6. Le groupe E-L. Financial Corp.
Sources: *Financial Post Directory of Directors,* 1976, et les tableaux A.II et A.III.

118

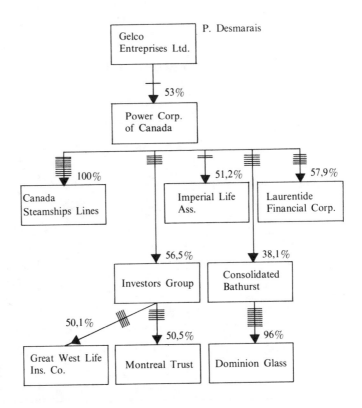

Figure 7. Le groupe Power Corporation.
Sources: *Financial Post Directory of Directors,* 1976, et les tableaux A.II et A.III.

suivent pas un modèle défini. Par ailleurs, il n'y a pas de corrélation entre le nombre d'administrateurs qu'une société a en commun avec ses filiales, et le degré de contrôle de cette dernière. Bell Canada détient un contrôle majoritaire de toutes ses filiales, mais n'a d'administrateurs communs qu'avec Northern Electric. C.P. Investments partage un administrateur avec Algoma Steel, contrôlée à 51 %, et deux avec MacMillan Bloedel, dont elle ne possède que 13,4 % des actions. Nous y voyons des exemples de l'imprécision du critère d'échange d'administrateurs pour que l'on puisse en déduire quelque lien de parenté que ce soit. Autrement dit, l'échange d'administrateurs ne peut être employé sans une référence immédiate au contrôle financier, à la propriété des actions. On y reviendra.

3. Conclusion

La théorie du contrôle interne avec ses quatre étapes dans l'évolution du contrôle des sociétés (les étapes individuelle, familiale, interne et de contrôle par les institutions financières) semble mal s'appliquer au contexte canadien. Bien sûr, elle ne correspond pas aux filiales des sociétés étrangères qui sont en général sous le contrôle ferme, absolu ou majoritaire, de leur maison mère.

Elle ne s'applique pas beaucoup non plus aux grandes sociétés à contrôle canadien, dont seulement un tiers semble être sous la mainmise d'administrateurs professionnels. Ces sociétés, il est vrai, détiennent près de la moitié des actifs des grandes firmes de notre liste. Cependant, ce constat ne confirme pas la théorie de Berle et Means. D'abord, parce que nombre de ces sociétés sont devenues des compagnies à contrôle interne, non pas suivant un long processus d'éparpillement des titres, mais à la suite soit d'une modification dans le statut légal de la firme (par exemple: dans les compagnies d'assurance-vie devenues des sociétés mutuelles), soit d'une législation spécifique (par exemple: la législation bancaire sur le contrôle des sociétés de fiducie), soit encore par des restrictions spécifiques inscrites dans la charte ou les règlements de la compagnie (par exemple: dans United Grain ou dans Alberta Gas Trunk Lines). En deuxième lieu, la séquence linéaire des étapes de Berle et Means peut être remise en question. La phase de contrôle interne, en particulier, paraît aussi réversible que toutes les autres, et souvent elle semble devoir être suivie non pas d'une prise de contrôle par des institutions financières, selon les dernières prévisions de Berle, mais du processus de formation de conglomérats qui a lieu au Canada comme aux États-Unis après la Deuxième Guerre mondiale.

À coté des sociétés à contrôle interne nous avons trouvé un vigoureux capitalisme familial, couvrant presque tous les secteurs d'activité et possédant des sociétés généralement plus petites. Quelques-unes des sociétés familiales sont plus que centenaires: Molson Companies, T. Eaton Co., Hugh Russell Ltd., London Life Insurance. D'autres, comme Southam Press, The Seagram Co., Canadian General Investments, F.P. Publications, G. Weston Ltd. ou Steinberg's Ltd. ont un demi-siècle d'existence ou davantage. Nombre de ces sociétés sont encore sous contrôle privé. Ces constats vont à l'encontre de nombreuses affirmations que l'on trouve dans des études canadiennes, selon lesquelles il n'y a pas de dynasties familiales dans la bourgeoisie du Dominion, ou qu'elles sont en train de disparaître[53]. Un quart de notre liste, soit 37 compagnies, est formé de sociétés à contrôle familial. Avec des données plus complètes, il est probable que d'autres sociétés viendraient s'y ajouter — dont Canada Packers, Dofasco, Alcan Aluminium et Hiram Walker-Gooderham & Worts.

La propriété de l'économie canadienne est encore moins anonyme dans les firmes contrôlées par un individu ou par un groupe d'associés. Quelque 26 compagnies indépendantes de notre liste, possédant plus de vingt filiales de taille, se trouvent dans cette situation. Parmi ces sociétés indépendantes se trouvent les firmes dominantes dans trois des plus dynamiques conglomérats canadiens: Power Corporation, Argus Corporation et Brascan Ltd.

Le contrôle des grosses sociétés est avidement recherché, fermement défendu, maintes fois caché avec soin. Pour arriver à camoufler une situation de contrôle on emploie divers écrans: les sociétés privées de placement, les fondations de charité, les sociétés de fiducie ou même des banques à charte agissant comme prête-noms. Parfois, une liste complète des dépositaires déclarant des actions ne permet pas de déceler les vrais propriétaires, cachés sous plusieurs noms de rue. Les sources dont nous disposons permettent de reconnaître les détenteurs du contrôle dans bon nombre de compagnies, alors que d'autres restent dans l'ombre. On ignore cependant tout sur le contrôle des plus grosses compagnies du Canada: les banques à charte.

Au chapitre précédent, nous avions constaté que seules les sociétés de portefeuille, parmi les institutions financières, jouent un rôle permanent dans le contrôle des sociétés par actions. On peut maintenant ajouter que ces *holding companies* ne sont que des mécanismes légaux à travers lesquels s'exerce la mainmise de capitalistes individuels ou de groupes de capitalistes sur un ensemble de compagnies, au moyen d'une organisation pyramidale.

NOTES DU CHAPITRE II

1. New York, MacMillan Co., 1932. Les citations seront faites à partir de l'édition révisée par les auteurs, publiée en 1968 par Harcourt, Brace & World, New York.

2. A.A. Berle jr et G.C. Means, *The Modern Corporation and Private Property*, New York, Harcourt, Brace & World, p. 66.

3. *Ibid.*, p. 6.

4. *Ibid.*, p. 312.

5. A.A. Berle jr, *Power without Property*, New York, Harcourt Brace & Co., 1959.

6. *Ibid.*, p. 74.

7. J.K. Galbraith, *American Capitalism*, Boston, Houghton Mifflin Co., 1952. *The New Industrial State*, Boston, Houghton Mifflin Co., 1967.

8. J. Burnham, *The Managerial Revolution* (1942), Londres, Penguin, 1962.

9. R.J. Larner, «Ownership and control in the 200 largest non-financial corporations, 1929 and 1963» dans *American Economic Review*, sept. 1966, p. 777-787.

10. R. Dahrendorf, *Classes et conflits de classes dans les sociétés industrielles* (1957), Paris, Mouton, 1972.

11. P. Sargant Florence, *Ownership, Control and Success of Large Companies*, Londres, 1961.

12. E.S. Mason, «The Apologetics of *Managerialism*» dans *The Journal of Business of the University of Chicago*, vol. XXXI, janvier 1958.

13. *Ibid.*, p. 10.

14. *Ibid.*, p. 8.

15. V. Perlo, «People's Capitalism and Stock Ownership» dans *American Economic Review*, juin 1958, p. 333-347. — D. Villarejo, «Stock Ownership and the Control of Corporations» dans *New University Thought*, automne 1961, hiver 1962. — G. Kolko, *Wealth and Power in America*, New York, Praeger Publ., 1962. — P. Sweezy, *The Theory of Capitalist Development*, New York, Monthly Review Press, 1942.

16. D. Villarejo, *op. cit.*, automne 1961, p. 44.

17. *Ibid.*, hiver 1972, p. 52.

18. P. Sweezy, *Monopoly Capital*, New York, Monthly Review Press, 1966, chap. II (trad. française: *le Capitalisme monopoliste*, Paris, Maspero, 1968).

19. R.J. Larner, *op. cit.*, p. 781.

20. J.-M. Chevalier, *la Structure financière de l'industrie américaine*, Paris, Cujas, 1970, p. 65.

21. Nous avons considéré comme filiale étrangère, toute société où le groupe de contrôle (institutionnel ou personnel) réside ou a son siège social à l'extérieur du Canada. Il nous a été indifférent que le contrôle exercé fût absolu, majoritaire ou minoritaire, et qu'il le fût directement ou à travers diverses autres sociétés.

22. Nous avons enlevé de notre liste la Banque de la Colombie-Britannique dont 10% des actions sont détenus par le Metropolitan Trust, contrôlé à 10,8% par Cardigan Holdings, N.V., de Curaçao. La Banque Mercantile du Canada est contrôlée par la First National City Bank of N.Y.

23. Une exception à cette règle, le conseil d'administration du Central & Eastern Trust, société de fiducie issue de la fusion du Central & Nova Scotia Trust avec Eastern Canada Savings and Loan Co., en mai 1976. Le conseil d'administration de la principale des deux sociétés fusionnées, le Central and Nova Scotia (elle-même issue d'une amalgamation en mai 1974) n'a jamais présenté de rapport aux Commissions des valeurs mobilières. Pour ne pas avoir à rayer cette importante société de notre liste, nous avons pris la composition du conseil d'administration et la distribution des actions, des éditions de juillet et août 1976 du Bulletin de la Ontario Securities Commission. Les données des actifs sont aussi *pro forma*.

24. *La Presse,* 21 décembre 1974, p. A-9.

25. H. Marshall *et al., Canadian American Industry* (1936), Toronto, McClelland and Stewart, 1976, p. 47.

26. *Fortune,* septembre 1934, p. 105.

27. *Ibid.,* p. 106.

28. D.H. Wallace, *Market Control in the Aluminum Industry,* Cambridge, Mass., Harvard University Press, 1937, p. 75-76.

29. *Moody's Industrial Manual,* 1959, p. 2-48.

30. Ontario Legislature, *Report of the Nickel Commission,* 1917, Sessional Papers, Partie XI, p. 73-75.

31. O.W. Main, *The Canadian Nickel Industry,* Toronto, University of Toronto Press, 1955, p. 100-106 et 156-157.

32. J. Porter, *The Vertical Mosaic,* Toronto, University of Toronto Press, 1965, p. 592.

33. P.C. Newman, *The Canadian Establishment,* Toronto, McClelland and Stewart Ltd., vol. 1, 1975, p. 187.

34. Commission royale d'enquête sur les écarts de prix, *Rapport,* Ottawa, Imprimeur du roi, 1936, p. 377-382.

35. R.C. Fetherstonhaugh, *Charles F. Sise,* Montréal, Gazette Printing Co., 1944, p. 208.

36. Sources pour 1928, 1938 et 1948, *Financial Post Survey of Corporate Securities* et *Financial Post Survey of Industrials.*

37. J. Lorne McDougall, *le Canadien Pacifique,* Montréal, Les Presses de l'Université de Montréal, 1968, p. 61.

38. R. Chodos, *The CPR: A Century of Corporate Welfare,* Toronto, J. Lorimer & Samuel, 1973, p. 136.

39. Dans *Consumers' Gas* l'avocat et administrateur A.H. Zimmerman gère 112 903 actions de l'héritage d'anciens administrateurs de la compagnie. Dans Union Gas, R.M. Barford possède 330 000 actions ordinaires et siège au conseil d'administration. Ni l'un ni l'autre ne sont cependant des administrateurs internes.

40. *Wall Street Journal,* 19/11/1970, p. 16 et 9/12/1970, p. 7.

41. En mai 1976 la famille Bronfman acquit le contrôle de Trizec Corp., la plus grosse société immobilière du Canada, jusqu'alors détenue par des intérêts anglais.

42. P.C. Newman, *op. cit.,* chap. II.

43. *Financial Post Survey of Industrials,* 1955 à 1969.

44. J.M. Blair, *Economic Concentration,* New York, World Brace & Jovanovitch, 1972, chap. III.

45. J. Houssiaux, *le Pouvoir de monopole,* Paris, Sirey, 1958, p. 106-111.

46. P.C. Newman, *Flame of Power,* Toronto, McClelland & Stewart, 1959, p. 224.

47. E.P. Neufeld, *A Global Corporation: A History of the International Development of Massey-Ferguson Ltd.,* Toronto, University of Toronto Press, 1969, p. 42.

48. *Wall Street Journal,* 22/08/1973, p. 2; 10/06/1974, p. 14, 10/07/1974, p. 7.

49. *Wall Street Journal,* 10/05/1963, p. 11; 28/01/1972, p. 16.

50. *Wall Street Journal,* 12/03/1965, p. 22; 04/03/1970, p. 6; 03/06/1970, p. 5.

51. *Wall Street Journal,* 01/05/1967, p. 12; 12/05/1967, p. 27; 25/05/1967, p. 33.

52. *Wall Street Journal,* 30/01/1969, p. 19; 05/03/1969, p. 7; 10/03/1969, p. 14.

53. Par exemple dans R. Chodos, *op. cit.,* p. 134, on peut lire: «*Canada has no equivalents of the Rockefellers, the Du Ponts, the Mellons, the Morgans and the other American Corporate dynasties.* [...] *Control of the Canadian economy is in large measure anonymous.*»

ANNEXE DU CHAPITRE II

TABLEAU A.I

Compagnies dominantes à contrôle canadien et leur actif (1975)

A) *Institutions financières*	*Actifs totaux* (millions de $)	*Date du bilan*
BANQUES		
Royale	25 211	(1)
Canadienne Impériale de Commerce	22 259	(1)
de Montréal	18 243	(1)
de la Nouvelle-Écosse	16 006	(1)
Toronto-Dominion	13 577	(1)
Canadienne Nationale	4 872	(1)
Provinciale du Canada	3 059	(1)
d'Épargne de la Cité et du District de Montréal	968	(1)
Unité du Canada	172	(1)
COMPAGNIES D'ASSURANCE-VIE		
Sun Life Assurance Co. of Canada	4 699	(2)
Manufacturers Life Ins. Co.	3 083	(2)
London Life Ins. Co.	2 392	(2)
Great West Life Ass. Co.	2 349	(2)
Canada Life Ass. Co.	1 887	(2)
Mutual Life Ass. Co. of Canada	1 782	(2)
Confederation Life Ass. Co.	1 485	(2)
Crown Life Ins. Co.	1 205	(2)
North American Life Ass. Co.	1 024	(2)
Imperial Life Ass. Co. of Canada	714	(2)
SOCIÉTÉS DE FIDUCIE		
Royal Trust Co.	3 436	(2)
Victoria & Grey Trust Co.	1 296	(1)
National Trust Co.	1 163	(1)
Guaranty Trust Co. of Canada	1 086	(2)
Central & Eastern Trust Co.	885	(2)
Montreal Trust Co.	768	(2)
Trust Général du Canada	411	(2)
City Savings and Trust Co.	276	(2)
Farmers & Merchants Trust	263	(2)
Crown Trust Co.	240	(2)
United Trust Co.	237	(2)

TABLEAU A.I *(suite)*

A) *Institutions financières*	*Actifs totaux* (millions de $)	*Date du bilan*
BANQUES DE PLACEMENT		
Wood Gundy & Co.	693	(2)
COMPAGNIES DE FINANCE		
I.A.C. Ltd.	2 391	(2)
Traders Group Ltd.	1 024	(2)
Laurentide Financial Corp.	429	(2)
T. Eaton Acceptance Co.	378	31-1-76
First City Financial Corp.	302	(2)
SOCIÉTÉS DE PRÊT HYPOTHÉCAIRE		
Canada Permanent Mortgage Corp.	2 726	(2)
Huron & Erie Mortgage Corp.	2 626	(2)
SOCIÉTÉS DE PLACEMENT À FONDS VARIABLES		
Investors Group	636	(2)
SOCIÉTÉS DE PLACEMENT À FONDS FIXES		
Canadian General Investments	118	(2)
SOCIÉTÉS DE PORTEFEUILLE (DIVERSIFIÉES)		
Canadian Pacific Investments	3 511	(2)
Brascan Ltd.	2 247	(2)
Power Corp.	579	(2)
Commerce Capital Corp.	316	(2)
E-L. Financial Corp.	282	(2)
Prenor Group	261	(2)
Argus Corp.	205	30-11-75
Canadian Corporate Management	130	(2)
Jannock Corp.	122	(2)
B) *Compagnies industrielles (et sociétés de portefeuille spécialisées)*	*Actifs totaux* (millions de $)	*Date du bilan*
Abitibi Paper Co.	871	(2)
Alcan Aluminium Ltd.	3 012	(2)
Algoma Steel Corp.	851	(2)
Bombardier Ltd.	145	31-1-75
Bow Valley Industries Ltd.	101	31-5-75
British Columbia Forest Products Ltd.	369	(2)
Brunswick Mining & Smelting Corp. Ltd.	151	31-12-74
Burns Food Ltd.	135	1-3-76
Canada Packers Ltd.	273	29-3-75
Canron Ltd.	183	(2)
Cominco Ltd.	870	(2)

TABLEAU A.I (*suite*)

B) Compagnies industrielles (et sociétés de portefeuille spécialisées)	Actifs totaux (millions de $)	Date du bilan
Consolidated-Bathurst Ltd.	662	(2)
Denison Mines Ltd.	219	(2)
Dominion Bridge Co.	327	(2)
Dominion Foundries & Steel Corp. Ltd.	944	(2)
Dominion Glass Ltd.	107	(2)
Dominion Textile Ltd.	348	30-6-75
Domtar Ltd.	721	(2)
F.P. Publications Ltd.	142	(2)
Federal Industries Ltd.	107	31-3-75
Fraser Companies	130	(2)
Gaspé Copper Mines Ltd.	166	31-12-74
Great Lakes Paper Co.	205	(2)
Hollinger Mines	148	(2)
Home Oil Co.	398	(2)
Inco Ltd.	3 026	(2)
Irving Oil	150	31-12-71
Ivaco Industries Ltd.	188	(2)
Kruger Pulp & Paper Co.	149	13-12-74
John Labatt Ltd.	426	30-4-75
Maclaren Power & Paper Co.	105	(2)
MacMillan Bloedel Ltd.	1 198	(2)
Massey-Ferguson Ltd.	1 982	(1)
Mattagami Lake Mines Ltd.	164	31-12-74
McLean-Hunter Ltd.	112	(2)
Molson Companies	407	(2)
Moore Corp.	737	(2)
Neonex International	100	(2)
Noranda Mines	1 980	(2)
Northern Electric Co.	590	(2)
Ogilvie Mills	161	30-4-75
Pan Canadian Petroleum Ltd.	382	31-12-74
Placer Development Ltd.	242	31-12-74
Price Corp.	356	(2)
Hugh Russell Ltd.	137	(2)
The Seagram Co.	1 991	31-7-75
Southam Press Ltd.	145	(2)
Steel Co. of Canada	1 678	(2)
United Grain Co.	193	31-7-75
Hiram Walker-Gooderham & Worts Ltd.	913	31-8-75

TABLEAU A.I *(suite)*

C) *Compagnies commerciales*	Actifs totaux (millions de $)	Date du bilan
Acklands Ltd.	181	30-11-75
Canadian Tire Corp.	359	(2)
Dominion Stores	263	(2)
T. Eaton Co.	—	(3)
Finning Tractor & Equipment	147	30-8-75
Hudson's Bay Co.	822	31-1-76
Kelly Douglas & Co.	173	3-1-76
M. Loeb Ltd.	151	25-1-76
Oshawa Group	255	25-1-76
Simpson's Ltd.	562	7-1-76
Simpsons-Sears Ltd.	1 051	7-1-76
Steinberg's Ltd.	418	26-7-75
United Westburne Industries	116	31-3-75
Westburne International Industries	214	31-3-75
G. Weston Ltd.	1 248	(2)
Woodward Stores	252	31-1-76

D) *Compagnies de transport et de services publics*	Actifs totaux (millions de $)	Date du bilan
Alberta Gas Trunk Lines	658	(2)
Bell Canada	6 588	(2)
Calgary Power	760	(2)
Canada Steamships Lines	394	31-12-74
Canadian Pacific Airlines	324	(2)
Canadian Pacific Ltd.	6 236	(2)
Consumers' Gas Co.	741	30-9-75
Gas Métropolitain Inc.	252	(2)
Maritime Telegraph & Telephone Co.	355	(2)
New Brunswick Telephone Co.	251	(2)
Newfoundland Light & Power Co.	193	(2)
Newfoundland Telephone Co.	141	(2)
Norcen Energy Resources	916	(2)
TransCanada Pipelines	1 572	(2)
Union Gas	430	31-3-75

TABLEAU A.I (*suite*)

E) *Compagnies immobilières*	*Actifs totaux* (millions de $)	*Date du bilan*
Allarco Developments	101	(2)
Block Bros Industries	147	31-1-76
Bramalea Consolidated Dev.	297	31-1-76
Cadillac Fairview Corp.	921	28-2-75
Campeau Corp.	482	(2)
Carma Developers	103	(2)
Daon Development Corp.	210	(1)
Deltan Corp.	390	(2)
T. Eaton Realty Co.	103	31-1-76
Markborough Properties	142	(2)
S.B. McLaughlin Assoc. Ltd.	256	(2)
Nu-West Development Corp.	187	(2)
Orlando Corp.	120	(2)
Oxford Development Group	475	(2)
Unicorp Financial Corp.	249	(2)

(1) 31-10-75
(2) 31-12-75
(3) Compagnie qui ne publie pas ses états financiers.

TABLEAU A.II

Le contrôle dans les compagnies canadiennes «indépendantes» (1975)

Nom de la compagnie	Type de contrôle	Détenteur du contrôle (et % du vote)
A) *Institutions financières*		
Argus Corp.	Majoritaire	Groupe Ravelston Corp. (61%)
Brascan Ltd.	Minoritaire	Jonlab Investments de J.H. Moore & Ass. (8%)
Canadian Corporate Management	Minoritaire	Le conseil d'administration possède 15,9% des actions; Walter L. et Duncan L. Gordon (13,1%); L.C. Bonnycastle (3,6%); B.H. Rieger (3,3%)[1]
Canadian General Investments	Majoritaire	Third Cdn Gral Inv. Trust (32,5%); Ora-Cabessa Ltd. (12,7%); M.C.G. Meighen et T.R. Meighen (4,9%)
Central & Eastern Trust Corp.	Majoritaire	H.R. Cohen et L. Ellen (49,7%); autres du conseil d'administration (5,3%)
Crown Life Ins. Co.	Minoritaire	Scotia Investments, de J.J. Jodrey & Assoc. (11,8%); Kingfield Investments de H.M. Burns et autres (12%).
Crown Trust Co.	Minoritaire	H.R. Cohen et L. Ellen (20,4%)[2]
E-L. Financial Corp.	Minoritaire	Dominion & Anglo Investment Corp. (33,8%); P.S. Gooderham (5,8%); W.L. Knowlton (2,9%)
First City Financial Corp.	Majoritaire	Famille Belzberg (68,8%)
Jannock Corp.	Minoritaire	D.G. Willmot (17%); G.E. Mara (10%); M. Tannenbaum (7,6%); W.M. Hatch (4,2%) reste du c.a. (5%)
London Life Ins. Co.	Quasi absolu	Famille Jeffery

1. MM. Cohen et Ellen ne sont pas membres du c.a. du Crown Trust.
2. Duncan L. Gordon, frère de Walter L., n'est pas membre du c.a.

TABLEAU A.II (suite)

Nom de la compagnie	Type de contrôle	Détenteur du contrôle (et % du vote)
Power Corp.	Majoritaire	P. Desmarais (53%) à travers Gelco Entreprises Ltd. et Nordex Ltd.
Prenor Group	Majoritaire conjoint	L.C. Webster et famille (41,3%); Norlac Financial Group (29,9%)
Royal Trust	Interne	Le c.a. détient 1% du vote
Trust Général du Canada	Minoritaire	Jean-Louis Lévesque (10,5%)
United Trust	Majoritaire	G.S. Mann (70,6% du vote)
Wood Gundy & Co.	Quasi absolu	Compagnie privée
B) Compagnies industrielles		
Abitibi Paper Co.	Interne	Le c.a. détient 0,8% du vote
Alcan Aluminium	Interne	Le c.a. détient 0,3% du vote
Bombardier	Majoritaire	Les Entreprises J.A. Bombardier Ltée (74,9%); famille Bombardier
Bow Valley Industries Ltd.	Minoritaire	Donald R., Daryl K., et Byron J. Seaman (14,7%)
Burns Food	Minoritaire	R.H. Webster (32%)[3]
Canada Packers	Interne	Le c.a. détient 2,4% du vote
Canron	Interne	Le c.a. détient 1,6% du vote
Denison Mines	Minoritaire	Roman Corp. (26,2%); S.B. Roman (4,3%)
Dominion Foundries & Steel Corp.	Minoritaire	J.D. Leitch (4,8%); reste du c.a. (0,4%)
Dominion Textile	Interne	Le c.a. détient 0,5% du vote

3. Selon le *Financial Post Survey of Industrials* ce contrôle est de 42% (Éd. 1976, p. 266).

TABLEAU A.II (suite)

Nom de la compagnie	Type de contrôle	Détenteur du contrôle (et % du vote)
F.P. Publications	Quasi absolu (cie privée)	Fondation Bell (22,5%); héritiers de J.W. Sifton (22,5%); R.H. Webster (22,5%)[4]
Federal Industries	Minoritaire	Famille Searle-Leach (36,4%)
Inco Ltd.	Interne	Le c.a. détient 0,15% du vote
Irving Oil Co.	Quasi absolu (privée)	K. Irving (100%)
Ivaco Industries	Majoritaire	Isin, Paul et Sydney Ivanier détiennent 33,6% du vote; M. Herling (10,5%); J. Klein (12%)
Kruger Pulp & Paper	Quasi absolu (privée)	Famille Kruger
MacLaren Power & Paper Co.	Minoritaire	Famille Maclaren (19,6%)
McLean-Hunter	Majoritaire	D.F. Hunter (49,8%); reste du c.a. (9,1%)
Molson Companies	Minoritaire	Famille Molson (36,3%); D.G. Willmot (11,2%)
Moore Corp.	Interne	Le c.a. possède 0,3% du vote
Neonex International Ltd.	Minoritaire	J. Pattison (29,4%)
Hugh Russel	Minoritaire	A.D. Russel (18,4%)
The Seagram Co.	Minoritaire	Famille Bronfman (32,6%)
Southam Press	Minoritaire	G.H. Southam (2,2%); G.T. Southam (1%); W.W. Southam (1%); St C. Balfour (1,1%); R.W. Swanson (1,3%); G.N. Fisher (1,3%)
Steel Co. of Canada	Interne	Le c.a. possède 0,3% du vote
United Grain	Interne	*
Hiram Walker-Gooderham & Worts Ltd.	Interne	Le c.a. possède 0,9% du vote

4. Le Devoir, 11-12-75, p. 15, Financial Post, 4-5-76, p. 5-4.

*Les règlements de la compagnie interdisent à tout actionnaire de détenir plus de 25 actions; d'ailleurs dans les assemblées d'actionnaires la règle est: une personne, un vote.

TABLEAU A.II *(suite)*

Nom de la compagnie	Type de contrôle	Détenteur du contrôle (et % du vote)
C) Compagnies commerciales		
Acklands Ltd.	Majoritaire	L. Wolinsky, N. Starr, H. Bessin (46,2%), reste du c.a. (6,1%)
Canadian Tire Corp.	Majoritaire	Famille Billes (60,9%)
T. Eaton Co.	Quasi absolu (privée)	Famille Eaton (100%)
Finning Tractor & Equipment	Majoritaire	J.E. Barker et M.M. Young (70,2%)
M. Loeb & Co.	Minoritaire conjoint	Famille Loeb (15,4%); G. Weston Ltd. (18,7%)
Oshawa Group	Quasi absolu	Famille Wolfe (100%)
Simpsons Ltd.	Interne	Le c.a. possède 4% du vote
Steinberg's Ltd.	Quasi absolu	Famille Steinberg (100%)
Westburne International Industries Ltd.	Minoritaire	J.A. Scrymgeour (23,5%), reste du c.a. (6%)
G. Weston Ltd.	Majoritaire	Famille Weston (59% approx.)
Woodward Stores	Minoritaire	C.N.W. Woodward (27,3%), autre famille Woodward (12,4%)
D) Transport et services publics		
Alberta Gas Trunk Line	Interne	Le c.a. détient 0,7% du vote
Bell Canada	Interne	Le c.a. détient 0,03% du vote
Calgary Power	Interne	Le c.a. détient 0,4% du vote
Canadian Pacific Ltd.	Interne	Le c.a. détient 0,2% du vote
Consumers' Gas	Interne	Le c.a. détient 0,7% du vote
Newfoundland Light & Power	Interne	Le c.a. détient 1,6% du vote
Norcen Energy Resources	Interne	Le c.a. détient 0.6% du vote
Union Gas	Interne	Le c.a. détient 2,3% du vote

TABLEAU A.II *(suite)*

Nom de la compagnie	Type de contrôle	Détenteur du contrôle *(et % du vote)*
E) *Compagnies immobilières*		
Allarco Developments	Minoritaire	Ch. Allard (48,2%)
Block Bros Industries	Minoritaire	A.J. Block et H.J. Block (16%)
Bramalea Consolidated Development	Minoritaire	Braminuest Corp. Ltd. (K.S. Field, J. Schiff & assoc.) détient 20,9% du vote
Cadillac-Fairview Corp.	Minoritaire	Famille Bronfman (non moins de 38% à travers Cemp Investments)
Campeau Corp.	Majoritaire	Robert Campeau (62,5%)
Daon Development	Majoritaire	J.W. Poole et famille (23,8%); G.R. Dawson et fam. (21,7%); reste du c.a. (9,8%)
Deltan Corp.	Quasi absolu	R.J. Prusac (94,7%)
S.B. McLaughlin Assoc. Ltd.	Minoritaire	S.B. McLaughlin (46,7%)
Nu-West Development Corp.	Minoritaire	R.T. Scurfield (20,8%); C.J. McConnell (20,7%)
Orlando Corp.	Majoritaire	O.R. et E. Fidani (51,2%)
Oxford Development Corp.	Minoritaire	J.E. Poole (6,4%); G.E. Poole (6,4%); G.D. Love (5,8%)
Unicorp Financial Corp.	Quasi absolu	G.S. Mann & Ass. (82,5%)

TABLEAU A.III

Le contrôle dans les compagnies canadiennes filiales (1975)

Nom de la compagnie	Contrôle initial et (final)	Société mère (et % du vote)
A) *Institutions financières*		
Banque d'Épargne de la Cité et du District de Montréal	Minoritaire (s/d)	Canada Permanent Mortgage Corp. (10%)
Banque Provinciale du Canada	Minoritaire (Int.)	Fédération de Québec des Caisses Populaires Desjardins (23%)
Canada Permanent Mortgage Corp.	Minoritaire conjoint (s/d)	Banques Toronto-Dominion et de la Nouvelle-Écosse (9,99% chacune)
Canadian Pacific Investments	Majoritaire (Int.)	CP Ltd. (85,1%)
City Savings and Trust Co.	Quasi absolu (Maj.)	First City Financial Corp. (88,4%)
Commerce Capital Corp.	Minoritaire (Min.)	Brascan Ltd. à travers Jonlab Investments Ltd (28%)
T. Eaton Acceptance Co.	Quasi absolu	T. Eaton Co. (100%)
Farmers & Merchants Trust Co.	Majoritaire (Min.)	Commerce Capital Corp. (84,6%)
Great West Life Ass. Co.	Majoritaire (Maj.)	Power Corp. à travers Investors Group (50,1%)
Guaranty Trust Co. of Canada	Majoritaire (Maj.)	Cdn Gral Securities à travers Traders Group (58,5%)
Huron & Erie Mortgage Corp.	Minoritaire (Min.)	Cdn Gral Investments (13,8%); Third Cdn Gral Investment Trust (0,9%)
IAC Ltd.	Minoritaire (Min.)	Carena Bancorp Inc. (19,4%)
Imperial Life Ass. Co. of Canada	Majoritaire (Maj.)	Power Corp. (51,2%)
Investors Group	Majoritaire (Maj.)	Power Corp. (56,2%)
Laurentide Financial Corp.	Majoritaire (Maj.)	Power Corp. (57,9%)
Montreal Trust Co.	Majoritaire (Maj.)	Power Corp. à travers Investors Group (50,5%)

TABLEAU A.III (*suite*)

Nom de la compagnie	Contrôle initial et (final)	Société mère (et % du vote)
National Trust Co.	Minoritaire (Int.)	Canada Life (4,9% et 2 administrateurs)
Traders Group	Majoritaire (Maj.)	Cdn Gral Securities (80,9%)
Victoria and Grey Trust	Minoritaire (Min.)	E-L Financial Corp à travers plusieurs sociétés (24,6%)
B) *Compagnies industrielles*		
Algoma Steel Corp.	Majoritaire (Int.)	CP Investments (51%)
British Columbia Forest Products	Majoritaire conjoint (Min.)	Noranda Mines (28,5%), Mead Group (15,3%)
Brunswick Mining & Smelting Corp. Ltd.	Majoritaire (Min.)	Brunswick Pulp & Paper (26,6%)
		Noranda Mines (64,1%)
Cominco	Majoritaire (Int.)	CP Investments (54%)
Consolidated-Bathurst	Minoritaire (Min.)	Power Corp. (38,1%)
Dominion Bridge	Minoritaire (Int.)	Algoma Steel Corp. (43%)
Dominion Glass	Majoritaire (Min.)	Consolidated-Bathurst (96%)
Fraser Companies	Majoritaire (Min.)	Noranda Mines à travers Northwood Mills Ltd. (54,6%)
Gaspé Copper Mines Ltd.	Majoritaire (Min.)	Noranda Mines (99%)
Great Lakes Paper	Majoritaire (Int.)	CP Investments (55,4%)
Hollinger Mines	Minoritaire (Min.)	Argus Corp. (21,3%)
Home Oil Co.	Minoritaire (Int.)	Consumers' Gas (49,7%)
John Labatt	Minoritaire (Int.)	Brascan Ltd. (30,9%)
MacMillan Bloedel	Minoritaire (Min.)	CP Investments (13,4%)
Massey-Ferguson Ltd.	Minoritaire (Min.)	Argus Corp. (15,6%)

TABLEAU A.III (*suite*)

Nom de la compagnie	Contrôle initial et (final)	Société mère (et % du vote)
Mattagami Lake Mines Ltd.	Majoritaire conjoint (Min.)	Noranda Mines (34,1% directement plus 8,6% indirectement); Placer Development (27% indirectement)
Noranda Mines	Minoritaire (Min.)	Hollinger Mines (10,7%)
Northern Electric Co.	Majoritaire (Int.)	Bell Canada (69,2%)
Ogilvie Mills	Majoritaire (Min.)	J. Labatt (99,8%)
Pan Canadian Petroleum	Majoritaire (Int.)	CP Investments (87,1%)
Placer Development	Minoritaire (Min.)	Noranda Mines (31,5%)
Price Co.	Majoritaire (Int.)	Abitibi Paper Co. (50,7%)
C) Compagnies commerciales		
Dominion Stores	Minoritaire (Min.)	Argus Corp. (23,5%)
Hudson's Bay Co.	Minoritaire (Min.)	Jonlab Inv. (6,6%)
Kelly, Douglas & Co.	Majoritaire (Maj.)	G. Weston Ltd. (68,1%)
Simpsons-Sears Ltd.	Absolu (conjoint) (Int.)	Simpsons Ltd. (50%); Sears-Roebuck Co. des États-Unis (50%)
United Westburne Industries	Majoritaire (Min.)	Westburne International Ind. (95%)
D) Compagnies de transport et de services publics		
Canada Steamship Lines	Quasi absolu (Maj.)	Power Corp. (100%)
C.P. Airlines	Absolu (Int.)	C.P. Ltd. (100%)
Gaz Métropolitain Inc.	Majoritaire (Int.)	Norcen Energy Resources (81,6%)
Maritime Telegraph & Telephone Co. Ltd.	Majoritaire (Int.)	Bell Canada (51%)

TABLEAU A.III (*suite*)

Nom de la compagnie	Contrôle initial et (final)	Société mère (et % du vote)
New Brunswick Telephone Co.	Majoritaire (Int.)	Bell Canada (50,4%)
Newfoundland Telephone Co.	Majoritaire (Int.)	Bell Canada (99,8%)
TransCanada Pipelines	Minoritaire (Int.)	CP Ltd. (16%)
E) *Compagnies immobilières*		
Carma Developers	Minoritaire (Min.)	Nu-West Development Corp. (47,8%)
T. Eaton Realty Co.	Quasi absolu (Privée)	T. Eaton Co. (100%)
Markborough Properties Ltd.	Majoritaire (Min.)	Hudson's Bay Co. (64,3%)

CHAPITRE III

LE CONTRÔLE DES SOCIÉTÉS ET L'ÉLITE ÉCONOMIQUE

> L'analyse en termes d'élite est populaire aujourd'hui parmi les sociologues. Sa popularité lui vient, je crois, autant de ce qu'elle permet aux chercheurs de contourner, que de ce qu'elle leur permet de faire.
>
> ROBERT LYND.

Au Canada, le contrôle des grandes entreprises a été souvent étudié au moyen de la théorie des élites. Selon cette thèse, une «élite économique» contrôle les principales compagnies industrielles, financières, commerciales et de services du Dominion. Avant de prendre place dans les sciences sociales canadiennes, la théorie des élites avait déjà fait un long chemin en sociologie et en science politique. Il n'est pas dans les objectifs de cette étude de retracer l'évolution de cette thèse: d'une part cela a été fait par nombre d'auteurs[1]; d'autre part l'étude du contrôle des grandes entreprises à travers la théorie des élites, est relativement récente. On commencera alors par l'ouvrage qui a le plus profondément marqué la sociologie anglo-saxonne des élites, c'est-à-dire l'*Élite du Pouvoir* de C. Wright Mills publié originellement en 1956[2]. Mills a été l'initiateur d'un courant radical d'interprétation qui remet en question les analyses du pouvoir au sein des grandes sociétés par actions. Ce courant est bien représenté au Canada au niveau de la sociologie et de l'histoire industrielles. En outre, ici comme ailleurs, le concept d'élite, et d'élite économique en particulier, a fait aussi une percée importante au sein de la théorie marxiste, devant laquelle il se posait auparavant comme une conception de rechange.

Dans la première partie, on récapitulera les principales étapes de la formulation de cette nouvelle théorie radicale des élites et de l'explication qu'elle donne du contrôle de l'industrie. On y situera les critiques et débats auxquels elle a donné lieu ainsi que son intégration à la théorie marxiste, et le pourquoi de celle-ci. Dans une deuxième section on étudiera, et critiquera, les principaux ouvrages de ce courant au Canada, toujours en ce qui concerne le contrôle des grandes entreprises. La critique de la thèse des élites fournira l'occasion d'apporter de nouvelles données sur l'administration des grandes compagnies canadiennes.

1. L'élite économique chez Wright Mills

Nombre d'auteurs ont mis en évidence le fait que la théorie des élites, telle qu'exposée dans la sociologie et la science politique du XXe siècle dans les ouvrages de Vilfredo Pareto, Gaetano Mosca et autres, s'opposait directement aux doctrines démocratiques libérales et socialistes[3]. Chez d'autres écrivains plus récents, comme Raymond Aron et A. Downs, la doctrine des élites est employée pour moderniser les théories libérales sur la démocratie en régime capitaliste: selon cette version plus actuelle, la concurrence pluraliste pour le pouvoir ne se ferait pas entre des individus mais entre des élites. Le maintien d'une compétition pour les postes de pouvoir garantirait toutefois le gouvernement du mérite ainsi que le libre choix des individus[4].

Ce qu'il y a de neuf chez Wright Mills c'est la tentative de fonder une critique radicale de la société capitaliste à partir de la doctrine des élites. Cette critique veut cependant se démarquer du marxisme, dès le départ. Mills rejette le concept de «classe dominante», central dans les études marxistes sur le contrôle des grandes entreprises et de l'État. Il trouve que le concept de classe est économique et que ce terme indique qu'une classe économique gouverne, dirige ou s'impose à l'ensemble de la société. Mills ne veut pas préjuger du contrôle éventuel de ceux qui dirigent les institutions économiques sur les autres sphères de la société telles que l'État, les forces armées ou la culture. C'est pourquoi, il choisit un terme qu'il trouve plus neutre, celui d'élite. Il postule l'existence de trois élites relativement autonomes mais reliées, formant une «élite du pouvoir». Ce sont l'élite économique, qui domine les grandes compagnies, l'élite politique, qui gère l'État, et l'élite militaire qui commande les forces armées[5].

En même temps qu'il postule l'autonomie relative des élites économique, politique et militaire, Mills affirme l'unité interne de l'élite économique. En réalité, cette élite est composée de deux grands groupes: les principaux actionnaires des grandes entreprises (*the corporate rich*) héritiers des grosses fortunes bâties au début du siècle, et les cadres supérieurs (*the chief executives*). Cette dernière, à son tour, est formée des rares entrepreneurs qui ont réussi au milieu du XXe siècle à se hisser au sommet des grandes compagnies; des administrateurs qui ont été placés dans des sociétés appartenant à des membres de leur famille; des avocats; et des «managers» de carrière. Mills ne croit pas que ces différents groupes forment des catégories séparées: elles sont unies par leur intérêt commun lié à la propriété des grandes entreprises.

> Les dirigeants et les riches ne forment pas deux groupes distincts et nettement séparés[6].

> La dispersion de la propriété chez les richissimes et chez les dirigeants des grandes entreprises favorise l'unité de la classe possédante, car les divers subterfuges légaux permettant de s'assurer le contrôle d'une compagnie sont hors de portée des petits possédants et sont donc réservés aux gros[7].

Cette élite économique est donc une classe propriétaire, et elle ressemble, à ce niveau tout au moins, à la bourgeoisie de Marx, d'autant plus que Mills emploie les concepts de «bourgeoisie» et de classe dominante pour se référer au passé des États-Unis. «L'élite américaine est entrée dans l'histoire moderne sous l'aspect d'une bourgeoisie et pratiquement sans aucune opposition[8].»

Selon Mills, l'élite économique américaine dominait les grandes compagnies, l'État et les forces armées jusqu'à la Première Guerre mondiale; toutefois, durant l'Ère des progressistes et le *New Deal,* les sphères politiques et militaires auraient gagné une indépendance croissante par rapport aux milieux d'affaires. L'autonomie des trois élites empêche Mills d'employer le concept de «classe dominante» pour une étude qui porte sur l'après-guerre.

La théorie de Mills est radicale. Pourtant elle a fait l'objet de nombreuses critiques parmi les radicaux américains. Parmi les opposants socialistes aux conceptions de Mills, on remarque particulièrement Robert Lynd et Ferdinand Lundberg. Lynd signale l'absence d'une théorie du pouvoir et d'une théorie de la structure sociale. Sur quoi est fondée la répartition inégale du pouvoir? Quelles sont les limites que les structures imposent aux détenteurs du pouvoir? Lynd résume ainsi sa critique de Mills: «Il ne met pas assez d'accent sur les continuités massives de notre société capitaliste; le facteur «classe» est esquivé; le poids relatif de ses trois institutions dans une société capitaliste n'est pas étudié; et ces institutions reçoivent chez lui une autonomie indue[9].»

Les commentaires de F. Lundberg portent plus directement sur le contrôle des grandes sociétés par actions. Lundberg reproche essentiellement à Mills d'exagérer l'unité interne de l'élite économique, de confondre le capitaliste et ses employés de direction. «Que la haute direction des sociétés possède un pouvoir en soi est une affirmation qui relève de la mystique des directeurs, et elle est incorporée sans critique par C. Wright Mills, le sociologue américain, dans sa théorie de l'élite du pouvoir[10].»

L'assimilation des «managers», des militaires et des politiciens à une élite du pouvoir fait penser à Lundberg que Mills a adopté les théories de la révolution des administrateurs de Berle, Means, Burnham et Galbraith. Et Lundberg s'oppose à une telle assimilation, puisque selon lui la plupart des membres de l'élite du pouvoir de Mills ne sont que des employés qualifiés, des techniciens et des conseillers à la solde des principaux propriétaires.

> Même si la situation décrite par Mills est complexe et dramatique, on peut opposer des arguments de poids à ses théories. Mills a élevé à son élite du pouvoir des gens qui ne sont que des conseillers subordonnés et des techniciens [...] Mais la majorité des membres de l'élite du pouvoir de Mills sont facilement révocables par d'autres membres, qui peuvent d'ailleurs les ignorer. La plupart des membres de l'élite du pouvoir de Mills ne sont que des conseillers et des techniciens. Ils ont été engagés par d'autres et peuvent être congédiés; ils ne retiennent leur poste qu'en autant que leur comportement est satisfaisant. Ceci ne veut pas dire qu'ils ne sont pas puissants tant qu'ils conservent leur poste. Mais leur pouvoir est *dérivé, reçu, non autonome*[11].

La critique marxiste de l'*Élite du Pouvoir* a été faite, notamment, par Paul Sweezy[12]. Il reproche à Mills de ne pas expliquer comment ces membres de l'élite sont arrivés aux positions de pouvoir qu'ils occupent, ni quels sont leurs rapports avec le reste de la société. Plus encore, Sweezy affirme que les propres données de Mills montrent que la direction de la vie politique américaine est entre les mains de membres de l'élite économique qui, de ce fait, devient une classe dominante. Ainsi, Mills démontra que cinquante personnes au sein du pouvoir exécutif prennent les décisions les plus importantes du gouvernement américain et que, parmi elles, trente sont «reliées financièrement ou professionnellement, ou les deux à la fois, aux grosses sociétés par actions[13]». Par ailleurs, Sweezy affirme, comme Lundberg, que les officiers supérieurs des forces armées participent à l'administration des grandes entreprises en tant que subordonnés des gros actionnaires. Jamais, selon Sweezy, les militaires n'ont disputé aux civils le pouvoir économique (ou politique) aux États-Unis.

Il faut ajouter que l'approche de Mills ne permet pas d'expliquer l'existence même de ces hiérarchies sociales dont les sommets sont occupés par les «élites». Mills souligne que le processus de concentration économique est à la base de la formation d'une élite économique. Ceci n'est pas suffisant, toutefois, pour rendre compte de l'inégalité du pouvoir au sein même des grandes entreprises. Ce n'est qu'à travers l'étude de la naissance et de l'évolution de la division du travail dans le secteur manufacturier d'abord, puis dans les grandes industries, que l'on arrive à expliquer la concentration des pouvoirs entre les mains des conseils d'administration des sociétés par actions. Cette division du travail confère tous les pouvoirs de décision au capitaliste et à ses «managers» salariés: pouvoir d'organiser le travail, d'en fixer le rythme et de s'en approprier le produit[14]. En d'autres termes, le processus de concentration technologique, économique et financière explique l'existence des sociétés géantes, mais pas le monopole de pouvoirs conféré aux conseils d'administration à l'intérieur de ces entreprises. Pour expliquer ce processus il faut faire intervenir la propriété privée des moyens de production et d'échange, le mode de production capitaliste et la division technique et sociale du travail qui est celle du stade monopoliste. Parmi les différentes critiques visant la théorie des élites de Mills, il faut se pencher sur celle qui traite directement du problème du contrôle des sociétés par actions et qui fera l'objet d'une analyse empirique plus approfondie dans ce chapitre. Il s'agit de la critique de Lundberg et partiellement aussi, celle de Sweezy: au sein des conseils d'administration les principaux actionnaires ne doivent pas être confondus avec des conseillers légaux, des consultants financiers, des techniciens ou d'ex-politiciens. Mills postulait que ces *chief executives* ont tendance à devenir aussi des actionnaires importants; ses critiques lui répondent que ce sont les principaux détenteurs du capital qui commandent dans les sociétés par actions. Mills accorde à ces conseillers une place égale à celle des *corporate rich* au sein de l'élite économique. Ses opposants lui rétorquent que ni sur le plan de la propriété d'actions ni sur le plan de leur place au conseil d'administration, ces conseillers légaux, financiers, techniques ou politiques ne peuvent se mesurer aux grands actionnaires. Il n'est pas difficile de mettre à l'épreuve la théorie de Mills sur ce plan-là. On y reviendra.

Théorie des élites et marxisme

Les marxistes ont critiqué la thèse des élites de Mills. Mais plusieurs d'entre eux ont été très influencés par cet ouvrage et ont tenté d'intégrer la perspective de Mills à leur propre conception du marxisme. Les tentatives d'intégration ont eu lieu notamment dans les pays anglo-saxons: en Grande-Bretagne, aux États-Unis et au Canada anglais.

Dans un livre dédié à la mémoire de Mills, le marxiste anglais Ralph Miliband adopta le concept d'élite économique pour décrire le contrôle des grandes entreprises. Tout en rejetant les théories «managérialistes», Miliband affirma que les administrateurs non propriétaires sont de plus en plus nombreux au sein des conseils d'administration des grandes compagnies. «Mais il est vrai toutefois qu'à la tête des compagnies plus grandes, plus dynamiques et plus puissantes l'on trouve maintenant, et l'on trouvera en proportions croissantes, des «managers» et des directeurs qui doivent leur poste à des nominations et à la cooptation, et non pas à la propriété[15]».

Miliband critiqua l'argumentation de Berle, Means et Galbraith sur les motifs «sociaux» des administrateurs professionnels, qui seraient détachés de la recherche du profit. Pour lui, les administrateurs professionnels sont parmi les plus importants détenteurs d'actions; ils en achètent régulièrement au moyen de plans d'options préférentielles. Miliband soutient aussi que les membres des conseils d'administration sont souvent recrutés dans les classes possédantes, mais il demeura partisan de l'emploi du terme «élite économique» pour décrire le groupe social qui contrôle les grandes entreprises. Plus encore, il prétendit qu'il n'y a pas *une* élite économique mais *plusieurs*; il ne put toutefois préciser les facteurs (économiques, ethniques, régionaux ou autres) qui divisent l'élite économique.

En somme, le sens que Miliband donne au concept d'élite économique n'est pas foncièrement différent de celui de Mills. C'est l'autonomie institutionnelle de l'économie par rapport aux autres aires d'activité sociale qui fonde l'autonomie d'une élite économique formée des principaux actionnaires et des administrateurs professionnels salariés en voie d'assimilation à la classe propriétaire.

Chez G. William Domhoff[16], l'adoption du concept d'élite se fait dans un tout autre contexte. Comme Mills et Miliband, Domhoff met à l'écart la théorie du contrôle interne des sociétés par actions. D'après lui, les «managers» s'identifient aux grands actionnaires parce qu'ils accumulent des actions des sociétés qu'ils administrent. Ils sont ainsi assimilés graduellement à la classe supérieure. En outre, les «managers» recherchent, tout comme les principaux actionnaires, la maximisation des profits des compagnies. Jusqu'ici on est en plein dans la théorie des élites. Mais Domhoff s'en écarte, en faisant une distinction entre la «classe dominante» (ou «classe supérieure» ou «classe gouvernante») et l'élite du pouvoir. Ces deux termes, il les définit comme suit:

> Permettez-moi de commencer par la définition de deux termes, «classe dominante» et «élite du pouvoir». Par classe dominante, j'entends une classe sociale supérieure nettement démarquée, qui:
> a) possède une quantité disproportionnée de richesse et de revenu;

b) se porte mieux que d'autres groupes sociaux sur une gamme de statistiques sociales [...];
c) contrôle les principales institutions économiques du pays;
d) domine les processus gouvernementaux du pays.
Par élite du pouvoir, j'entends le bras «opératoire», le groupe dirigeant, ou l'*establishment* de la classe dominante. Cette élite du pouvoir est composée des membres actifs et occupés de la classe supérieure et d'employés de haut rang des institutions contrôlées par des membres de la classe supérieure[17].

Cette distinction entre classe dominante et élite du pouvoir permet à Domhoff de faire face aux critiques adressées à la théorie marxiste par les adeptes de la doctrine des élites. La principale de ces critiques à l'endroit du marxisme est que le contrôle des grandes entreprises (et de l'État) n'est pas entièrement entre les mains de membres de la classe supérieure et que, inversement, tous les membres de la classe dominante ne se retrouvent pas aux postes de contrôle de ces institutions. À cette objection Domhoff rétorque qu'une partie de la classe dominante est totalement détachée du contrôle des compagnies (et de l'État). Une autre partie y participe activement avec l'aide d'employés soigneusement formés dans des universités administrées par des membres de la classe dominante. Ces employés («managers», avocats, techniciens) contrôlent les grandes sociétés par actions et l'État, côte à côte avec la partie active de la classe dominante. Quelques-uns de ces employés s'intègrent à la classe supérieure.

Pour appuyer sa thèse, Domhoff étudie les origines sociales des 884 administrateurs des quinze plus grandes banques, des quinze principales compagnies d'assurance, et des vingt plus importantes sociétés industrielles. Il trouve que 53% de ces administrateurs viennent de la classe supérieure et que les autres 47% sont formés d'administrateurs salariés en voie d'assimilation à la classe supérieure, de techniciens universitaires (ingénieurs, économistes, statisticiens, etc.) et de membres non propriétaires de l'élite du pouvoir, tels que des avocats de grandes entreprises, des directeurs de fondations contrôlées par des familles de la classe dominante, des présidents d'université et d'anciens militaires[18]. En somme, pour Domhoff le contrôle des grandes sociétés est entre les mains de la classe dominante, à travers ses éléments actifs, aidés de membres non propriétaires de l'élite du pouvoir, en majorité des avocats et des techniciens.

Il n'est pas difficile d'expliquer ces tentatives répétées d'intégration de la théorie marxiste et de la doctrine des élites dans le monde anglosaxon. Premièrement, il y a le fait que l'information concernant la propriété et le contrôle au sein des grandes entreprises est beaucoup plus disponible en Amérique du Nord et en Grande-Bretagne qu'en Europe continentale ou ailleurs dans le monde capitaliste. Aussi, le nombre d'études sur le sujet est plus important dans ces trois pays. Les données existantes, et les études déjà faites, y mettent en relief le nombre croissant d'administrateurs professionnels (avocats, diplômés d'écoles de commerce, ingénieurs) aux conseils d'administration des grandes sociétés anonymes. Quelques-uns parmi ces administrateurs professionnels deviennent parfois d'importants actionnaires, mais pas tous. Il fallait donc proposer un concept qui englobe ce type de conseil d'administration: nombre de marxistes du monde anglo-saxon ont adopté le terme d'élite.

Par ailleurs, la faible diffusion du matérialisme historique dans les milieux universitaires nord-américains et britanniques a empêché des écrivains radicaux comme Mills ou des marxistes comme Miliband et Domhoff d'employer des concepts déjà forgés dans le contexte du capitalisme européen pour rendre compte de la montée des administrateurs professionnels. En fait, la conception marxiste du contrôle des grosses compagnies que Mills rejette et que Miliband contourne, est une conception élémentaire et sommaire, presque caricaturale, du marxisme. Pour sa part, Domhoff a pratiquement réinventé la problématique gramscienne des «intellectuels organiques» sous l'étiquette conceptuelle de l'élite du pouvoir de Mills. Comparons, par exemple, la perspective de Domhoff avec celle de Gramsci que voici:

> Chaque groupe social, naissant sur le terrain originel d'une fonction essentielle dans le monde de la production économique, crée en même temps que lui, organiquement, une ou plusieurs couches d'intellectuels qui lui donnent son homogénéité et la conscience de sa propre fonction, non seulement dans le domaine économique, mais aussi dans le domaine politique et social: le chef d'entreprise capitaliste crée avec lui le technicien de l'industrie, le savant de l'économie politique, l'organisateur d'une nouvelle culture, d'un nouveau droit, etc. [...]. Sinon tous les chefs d'entreprise, du moins une *élite* d'entre eux doivent être capables d'être les organisateurs de la société en général [...] ou bien ils doivent du moins posséder la capacité de choisir leurs «commis» (employés spécialisés) auxquels ils pourront confier cette activité organisatrice...[19].

La conception de Gramsci des «intellectuels organiques de la classe propriétaire» correspond exactement à la théorie de Domhoff sur l'élite du pouvoir en tant que «bras opérationnel» de la classe dominante. Chez l'un et l'autre auteur on conçoit une partie des intellectuels organiques (ou de l'élite du pouvoir) comme étant issue de la classe dominante elle-même, alors qu'une autre partie est attirée et peu ou prou assimilée par la classe supérieure après une formation spécialisée. Domhoff a étudié et mis en relief ces liens organiques entre la classe dominante et ses «intellectuels», en soulignant le contrôle de la classe supérieure sur les grandes universités qui les forment et en analysant les origines sociales des administrateurs des plus importantes compagnies.

Autant chez Mills le concept d'élite s'oppose à la théorie de la classe dominante, autant chez Domhoff le concept d'élite au pouvoir correspond à un approfondissement de la théorie marxiste du contrôle des sociétés par actions (et de l'État). Mills et Miliband soulignent l'unité et les ressemblances entre les administrateurs des grosses sociétés. Domhoff énonce, comme Lundberg, une distinction nette entre les propriétaires de ces entreprises et leurs conseillers juridiques, financiers, techniques ou comptables. Pour ces derniers auteurs, le contrôle appartient aux propriétaires seulement.

2. L'élite économique dans la sociologie canadienne: Porter et Clement

John Porter est un des plus prolifiques sociologues canadiens; on n'évaluera pas ici une production aussi abondante et diversifiée. On analysera simplement le concept d'élite économique, qui lui sert à décrire le pouvoir au sein des grandes sociétés par actions du Canada.

Dans l'un de ses premiers articles, paru en 1955, Porter distingue cinq types de pouvoir: économique, politique, bureaucratique, militaire et idéologique[20]. Il s'agit là de cinq «systèmes fonctionnels» des sociétés complexes modernes, de cinq systèmes de rôles. Au sein de chaque système, il doit y avoir quelques rôles de coordination et de prise de décisions. Les personnes qui ont des attributions de pouvoir sont désignées par Porter comme membres d'élites reliées mais distinctes. Les interpénétrations au sein de chaque élite confèrent à celles-ci une certaine homogénéité. Pour autant que les différentes élites restent séparées et qu'aucune parmi elles ne soit dominante par rapport aux autres, elles peuvent se contrebalancer mutuellement, ce qui est le cas, selon Porter, dans les sociétés occidentales. C'est donc dans un schéma de type pluraliste que Porter va inscrire l'élite économique canadienne. Dans ce schéma, il y a concurrence pour le pouvoir au sein de la société globale, et aucune des élites ne l'emporte sur les autres. Quant à l'élite économique, elle est un «reflet de la concurrence oligopolistique et monopolistique qui existe dans tous les systèmes industriels[21]». Ce sont les membres des conseils d'administration des grandes compagnies qui forment l'élite économique.

Dans un deuxième article, qui traite directement de l'élite économique, Porter rend opérantes les définitions antérieures[22]. Au moyen de l'étude des conseils d'administration de 170 sociétés dominantes dans les secteurs non financiers, Porter distingue trois types d'administrateurs: les financiers, les experts juridiques et les techniciens. Il insiste sur le fait que les trois types ont une égale importance dans le contrôle des grandes entreprises. *À cause de la collégialité des décisions et du secret qui entoure la vie interne des conseils d'administration, Porter adopte explicitement le postulat de Mills: égalité du pouvoir de chaque administrateur.* Cet article de Porter sur l'élite économique provoqua des commentaires et des réponses. Le professeur Ashley[23] souligna que tous les administrateurs n'ont pas le même pouvoir, mais il concéda que la confidentialité des données des sociétés par actions rend plausible le présupposé de Porter. Ashley critiqua aussi la distinction entre trois types d'administrateurs, affirmant qu'au sein des conseils d'administration il y a beaucoup moins de spécialisation que celle qui est postulée par Porter. Enfin, d'après lui, l'élite économique canadienne est composée de beaucoup moins de personnes, à savoir des administrateurs des quatre plus grandes banques à charte (Royale, de Montréal, Canadienne Impériale de Commerce et de la Nouvelle-Écosse). Ces 97 personnes, occupant plus de 900 postes d'administrateurs à l'extérieur des banques citées formeraient en réalité l'élite économique du Canada. En somme, Ashley voudrait voir l'élite économique canadienne classée autrement que comme Porter le fait, mais il ne met nullement en question les principaux postulats de Porter.

Dans *The Vertical Mosaic,* publié en 1965, l'élite économique de Porter se trouve en concurrence avec les élites syndicale, politique, bureaucratique et idéologique. Cette fois-ci, cependant, la concurrence est imparfaite, puisque les administrateurs de compagnies peuvent élargir leur pouvoir aux dépens des autres élites. Derrière les élites on entrevoit maintenant des classes sociales, mais elles ne sont que des catégories statistiques sans frontières précises, définies différemment selon les besoins du chapitre et qui ne sont pas liées systématiquement aux élites[24]. L'élite économique est définie sur les plans théorique et opérationnel de la même façon que dans le texte antérieur qui leur était consacré. Il s'agit des administrateurs des 170 compagnies «dominantes» non financières des 9 banques à charte et des 10 plus grandes compagnies d'assurance-vie. Porter rejette la théorie du contrôle interne des grandes entreprises: pour lui, comme pour Mills, ceux qui administrent les firmes géantes sont souvent ceux qui possèdent les blocs dominants d'actions; dans le cas des filiales, les administrateurs représentent la société mère.

Au Canada, d'autre part, la dispersion de la propriété n'est pas caractéristique de l'industrie parce que, comme nous l'avons souligné auparavant, beaucoup d'entreprises géantes canadiennes sont la propriété absolue ou majoritaire de sociétés des États-Unis ou du Royaume-Uni. En plus, quand il s'agit de sociétés canadiennes, la propriété de grands blocs d'actions est étroitement liée au contrôle [...] Il fait peu de doute que le contrôle interne résultant de la dispersion des actions n'est au Canada nullement aussi étendu qu'on le dit aux États-Unis[25].

La notion selon laquelle les administrateurs sont une sorte d'écran de fumée arrangé par les directeurs est un corollaire de la théorie du contrôle interne. Nous ne discuterons pas ici si cette théorie s'applique à l'industrie américaine comme conséquence de la séparation de propriété et contrôle. Il est toutefois douteux que cette notion décrive correctement le pouvoir dans les sociétés canadiennes[26].

En d'autres termes, Porter postule désormais que le pouvoir dans les sociétés par actions au Canada reste entre les mains des principaux actionnaires. On reconnaît là l'influence de Mills: l'*Élite du pouvoir* est parue entre les premiers articles de Porter et *The Vertical Mosaic*. L'élite économique de Porter est désormais une élite propriétaire; elle ressemble à la classe dirigeante de Marx sur ce point, mais entre les deux il y a cependant d'importantes différences:

a) L'élite économique de Porter n'a pas d'histoire, pas plus que les hiérarchies sur lesquelles ladite élite est allée se jucher (les oligopoles et monopoles).

b) L'élite économique forme une unité homogène, à l'intérieur de laquelle on ne distingue pas les propriétaires et leurs conseillers juridiques, comptables ou autres. Porter soutient que *toute* l'élite économique est propriétaire des grandes sociétés, et ce suivant Mills.

c) L'élite économique ne gouverne pas, et elle ne contrôle pas la production et la diffusion d'idéologie.

Dans son chapitre sur l'élite économique et la structure sociale, Porter étudie le mode de recrutement de cette élite, son origine ethnique et religieuse, ses origines de classe et ses affiliations politiques. Ensuite, il analyse la place que l'élite occupe dans des institutions que Porter situe au-delà du système économique: les associations patronales, les universités et hôpitaux, les clubs, les fondations, les commissions gouvernementales, etc. Il conclut de son analyse que l'élite économique canadienne est majoritairement anglophone et protestante, qu'elle a fait des études universitaires, qu'elle est issue d'une classe supérieure, et qu'elle a peu de liens avec le monde politique. Il trouve aussi que cette élite est très active à la tête d'associations patronales et au sein des commissions d'enquête, et qu'elle occupe de nombreux postes «honorifiques» à la direction de fondations, d'universités et d'hôpitaux.

La plupart des critiques de Porter, telles que celles que Heap a réunies dans son recueil, portent sur la cohérence interne de sa théorie des élites, sur les définitions plus ou moins précises qui sont données aux concepts, ou sur l'idéologie ou l'éthique implicites des écrits de Porter. Ces critiques sont valables et de poids en ce qui concerne la cohérence interne de son système théorique. Elles sont moins pertinentes au niveau de l'étude de l'élite économique et du contrôle des compagnies, dont elles ne traitent que marginalement. À ce niveau, à notre avis, la critique de Porter doit être une critique empirique, fondée sur des données qui infirment les postulats de la théorie des élites. Les critiques principales qu'on doit adresser à la théorie de Porter sur l'élite économique sont au nombre de quatre.

1. On doit prouver que tous les membres des conseils d'administration des sociétés par actions, grandes ou petites n'ont pas le même pouvoir. Le «secret qui entoure la vie des conseils d'administration» est aujourd'hui moins complet, et nous pouvons de plus en plus distinguer les propriétaires et leurs «intellectuels organiques», leurs conseillers financiers, techniques, comptables ou juridiques. La théorie de Porter sur l'élite économique se situe aux antipodes de celle de Berle et Means sur le contrôle interne. Pour cette dernière, il n'y a dans les conseils d'administration que des conseillers professionnels, des «*managers*»; pour Porter et Mills, les principaux actionnaires et les «*chief executives*» ne forment qu'un groupe et ils ont le contrôle. On affirmera, dans ce chapitre, que la plupart des conseils d'administration sont formés des principaux actionnaires et de leurs conseillers, et que l'on peut et l'on doit distinguer les deux types d'administrateurs. Sur ce point nous nous appuyons sur Lundberg et Domhoff, et nous apporterons les données qui soutiennent notre hypothèse.

2. On doit aussi prouver que l'élite économique canadienne dirige les autres institutions importantes du capitalisme contemporain: l'État, les partis politiques, les media, les universités, et qu'elle mérite alors de s'appeler «classe dominante». Cette preuve, bien entendu, requiert des études préalables qui, à notre connaissance, n'existent pas au Canada, et implique que l'on s'éloigne considérablement du sujet de notre recherche, à savoir le contrôle des compagnies. On se rappellera toutefois que W. Clement montrera, se servant des données du Rapport du Comité spécial du Sénat sur les mass media (1970), que les moyens de communication de masse sont entre les mains des principaux membres de «l'élite économique[27]». Par ailleurs, les études publiées par le Comité des dépenses électorales en 1966[28] prouvent que les principaux partis politiques fédéraux canadiens, sauf le Nouveau Parti

démocratique, ont toujours été financés par les grosses entreprises et par de riches membres des milieux d'affaires, ce qui dément partiellement l'autonomie de l'élite économique vis-à-vis de l'élite politique. Il n'existe pas cependant d'étude équivalente sur les rapports entre les milieux d'affaires et les universités ou entre ceux-là et le personnel politique d'État.

3. On doit souligner le caractère abstrait et a-historique de l'élite économique. Chez Porter cette élite n'a pas d'histoire, pas plus que les hiérarchies institutionnelles dont l'existence est à peine signalée. Sur ce point son étude ressemble encore à celle de Mills. Porter nous dit que la concentration économique crée l'élite d'affaires, comme si toute grande unité de production devait nécessairement être gérée par un conseil d'administration formé des principaux actionnaires ou d'administrateurs nommés par une maison mère. Le processus social de division capitaliste du travail, à l'échelle nationale et internationale est donc escamoté. En outre, il n'y a pas chez Porter de conflit qui traverse ce groupe de neuf cents et quelques personnes qui contrôlent les grandes entreprises du Dominion: pas d'opposition entre des groupements rivaux d'intérêts, entre bourgeoisies montréalaise et torontoise, entre les intérêts canadiens et ceux des filiales de sociétés américaines.

4. Limité par son cadre théorique, Porter ne voit que des «postes honorifiques» dans la présence massive des membres de l'élite économique au niveau des instances administratives des universités, fondations, hôpitaux, commissions gouvernementales, etc. Une critique empirique de la position de Porter doit montrer qu'il ne s'agit pas là de fonctions de prestige, mais d'une présence essentielle à la reproduction du système social. On sait par exemple que les fondations ont eu une influence certaine sur la direction de la recherche et de l'enseignement universitaire aux États-Unis[29] et qu'elles ont souvent été un moyen légal de perpétuer le contrôle familial de grandes compagnies sans surveillance publique et sans payer de taxes[30]. Au Canada les fondations créées sur la base de donations individuelles ou familiales sont beaucoup plus récentes, moins nombreuses et plus modestes. Dans quelques cas elles jouent un rôle important dans le contrôle de compagnies: chez les Molson, les Weston et (probablement) les Maclean tout au moins[31]. Il faudrait des études approfondies pour savoir si, comme aux États-Unis, la présence des hommes d'affaires dans l'administration des universités, fondations, etc. a une importance autre que purement honorifique. L'extraction de ces données ne sera probablement pas une mince tâche.

Wallace Clement est allé plus loin afin de rendre plus concret, plus vivant le concept d'élite économique de Porter[32]. À la différence de ce dernier, Clément affirme que classe sociale et élite sont des concepts complémentaires et il tente de les intégrer. Clement emploie un triple schéma hiérarchique:

1. Bourgeoisie/prolétariat, définis en termes marxistes par la propriété ou la non-propriété des moyens de production.

2. Classe supérieure/classes inférieures: il s'agit ici d'un schéma de gradation simple où la classe supérieure est définie comme la bourgeoisie plus les élites des autres sphères institutionnelles.

3. Élites/non-élites, où les élites sont définies comme les positions supérieures (et les personnes qui occupent ces positions) dans toute sphère institutionnelle organisée selon une hiérarchie.

À l'instar de Porter, Clement définit l'élite économique comme les positions de pouvoir au sein des compagnies dominantes (et les occupants de ces positions). Mais puisque les résultats l'amènent à conclure que l'élite économique et l'élite des mass media ne font qu'un, il crée le concept d'élite «corporative» (*corporate elite*), qui englobe les deux.

Clement lie systématiquement ses trois schémas hiérarchiques: «À cause de leur rapport à la propriété et au contrôle de la propriété, tous les membres de l'élite corporative sont aussi membres de la bourgeoisie, mais tous les membres de la bourgeoisie ne sont pas membres de l'élite corporative [...] On doit se rappeler que l'élite est définie comme les positions supérieures seulement dans les compagnies dominantes. L'élite corporative correspond alors à la grande bourgeoisie[33].»

Au moyen de ces hypothèses des rapports entre ses trois schémas hiérarchiques, Clement tente, d'une part, d'éviter la critique faite à Porter sur son utilisation vague du terme de classe sociale, à peine juxtaposé à celui d'élite. En même temps, Clement adopte le postulat d'unité interne de Porter: *tous les membres de l'élite corporative, chez Clement, appartiennent à la bourgeoisie.*

Dans deux chapitres historiques (IIe et IIIe) de son ouvrage, Clement tente de compenser le manque d'historicité du concept d'élite. Mais il n'y arrive pas, puisque, au cours des chapitres historiques, «élite» et «bourgeoisie» ou «classe capitaliste» deviennent des synonymes, et l'on s'interroge sur l'utilité d'avoir surajouté le schéma élite/non-élite à celui des classes. Ainsi: «Après avoir acquis de grandes quantités de surplus, les marchands sont devenus des capitalistes financiers, entretenant la même fonction d'intermédiaire qu'avant[34].» «Tel que voulu, la Politique nationale créa une industrie au Canada, mais l'élite financière dominante ne réussit pas à en maîtriser le développement[35].»

Clement a donc résumé l'histoire de la bourgeoisie canadienne, mais nous la présente comme l'histoire de l'élite économique ou de l'élite «corporative».

Par ailleurs, Clement affirme qu'autrefois l'élite économique était une classe dominante, mais qu'au cours du XXe siècle, il se serait produit une différenciation entre l'élite économique et l'élite politique sans que l'on sache trop comment ni pourquoi cette division a eu lieu. Il soutient, faisant référence au début du XXe siècle, que «c'était une époque de l'histoire canadienne où l'on pouvait dire avec certitude qu'une classe économique dirigeait politiquement[36]». On ignore pourquoi on ne peut plus le dire aujourd'hui.

À l'intérieur de l'élite économique, Clement reconnaît trois catégories différentes: l'élite indigène ou nationale, l'élite satellite ou compradore (qui gère les filiales des sociétés étrangères au Canada) et l'élite parasite (formée des administrateurs des maisons mères à l'extérieur du Dominion). En empruntant à la théorie marxiste des concepts qui ont été forgés pour caractériser la bourgeoisie, tels que les concepts de bourgeoisie «nationale» ou «compradore», et en les appliquant à l'élite économique, Clement nous porte encore une fois à nous interroger sur l'utilité de distinguer bourgeoisie et élite économique.

Au long des chapitres centraux, les IIIe et le IVe de son livre, Clement utilise les mêmes méthodes que Porter sur une liste de 113 compagnies dominantes en 1971, liste où le secteur financier est davantage représenté que dans la recherche de Porter. Clement étudie l'accès inégal à l'élite économique selon le niveau d'études, l'origine de classe, la région natale, l'ethnie, la religion et les affiliations politiques des membres des conseils d'administration des compagnies définies comme dominantes. Clement confirme ainsi les résultats de Porter et il ajoute quelques précisions supplémentaires. Ainsi, il distingue quatre types d'élite économique: les «managers», l'élite riche, l'élite honorifique (formée d'anciens politiciens) et les experts ou techniciens. Toutefois le présupposé emprunté à Porter, selon lequel tous les membres des conseils d'administration ont les mêmes pouvoirs, l'empêche de tirer toutes les conséquences de ces distinctions. Et Clement éprouve d'autant plus de difficulté à différencier divers types d'administrateur, qu'il a, dès le début, postulé que tous les membres de l'élite économique appartiennent à la bourgeoisie. La classification des types d'élite économique perd alors de son utilité et Clement se prive de la possibilité de faire des analyses plus approfondies surtout dans certains cas, comme celui de Power Corporation sur lequel il possède des données précises quant à la distribution d'actions au sein des membres du conseil d'administration.

Tout comme Porter, Clement étudie ce qu'il appelle «le monde privé des gens puissants»: les écoles privées, les clubs privés, les organisations philantropiques, etc. Il signale aussi la participation de l'élite économique à l'administration des universités, fondations, et autres institutions. Pas plus que Porter, Clement ne fait le lien entre ces fonctions «honorifiques» et le contrôle des grandes entreprises. Comme le titre du chapitre VI l'indique, ces participations lui semblent appartenir à la vie «privée» de l'élite économique.

Il y a donc dans l'ouvrage de Clement un effort de clarification en ce qui concerne le concept de classe sociale et son rapport avec le terme d'élite économique. Il y a aussi une démonstration solide de la prise de contrôle des moyens de communication de masse par les groupements financiers canadiens. Cependant, il ne réussit pas à historiciser le concept d'élite: plus précisément il lui donne l'histoire... de la classe capitaliste canadienne. Son postulat, emprunté à Mills et à Porter, d'unité interne et d'homogénéité de l'élite économique est difficile à soutenir, tout comme son affirmation selon laquelle tous les membres de l'élite économique appartiennent à la bourgeoisie.

Comment et pourquoi la classe propriétaire (les *corporate rich* de Mills) assimile-t-elle les administrateurs non propriétaires? Pour Porter et pour Clement, comme pour Mills: en leur permettant l'achat d'actions des compagnies qu'ils dirigent. Cette explication n'est pas suffisante, parce que, d'une part, tous les administrateurs de compagnies ne possèdent pas d'actions en quantité, et d'autre part il faut encore élucider comment ces universitaires (avocats, techniciens, diplômés d'écoles de commerce) ont acquis précisément l'idéologie et la formation dont les compagnies ont besoin. C'est ici qu'il faut faire entrer en ligne de compte le contrôle des grandes universités et des fondations par les membres de l'élite économique. C'est en gérant les universités les plus prestigieuses et en leur accordant des subsides par l'intermédiaire de compagnies et fondations que la classe dominante forme ses intellectuels organiques. Cette perspective nous permet de sortir de la problématique libérale de l'égalité des chances d'accès aux conseils d'administration des grandes sociétés, problématique qui est très présente chez Porter et Clement. Elle nous permet aussi de limiter davantage encore la prétendue «autonomie» de l'élite économique, et détruire le mythe du monde «privé» de cette élite. La présence des plus puissants hommes d'affaires aux Assemblées de gouverneurs des universités et aux conseils de fiduciaires (*trustees*) des fondations n'a rien à voir avec des «rôles honorifiques», mais à leur souci de former le personnel supérieur dont ils ont besoin, ainsi que de préparer leur reproduction comme classe.

Finalement il reste que chez les partisans de la théorie des élites, l'étude des liens entre «l'élite économique» et les autres «élites» est très insuffisante. Un des arguments les plus répétés par les théoriciens des élites est que l'économique ne peut être réduit au politique et au culturel et vice versa. Mais c'est là un des rares postulats où toutes les théories sociologiques, du fonctionnalisme au marxisme, sont d'accord. La question est de savoir si la classe propriétaire domine le personnel des autres sphères. Porter et Clement disent que non, à l'exception pour ce dernier, des moyens de communication de masse. Cependant, les méthodes et les données que Porter et Clement, tout comme Mills, utilisent les empêchent d'étudier en profondeur les liens entre le personnel dirigeant de ces différentes «sphères institutionnelles». Pour comprendre le lien entre «l'élite économique» et «l'élite politique» il faut tenir compte: a) du financement des partis politiques sur lequel il y a déjà des données considérables, et qui montrent l'étroite dépendance de trois des quatre partis fédéraux canadiens envers les grandes compagnies; b) du rôle des «intellectuels politiques» par excellence de la classe dominante: les avocats, et tout particulièrement les avocats de société.

3. La désagrégation de l'élite économique canadienne

Pour mettre à l'épreuve de façon définitive la théorie des élites de Mills, Porter et Clement il faudrait mener plusieurs recherches parallèles et différentes portant, entre autres, sur le personnel politique d'État, sur le contrôle des universités ou sur la politique de placement des fondations dites de charité. Il est clair que l'on ne peut pas couvrir ces différents champs dans le cadre d'une étude comme celle-ci. Il est par contre possible de «désagréger» l'élite économique. On a vu que chez Mills, Porter et Clement, celle-ci forme un bloc uni et cohérent. Mills désigne cette unité en affirmant que les *corporate rich* et les *chief executives* ne forment qu'un seul groupe. Porter fait remarquer la collégialité des décisions des conseils d'administration et le secret qui entoure la vie interne des conseils d'administration. Clement met en bloc tous les membres de l'élite économique dans la grande bourgeoisie.

Or, on a vu que Lundberg, Domhoff ou Gramsci distinguent une variété de fonctions au sein de la direction des grandes entreprises. Ces trois auteurs différencient d'une part les principaux actionnaires, et d'autre part les administrateurs professionnels et ceux qui ne sont que des conseillers juridiques, comptables, financiers ou techniques. Si l'on peut différencier ces grands types d'administrateurs, on sera alors en mesure de mettre à l'épreuve le postulat d'homogénéité et d'unité de l'élite économique, à travers notamment l'étude de la détention d'actions et du mode de rémunération de chaque type.

Dans le chapitre précédent, on a identifié les groupes de propriétaires qui contrôlent 92 des 136 plus grosses sociétés par actions sous contrôle canadien. On peut maintenant examiner les autres membres au sein des conseils d'administration des mêmes 136 compagnies, pour analyser leur fonction et dévoiler en partie le «secret qui entoure la vie des conseils d'administration» auquel Porter faisait allusion. En séparant les propriétaires de leurs conseillers, on compte en même temps jeter un peu de lumière sur les «intellectuels organiques» de la classe dominante, qui passent si souvent du monde des affaires au monde politique: les avocats de compagnies. Enfin, ce procédé permettra d'évaluer, du moins en partie, le processus d'assimilation des «managers» aux *corporate rich*, aux principaux actionnaires.

On a classifié les membres du conseil d'administration de chaque société, qui ne font pas partie du groupe de contrôle, en quatre catégories:

A. Les conseillers juridiques: les avocats qui siègent au conseil d'administration des compagnies, mais qui sont d'abord les partenaires ou associés de tel ou tel bureau d'avocats.

B. Les conseillers financiers: il s'agit d'experts travaillant à leur compte, ou dans une firme de consultants, ou encore au sein de l'administration d'une banque de placement. Avec eux, moins nombreux, il y a les conseillers comptables et techniques, membres de firmes spécialisées en comptabilité ou de bureaux d'ingénieurs-conseils.

C. Les «managers» de métier, qui ont fait leur carrière dans la compagnie (ou dans d'autres compagnies), et qui en sont des employés salariés.

D. Les propriétaires ou «managers» d'autres compagnies.

L'occupation principale est celle qui est donnée par le *Financial Post Directory of Directors* de 1976 en tête de la liste de postes occupés par chaque administrateur.

Notre hypothèse pour le reste est que les conseillers juridiques, financiers, comptables et techniques détiennent très peu d'actions et qu'ils ne jouissent pas de rémunérations telles que l'on doive les assimiler aux gros actionnaires. Aussi, les propriétaires ou «managers» d'autres compagnies ont un rôle d'experts et détiennent peu d'actions des compagnies (en dehors des leurs) dont il sont les administrateurs.

A. Les conseillers juridiques

Par opposition aux thèses de Mills, Porter et Clement sur l'élite économique, on soutient ici que les conseillers juridiques qui siègent au conseil d'administration des grandes entreprises, ne doivent pas être confondus avec les gros actionnaires, et qu'ils ont un rôle purement consultatif. Ce sont des experts qu'il convient d'avoir à portée de la main lorsqu'il s'agit de prendre une décision qui a des implications juridiques, et les grandes compagnies prennent très souvent ce genre de décisions. Des avis en matière de droit fiscal, de droit commercial ou de droit du travail sont nécessaires lors de chaque réunion du conseil d'administration d'une compagnie. La grande majorité (81%) des compagnies de notre liste compte au moins un avocat, généralement membre d'un bureau d'avocats, au sein de leur conseil d'administration. Mais, avant de poursuivre cette analyse, il vaut mieux expliquer l'organisation des grands bureaux d'avocats au Canada.

Parallèlement au processus de concentration économique dans le terrain de l'industrie, la finance ou le commerce, la profession juridique a subi au cours du XXe siècle une transformation profonde. L'avocat exerçant individuellement sa profession a cédé sa place à la firme ou au bureau d'avocats, où travaillent trois catégories d'avoués: 1) les *partenaires* ou membres de la firme: ce sont des avocats ayant un minimum de huit à dix ans de pratique de la profession; 2) les *associés,* ou avocats salariés, souvent jeunes, faisant leur apprentissage après leur admission au barreau; quelques-uns parmi eux deviendront des partenaires, d'autres seront employés par une société ou s'installeront à leur compte; 3) les *avocats-conseils,* souvent des membres prestigieux du barreau après une période consacrée à la politique ou à la fonction publique supérieure. Ces firmes d'avocats ne se spécialisent que rarement: elles font de la pratique générale, du droit commercial, du droit du travail, du droit successoral, fiduciaire, notarial, international, etc. Le domaine le moins fréquemment couvert est le droit criminel.

Les firmes les plus grosses comptent au Canada jusqu'à soixante-seize avocats (partenaires, associés et en conseil). La norme au Canada est d'environ un associé par partenaire dans les grands bureaux d'avocats. À Wall Street la norme est d'environ deux associés par partenaire[37]. Il n'y a que quelques avocats en conseil, de un à quatre au maximum, et ce seulement dans une partie des bureaux. Dans chaque bureau, une partie des membres et associés s'occupent des compagnies clientes; il arrive que ces avocats soient invités à siéger au conseil d'administration des sociétés qu'ils conseillent.

Alors qu'aux États-Unis les firmes d'avocats de Wall Street concentrent la majeure partie des affaires juridiques des grandes sociétés, au Canada les bureaux les plus importants se trouvent à Toronto et à Montréal. Le tableau des pages suivantes donne une idée des bureaux canadiens qui emploient le plus d'avocats dans chaque ville. Il ne s'agit nullement des bureaux qui s'occupent le plus des grandes sociétés. Quelques firmes ayant un nombre réduit de partenaires sont très actives à ce niveau-là. La firme St-Laurent, Monast, Walters et Vallières, de Québec, compte seulement sept partenaires mais deux d'entre eux, Renault St-Laurent et André Monast, cumulent respectivement douze et dix-neuf places dans les conseils d'administration de compagnies canadiennes. Monast est, entre autres, au conseil d'administration de la Banque Canadienne Impériale de Commerce, de Canada Cement Lafarge, de Dominion Stores, de Confederation Life, de Air Canada, des chemins de fer du Canadien National, de IBM Canada, de Gaspé Copper Mines et de Brunswick Mining & Smelting. Renault St-Laurent est administrateur de la Banque Canadienne Nationale, de Imperial Life, de Home Oil, de Reed Paper, de IAC Ltd. et de Rothmans of Pall Mall Canada, parmi d'autres. Des firmes ayant beaucoup plus d'avocats, comme Gowling & Henderson, d'Ottawa, sont beaucoup moins importantes au point de vue de la quantité et de l'importance de leurs liaisons d'affaires.

De toutes les compagnies de notre liste du chapitre précédent, seules 27 (20%) n'ont pas dans leur conseil d'administration au moins un avocat-conseil, membre d'une firme. Il s'agit de quatre filiales du groupe Canadien Pacifique, de quatre du groupe Argus Corporation, et de quelques compagnies indépendantes de tailles différentes comme Alcan Aluminium Ltd., Dofasco, Daon Development Corp. ou Moore Corp. Les autres compagnies ont presque toutes un ou deux avocats partenaires d'une firme d'avoués sur leur conseil d'administration. Quelques-unes des compagnies en ont beaucoup plus: le Victoria and Grey Trust en a dix dans un conseil d'administration de trente membres; le Montreal Trust en a huit au sein d'un conseil d'administration de vingt-neuf membres (voir Annexe I à la fin

TABLEAU XVII

Principaux bureaux d'avocats canadiens par ville (1975)

Toronto	Partenaires	Associés	Conseillers	Total
Blake, Cassels & Graydon	38	34	4	76
McCarthy & McCarthy	37	36	3	76
Osler, Hoskin & Harcourt*	66		3	69
Fraser & Beatty*	58		1	59
McMillan, Binch**	36	(?)	—	(?)
Faskell & Calvin	22	25	1	48
Lang, Michener, Cranston, Farquharson & Wright	30	14	4	48
Borden & Elliott*	46		—	46
Tory, Tory, Deslauriers & Binnington*	35		1	36
Aird, Zimmerman & Berlis	24	5	2	31
Campbell, Godfrey & Lewtas*	30		—	30
Goodman & Goodman*	22		—	22
Montréal				
Ogilvy, Cope, Porteous, Montgomery, Renault, Clarke et Kirkpatrick*	72		4	76
Martineau, Walker, Allison, Beaulieu, McKell & Clermont	16	25	3	44
Weldon, Courtois, Clarkson, Parsons & Tétrault*	39		3	42
Stikeman, Elliott, Tamaki, Mercier & Robb*	34		—	34
McMaster, Meighen, Minnion, Patch, Cordeau, Hyndman & Legge**	23	(?)	2	(?)
De Grandpré, Colas, Amyot, Lesage, Deschênes & Godin*	26		1	27
Phillips & Vineberg*	21		—	21
Vancouver				
Davis & Co.	24	20	1	45
Russell & Du Moulin	24	17	3	44
Ladner, Downs	24	18	—	42
Bull, Housser & Tupper	24	15	—	39
Lawson, Lundell, Lawson & McIntosh*	29		—	29

TABLEAU XVII (*suite*)

Winnipeg	Partenaires	Associés	Conseillers	Total
Aikins, Macaulay & Thorvaldson*	35		—	35
Thompson, Dorfman & Sweatman	23	5	1	29
Pitblado & Oskin*	24		1	25
Calgary				
Jones, Black & Co.	18	14	1	33
Macleod, Dixon	14	12	—	26
MacKimmie, Matthews	10	14	—	24
Halifax				
Stewart, Mackeen & Covert	18	9	1	28
McInnes, Cooper & Robertson	13	11	—	24
Regina				
Macpherson, Leslie & Tyerman	11	7	1	19
Ottawa				
Gowling & Henderson*	42		4	46
Soloway, Wright, Houston, Greenberg, O'Grady & Morin	11	8	2	21
Edmonton				
Milner & Steer	20	12	—	32
Québec				
Létourneau, Stein, Marseille, Delisle & LaRue**	16	(?)	—	(?)
St-Laurent, Monast, Walters & Vallières	7	(?)	—	(?)

Source: Martindale - Hubbell Law Directory (Annuel), New Jersey, Quinn & Boden, 1976.
*Ces firmes d'avocats n'ont pas indiqué au *Martindale - Hubbell Law Directory* les nombres respectifs de partenaires et d'associés.
**Ces firmes n'indiquent ni le nom ni le nombre des avocats associés au *Law Directory*.

du chapitre). Le nombre moyen d'avocats au conseil d'administration de nos compagnies dominantes est de 1,6. Le tableau XVIII suivant résume les renseignements quant au nombre d'avocats dans les conseils d'administration des grandes compagnies.

TABLEAU XVIII

Nombre d'avocats au conseil d'administration
des compagnies dominantes (1975)

Nombre d'avocats au c.a.	*Nombre de compagnies*	
	(Valeurs absolues)	(%)
0	27	20%
1	53	39%
2	34	25%
3	7	5%
4	9	7%
5 et plus	6	4%
	136	100%

Sources: Martindale - Hubbell Law Directory, 1976, et *Financial Post Directory of Directors*, 1976.

      Les petites compagnies emploient les services d'une seule firme; les conglomérats utilisent des conseillers juridiques appartenant à plusieurs bureaux d'avocats. Oshawa Group, par exemple, contrôlée à 100% par la famille Wolfe, utilise les services du bureau Shiffrin, White & Spring, de Toronto, et deux membres de ce bureau (A. Shiffrin et L.B. White) siègent au conseil d'administration de cette compagnie commerciale. La société M. Loeb & Co. contrôlée conjointement par les familles Loeb et Weston, utilise les services de la firme Soloway, Wright, Houston, Greenberg, O'Grady et Morin. Deux partenaires de ce bureau d'avocats siègent au conseil d'administration de la compagnie commerciale d'Ottawa: il s'agit de Hyman Soloway et de M. W. Wright, deux des principaux partenaires. Par contre, les grosses compagnies et les groupements de sociétés emploient plusieurs firmes d'avocats-conseils. Power Corporation a quatre avocats appartenant à des firmes différentes dans son conseil d'administration: Wilbrod Bhérer (de Bhérer, Bernier, Côté, Ouellett, Dionne, Houle & Morin, de Québec), Pierre Genest (de Cassels, Brock, de Toronto); Claude Pratte (de Létourneau, Stein, Marseille, Delisle & LaRue, de Québec), et l'Honorable John P. Robarts (de Stikeman, Elliott, Robarts & Bowman, de Toronto). Les filiales de Power Corp. emploient des avocats d'une douzaine de firmes d'avoués différentes (voir Annexe I).

Certains conglomérats emploient les services de plusieurs bureaux, mais il y a un avocat ou une firme qui se détache nettement parmi les conseillers légaux. Le groupe Brascan Ltd. utilise les services de huit bureaux différents d'avocats, mais A.J. MacIntosh, de Blake, Cassels & Graydon (Toronto) occupe une place de choix dans les conseils d'administration du groupe contrôlé par John H. Moore et associés. MacIntosh siège au conseil d'administration de Brascan Ltd. et de ses filiales J. Labatt Ltd., Ogilvie Mills (contrôlée par J. Labatt Ltd.), de la Hudson's Bay Co. et de Markborough Properties (filiale de la Hudson's Bay). Les compagnies contrôlées par la famille Bronfman emploient les avocats d'une dizaine de bureaux, mais la firme montréalaise de Phillips & Vineberg y occupe une place privilégiée. P.F. Vineberg est au conseil d'administration de The Seagram Co., de The Cadillac-Fairview Corp., de Cemp Investments, et de Edper Investments, des compagnies clés dans cet empire familial. L'Honorable Lazarus Phillips est administrateur de Cemp Investments et de Trizec Corp.; James A. Soden, un autre partenaire du bureau d'avocats montréalais, est président du conseil d'administration de Trizec Corp.

Mills, Porter et Clement prennent pour acquis que tous les membres des conseils d'administration sont de gros porteurs d'actions des sociétés qu'ils gèrent, ou qu'ils sont en train de le devenir. Or, quant aux conseillers juridiques, c'est loin d'être le cas. *Au contraire, ni de par leur détention d'actions, ni de par leur rémunération en tant qu'administrateurs, les avocats dans les conseils d'administration des grosses compagnies ne peuvent être confondus avec les principaux propriétaires d'actions, avec la famille ou le groupe de contrôle.* Ils ne sont que des experts, des spécialistes haut placés, comme Lundberg l'affirme. Nous apportons cinq arguments à l'appui de notre hypothèse.

1. Les avocats membres de bureaux au sein des conseils d'administration des compagnies détiennent très peu d'actions des sociétés qu'ils conseillent. Très souvent ils ne possèdent que quelques dizaines ou quelques centaines de titres pour une valeur de $5 000 ou de $10 000. Ils n'en détiennent même quelquefois qu'une action pour respecter les règlements internes des sociétés selon lesquels tout administrateur doit être actionnaire.

À cette règle il y a certes quelques exceptions. La famille Jeffery, de London, Ontario, propriétaire de la London Life Ins. Co. a aussi un bureau d'avocats, Jeffery & Jeffery, et plusieurs des membres les plus éminents de la famille y exercent leur profession. Richard M. Ivey avocat de la firme Ivey & Dowler de London, Ontario, possède, entre autres intérêts, 485 000 actions de Prenor Group (soit 29,9% du vote) par l'intermédiaire de sa société de portefeuille, Norlac Financial Group. Ces actions valaient plus de $2 120 000 en 1975.

L'exception la plus remarquable est le bureau montréalais de McMaster, Meighen, Minnion, Patch, Cordeau, Hindman & Legge. Parmi ses partenaires, il y a D.R. McMaster, Theodore Meighen et son fils Michael, McMaster est administrateur de nombreuses compagnies dont Stelco, Cominco, Dominion Textile, et la Banque de Montréal. Ses actions Stelco valaient autour de $1 500 000 en 1975 (son père a présidé la compagnie), mais il ne possédait que 25 actions de Cominco et 7 400 de Dominion Textile. Theodore Meighen, fils du Premier ministre conservateur du Canada, Arthur Meighen, est le père de Michael Meighen, président du Parti conservateur du Canada. Il est aussi, avec son frère Maxwell, l'un des propriétaires de la plus importante société de placement à fonds fixes du Canada, Canadian General Investments, fondée par Arthur Meighen.

La majorité des avocats, y compris les anciens (et les futurs) ministres, les sénateurs en exercice, les lieutenants-gouverneurs en exercice ou à la retraite, possède fort peu d'actions dans les compagnies qu'ils administrent. Ils ne siègent pas au conseil d'administration en tant que propriétaires, ni — comme certains managérialistes le suggèrent — pour décorer les conseils d'administration des compagnies mais bel et bien parce qu'ils fournissent des connaissances précises sur le fonctionnement de l'appareil juridique de l'État.

2. Les avocats-conseils n'accumulent pas d'actions; en tant qu'administrateurs externes ils ne sont pas couverts par les options d'achat d'actions qui ne sont offertes qu'aux «managers[38]». Dans la quasi-totalité des cas, ils sont appelés au conseil d'administration d'une compagnie longtemps cliente et ils achètent, ou reçoivent de la trésorerie, un nombre réduit d'actions au moment de leur nomination. C'est là très souvent leur seule déclaration aux Commissions des valeurs mobilières.

3. Les avocats-conseils occupent rarement des fonctions de direction au sein des compagnies: ils sont peu souvent des administrateurs internes.

Nous avons vu au chapitre précédent que les familles, individus ou groupes d'associés qui détiennent le contrôle d'une compagnie tendent à se placer aux postes dominants du conseil d'administration, tels que président du conseil, président ou vice-président senior de la compagnie. Les avocats-conseils se placent, au contraire, parmi les administrateurs non officiers. Parmi les avocats des compagnies étudiées neuf (4,7%) seulement occupent des postes de direction.

Les exceptions sont de deux ordres. Il y a d'une part les rares avocats qui tout en contrôlant une grande société restent membres d'une firme d'avocats. Les Jefferys ou John W. McCutcheon (copropriétaire et président de Canadian General Securities et partenaire de Shibley, Righton & McCutcheon) sont au nombre de ces exceptions. D'autre part, il y a les avocats d'un groupe d'intérêts qui œuvrent comme administrateurs internes d'une filiale. Ainsi, A.J. MacIntosh, avocat du groupe Brascan Ltd. et gouverneur délégué de la Hudson's Bay Co., ou M.S. Hannon (de Ogilvy, Cope, Porteous, Montgomery, Renault, Clarke et Kirkpatrick, de Montréal) et président du comité exécutif du Montreal Trust, une filiale de Power Corp.

4. En tant qu'administrateurs externes, les avocats, tout comme d'ailleurs les conseillers en placement ou en comptabilité, ne reçoivent pas de grosses rémunérations pour leur présence au conseil d'administration. Une étude du Conference Board of Canada de 1976 fournit des données très précises sur la rémunération des administrateurs externes. Ceux-ci sont définis comme suit: «Un administrateur externe est un non-employé de la firme qui siège au conseil d'administration. Il peut être un ancien employé, un employé de la société mère, il peut fournir des services légaux ou autres; il peut aussi ne pas avoir d'autre rapport avec la compagnie à part le fait de siéger au conseil d'administration[39]».

Normalement les administrateurs externes sont rétribués de deux façons: au moyen d'honoraires versés sur une base annuelle (*retainer*), et indépendants du nombre de réunions du conseil d'administration, que l'administrateur externe assiste ou non à ces réunions; et par un cachet versé pour chaque présence aux réunions du conseil d'administration (*fee*). L'ensemble des deux rémunérations, qui suppose l'assistance à toutes les réunions du conseil d'administration, est la compensation totale potentielle annuelle. L'étude du Conference Board in Canada a été faite sur la base d'un questionnaire envoyé en juin 1976 à 400 sociétés industrielles et non industrielles du Dominion. Les sociétés étaient de différentes tailles, celles-ci étant mesurées en termes d'actifs.

De cette étude il ressort clairement que la rétribution totale potentielle annuelle est peu élevée pour les sociétés ayant des actifs de $100 millions et plus; la moyenne des rétributions va de $3 330 à $8 000 par an selon la taille de la société. On ne peut donc pas argumenter que les administrateurs externes appartiennent *de facto* à la bourgeoisie de par leur simple présence au conseil d'administration d'une grande société, comme Mills, Porter ou Clement le font.

5. Enfin, dans le cas des filiales de compagnies étrangères, qu'elles soient sous le contrôle absolu ou majoritaire de la société mère, la fonction de purs conseillers remplie par les avocats est encore plus évidente. Dans un nombre de cas restreint ils peuvent occuper des postes d'administrateurs internes des filiales, mais il est évident que le contrôle de celles-ci leur échappe.

En somme, on ne peut que faire nôtres les propos de Ferdinand Lundberg dans son célèbre article «The Law Factories, brains of the status quo»:

> En leur qualité d'agents et régisseurs, on trouve des avocats des principaux bureaux au sein des conseils d'administration des compagnies américaines [...] Ils sont les inspecteurs sociaux pour la noblesse du monde des affaires; celle-ci, sans leur aide, serait difficilement capable de faire face à ces multiples affaires. Mais à part les hommes d'affaires, les avocats siègent aux conseils d'administration plus fréquemment que n'importe quelle autre classe de personnes[40].

B. Les conseillers en matières financières, comptables et techniques

Cette deuxième catégorie de conseillers est beaucoup moins considérable que la précédente. Elle regroupe en fait plusieurs types différents d'experts.

Les conseillers en matière financière donnent leur avis sur des questions comme l'opportunité d'une réorganisation du capital, les méthodes financières à suivre lors d'une fusion, d'une prise de contrôle ou d'une émission de titres. Ils sont soit membres d'une banque de placement, soit associés à une maison de consultants financiers, soit consultants indépendants. On peut constater en annexe II de ce chapitre que 48 compagnies de notre liste ont un conseiller financier, comptable ou technique dans leur conseil d'administration. La quasi-totalité de ces consultants sont des consultants financiers. Sur les 44 compagnies qui ont un conseiller financier sur leur conseil d'administration, 31 ont fait appel à des consultants en provenance d'une banque de placement comme Wood

Gundy & Co., Nesbitt Thomson & Co. ou Dominion Securities Harris & Partners, 5 autres ont des consultants d'une maison spécialisée comme JHC Financial Consultants, Aitken Management Consultants ou WDC Mackenzie Consultants; enfin 7 autres se font conseiller par des consultants financiers indépendants comme J.D. Gibson (qui siège dans sept conseils d'administration de sociétés dominantes à contrôle canadien) ou N.J. McMillan.

On retrouve une situation similaire pour les conseillers en matière comptable ou technique, qui sont cependant beaucoup moins nombreux que les autres. Quelques-uns sont ingénieurs-conseil ou consultants en comptabilité, pour leur propre compte, ou membres d'une firme spécialisée de comptables de sociétés, dont la plus renommée est sans doute Clarkson, Gordon & Co. où se sont formés ceux qui contrôlent Canadian Corporate Management et Brascan Ltd.

Les compagnies qui n'ont pas de consultant financier, comptable ou technique dans leur conseil d'administration ne sont pas pour autant moins bien conseillées. Nombre de «managers» de carrière ont une formation dans ces domaines, et la plupart, sinon la totalité des grandes entreprises, ont des départements financier, comptable et technique qui les guident en ces matières.

Si la majorité des consultants financiers ne sont que de purs conseillers, quelques banquiers de placement font partie du groupe de contrôle d'une société: les Burns (père et fils) détiennent plus de $13 millions en actions de Crown Life Ins; C.F.W. Burns préside le conseil de la compagnie d'assurance et son fils Herbert Michael en est vice-président. Burns père est banquier de placement depuis 1932 et il contrôle depuis 1939 la firme Burns Bros & Denton. Il détient aussi plus de $750 000 d'actions de Denison Mines. D'autres banquiers de placement ont hérité d'importants blocs d'actions de leurs ancêtres, qui les ont acquis à l'époque dorée du capitalisme financier. Charles L. Gundy est un actionnaire important de toutes les compagnies qu'il administre. Son père, qui l'a précédé à la tête de Wood Gundy & Co. siégeait aux mêmes conseils d'administration et a participé activement à la réorganisation financière de compagnies comme Abitibi Paper, Simpsons Ltd., Canada Cement, Canron ou Massey-Ferguson (avant 1957, Massey-Harris). Charles L. Gundy en possède des actions pour $600 000; $10 000 000; $300 000, $150 000 et $1 150 000 respectivement, à part d'être le principal partenaire de Wood Gundy & Co. Arthur D. Nesbitt possède près de $400 000 d'actions de Power Corp. (dont il fut copropriétaire); il demeure le principal partenaire de Nesbitt, Thomson & Co.

Cinquante conseillers sur soixante-sept possèdent moins de $100 000 en actions. La quasi-totalité d'entre eux sont des administrateurs externes : seul trois occupent des postes à la direction — il s'agit des Burns dans Crown Life Ins., et de Gundy dans Simpsons Ltd. Les données sur les rémunérations des administrateurs externes qu'on a présentées dans la section précédente, s'appliquent alors aux conseillers dont nous avons parlé ici. Compte tenu de leur maigre capital d'actions et de leur faible rémunération, il est erroné de les classer dans la bourgeoisie ou dans l'élite économique du seul fait de leur appartenance aux conseils d'administration des grandes entreprises.

C. Les « managers » de carrière

La majorité des conseils d'administration des plus grosses sociétés par actions est formée des principaux propriétaires, des conseillers en matière juridique, financière ou autre et des administrateurs de carrière, des « managers ».

Les auteurs ne sont pas d'accord sur la définition des « managers ». Quelques-uns, comme Burnham, font plutôt référence à des officiers possédant des qualifications techniques particulières ; ce dernier n'y inclut pas les membres des conseils d'administration des compagnies. D'autres, comme Berle et Means, définissent comme « managers » les administrateurs. Dans ce qui suit, on entend par « managers » les membres des conseils d'administration et de direction qui sont arrivés à ces positions par suite d'une carrière au sein des compagnies. Cette définition exclut les administrateurs-propriétaires (membres de la famille ou du groupe qui contrôle la compagnie) et les administrateurs-conseillers dont l'occupation principale se situe en dehors de la compagnie.

Normalement, l'arrivée au conseil de direction ou d'administration d'une société par actions signifie pour un « manager » l'aboutissement d'une longue carrière professionnelle, souvent de vingt ou trente ans. Une fois nommé à la haute direction ou administration d'une compagnie, le « manager » peut être invité à faire partie du conseil d'administration d'autres sociétés à titre d'administrateur externe. Il n'en reste pas moins que son poste d'administrateur *interne*, au sein de la compagnie qui l'emploie à plein temps, est son occupation principale. Par exemple, Robert C. Scrivener, président du conseil de Bell Canada est entré dans cette compagnie en 1937. Pendant vingt-trois ans il occupa différents postes dans la société de téléphone ; il fut élu au conseil d'administration en 1960 et nommé président de la compagnie en 1968. Par la suite il fut appelé à siéger aux conseils d'administration de Power Corp., Sidbec, et de la Banque Canadienne Impériale de Commerce en tant qu'administrateur externe.

Mills, Porter et Clement s'accordent unanimement pour estimer que ces administrateurs professionnels doivent être assimilés à la classe propriétaire, aux *corporate rich,* à la bourgeoisie. L'argument sur lequel ils s'appuient est que, au cours de leur carrière, ces administrateurs achètent des actions de la compagnie qui les emploie et que, par conséquent, ils finissent par devenir, eux aussi, d'importants actionnaires. D'autres auteurs partagent cet avis. Menshikov[41] considère que de par leur salaire, leur portefeuille d'actions, leurs comptes de dépense et leurs avantages sociaux, les «top managers» doivent être considérés comme une partie subordonnée de la bourgeoisie monopoliste. Il présente des données qui démontrent que nombre de «managers», une fois arrivés au conseil d'administration de grosses sociétés américaines, sont devenus des millionnaires.

La question du contrôle des compagnies est toutefois fort différente. Les «managers» réussissent-ils à accumuler suffisamment d'actions de leurs compagnies pour se comparer aux principaux actionnaires, aux *corporate rich*? La réponse à cette question est catégoriquement négative, et ceci pour plusieurs raisons:

1. Le capital-actions des grandes entreprises publiques dépasse les capacités d'épargne de n'importe quel «manager», si bien payé soit-il.

2. S'il est vrai que les «managers» achètent des actions des compagnies qu'ils gèrent, il n'est pas toujours vrai qu'ils les conservent. Nombre d'entre eux achètent des actions de la société qui les emploie à des prix préférentiels, et ils revendent ensuite ces titres pour en tirer un gain de capital.

Menshikov partage ce point de vue:

> Nous avons analysé des données d'au-delà de cent des plus grandes entreprises américaines; nous y avons établi que, tout au moins pour les dernières dix années, il n'y a pas eu un seul cas d'un directeur salarié s'élevant au rang des principaux actionnaires. Dans de plus petites compagnies il y a eu de tels cas, mais même à ce niveau les exemples sont peu fréquents. Ainsi, il n'y a pas de changement radical en faveur des «managers» dans la structure de la propriété des actions[42].

On a établi un test du même genre que celui de Menshikov pour les compagnies dominantes de notre précédent chapitre. On y a enlevé évidemment les compagnies mutuelles d'assurance (sans capital-actions), et les filiales à 100% (où les «managers» ne peuvent détenir d'actions votantes). Ensuite, on a examiné les origines sociales et la carrière des administrateurs internes de chaque compagnie, pour identifier les «managers» de fonction. On n'a pas retenu comme «managers» professionnels:

A. Les avocats membres d'une firme juridique qui occupent des postes d'administrateur interne; par exemple, H.B. Rhude, président du Central & Eastern Trust et membre du bureau Stewart, Mackeen & Covert, de Halifax. Ces cas sont très peu nombreux.

B. Les consultants professionnels à qui il arrive d'occuper un poste d'administrateur interne dans une compagnie, comme, par exemple, J. Douglas Gibson, consultant financier indépendant et président du conseil d'administration de Consumers' Gas.

C. Les membres de la famille ou du groupe qui contrôlent la compagnie, par exemple, Isin Ivanier, président de Ivaco Industries ou John A. McGougald, président du conseil d'administration et président d'Argus Corporation.

Enfin, on a choisi parmi les «managers», ceux qui étaient les plus haut placés dans le conseil d'administration de chaque compagnie. Quand cela était possible on prenait le président du conseil d'administration et le président de la société; si ces postes n'existaient pas ou s'ils étaient occupés par des membres de la famille ou du groupe de contrôle on a pris le principal officier du conseil d'administration parmi les «managers»: vice-président du conseil d'administration, vice-président de la compagnie, etc. Ensuite l'on a calculé la valeur moyenne de 1975 des actions qu'il détenait selon la dernière déclaration faite avant décembre 1975 aux Commissions des valeurs mobilières de l'Ontario et du Québec.

L'Annexe III de ce chapitre présente les données ainsi élaborées. Les 154 administrateurs professionnels sont loin d'être pauvres. À vue d'œil il n'y a pas moins d'une dizaine de millionnaires. La valeur moyenne des actions détenues en décembre 1975 par les «managers» dans les compagnies qu'ils administrent est de $250 000. On peut certainement en conclure que les «managers» sont des gens riches. Tous ne mériteraient cependant pas d'être inclus dans la classe dominante. Et aucun parmi eux n'a accumulé suffisamment d'actions pour exercer un contrôle sur la compagnie qu'il dirige ou pour déloger le groupe ou la famille propriétaire. Voici par exemple neuf «managers» millionnaires et le pourcentage du vote qu'ils détiennent dans les compagnies qui les emploient.

TABLEAU XIX

Compagnie	Manager et % du vote		Détenteur du contrôle
Algoma Steel	D.S. Holbrook	0,7%	C.P.I. (51,1%)
Burns Food	A.J.E. Child	3,8%	R.H. Webster (32 à 42%)
Can. Corp. Management	V.N. Stock	2,7%	W.L. et D.L. Gordon, L. Bonnycastle et R.R. Rieger (20%)
Cdn. Tire Corp.	J.D. Muncaster	0,08%	Famille Billes (60,9%)
Consolidated-Bathurst	W.I.J. Turner Jr	1,2%	Power Corp. (38,1%)
Massey-Ferguson Ltd.	A.A. Thornbrough	0,3%	Argus Corp. (15,6%)
Moore Corp.	W.H. Browne	0,2%	Interne
	D.W. Barr	0,1%	Interne
The Seagram Co.	J. Yogman	0,09%	Famille Bronfman (32,6%)

Du tableau précédent on peut tirer la conclusion que même les «managers» les plus riches ou ceux qui ont accumulé le plus d'actions, et à la fin d'une longue carrière d'administrateur professionnel, ceux-ci sont loin de pouvoir se comparer aux *corporate rich*. De l'Annexe III on déduit que les «managers» avec des blocs d'actions qui valent entre 5 dollars et $4 000 000, avec une moyenne de $250 000, ne doivent pas être assimilés aux groupes ou aux familles qui détiennent le contrôle des grosses compagnies au moyen de blocs de titres valant entre $2 millions et $500 millions.

La question de savoir si ces «managers» appartiennent ou non à la bourgeoisie est différente. Ces derniers possèdent des qualifications précieuses et nécessaires pour que les groupes de contrôle conservent leur mainmise sur les compagnies. En conséquence, les administrateurs de carrière sont généreusement récompensés, sous forme de salaires, bonis, participation aux profits, plans d'options d'achat d'actions, etc. On ne possède pas d'information sur la rémunération des plus hauts administrateurs internes des grandes entreprises canadiennes en 1975. Les chiffres sont cependant disponibles pour les États-Unis. Les compagnies (manufacturières et non manufacturières) américaines dont les ventes vont de $300 à $500 millions, par conséquent avec des actifs légèrement supérieurs à $100 millions — le minimum des sociétés de notre liste — payaient en 1975 à leur chef de direction un salaire annuel de $191 000. Ce salaire incluait les bonis, participation aux profits et compensations différées, mais non les gains réalisés au moyen de l'achat d'actions à des prix préférentiels. Les compagnies les plus importantes, dont les ventes dépassaient les $5 milliards payaient un salaire annuel moyen de $416 000 à leur chef de direction[43]. Ces chiffres ne comprennent pas, bien entendu, les dividendes versés sur les investissements des «managers» en titres de la compagnie qu'ils dirigent. Sans en posséder la propriété juridique les «top managers» tirent des sociétés des revenus supérieurs à la contribution de leur force de travail. Ils peuvent en conséquence être classés au sein de la bourgeoisie, comme les théoriciens des élites le font, à condition de bien souligner: a) qu'ils en sont une fraction dépendante et subordonnée à cause de leur statut de salariés; b) qu'ils ne sont pas en mesure de disputer le contrôle aux groupes dominants de la bourgeoisie, assis sur la propriété légale; c) que leur position est le résultat d'une longue carrière occupationnelle et non de l'héritage; leur fonction, à la différence de ce qui se passe chez les membres dominants de la bourgeoisie, n'est donc pas transmissible automatiquement à leur descendance par voie successorale.

D. Les propriétaires et «managers» d'autres compagnies

Une catégorie spécifique de conseillers est celle des propriétaires et des «managers» d'autres compagnies qui sont invités à siéger au conseil d'administration d'une société qui n'est pas la leur, ou dont ils ne sont pas employés salariés. Dans la grande majorité des cas, ce type de conseillers possèdent peu d'actions des sociétés autres que la leur. L'exemple du conseil d'administration de Power Corp., en Annexe IV le montre bien. On y remarque A.F. Campo (président du conseil d'administration de Petrofina Canada), W.M. Fuller (de W. et A.P. Fuller), J.-P. Gignac (de Sidbec-Dosco), W.E. McLaughlin (de la Banque Royale), et R.C. Scrivener (de Bell Canada). Leur connaissance des milieux d'affaires dans différents secteurs de l'économie en fait des conseillers de choix. *Une bonne partie de l'échange d'administrateurs, qui attire tellement l'attention des théoriciens des élites, est due au fait que les capitalistes dominants dans chaque compagnie ainsi que les «top managers» sont appelés à conseiller sur celles des autres, côte à côte avec des avocats, des comptables, des experts en finance et des ingénieurs-conseils.*

Il y a deux types d'exceptions à cette règle générale. D'abord les propriétaires d'une compagnie qui sont des associés mineurs dans une autre. Ainsi par exemple D.G. Willmot principal actionnaire et administrateur de Jannock Corp. possède environ 10% des actions votantes de Molson Companies, qui est sous le contrôle de la famille Molson. Il y a par ailleurs des «top managers» d'une grosse compagnie qui contrôlent des sociétés plus petites. Mais aucune des deux situations ne se présente fréquemment.

Conclusion

La critique d'ensemble de la théorie des élites impliquerait des recherches dans de nombreuses directions différentes, et risquerait de mener cette étude très loin de son but premier. On a alors choisi d'attaquer l'un de ses principaux postulats du point de vue de l'analyse du contrôle des compagnies qui en découle: celui de l'unité interne et de l'homogénéité de l'élite économique.

On a constaté que bon nombre d'administrateurs externes des grandes entreprises sont de purs conseillers en matière juridique, financière, comptable ou technique. Ces conseillers ne possèdent pas beaucoup d'actions (80% d'entre eux en possèdent moins de $50 000 chacun, selon les cotes de 1975); ils sont rémunérés annuellement entre $3 000 et $8 000 au sein de chaque conseil d'administration dont ils font partie. Il est évident qu'ils ne participent pas au contrôle des compagnies dominantes, comme la théorie des élites l'affirme, et il est erroné de les classer comme membres de la bourgeoisie. Avec Lundberg et Smigel, on ne peut les considérer que comme des conseillers, des intellectuels au service des hommes d'affaires.

Les quelques «managers» de carrière qui accèdent au conseil d'administration des grandes sociétés, habituellement un à trois par société, sont d'importants propriétaires d'actions: en 1975 ils en détenaient une moyenne de $250 000 dans les plus grandes sociétés à contrôle canadien qui publient des données sur leur capital-actions. Par ailleurs, ils touchent des salaires fort respectables; aux États-Unis des compagnies équivalant à celles de notre liste payent à leur chef de direction entre $191 000 et $416 000 par année, compte non tenu des bénéfices qu'ils retirent des options d'achat d'actions. Si l'on additionne leur salaire, les dividendes qu'ils touchent de leur portefeuille et d'autres revenus, on peut en conclure qu'ils obtiennent certainement une tranche de plus-value. Mais ils n'ont pas accès au contrôle des sociétés et leur poste n'est pas transmissible par héritage. On peut les classer comme faisant partie d'un secteur subordonné de la bourgeoisie monopoliste avant une propriété économique, mais non juridique, des grandes entreprises.

Les théoriciens des élites se trompent en voulant assimiler tous les membres des conseils d'administration à une élite économique unie et homogène fondée sur la propriété. Le fait de confondre les gros actionnaires au contrôle des grandes compagnies, et leurs conseillers les conduit à de nombreuses bévues théoriques et pratiques. En particulier ils ne saisissent pas le rôle et la formation des intellectuels organiques de la grande bourgeoisie. Par ailleurs, si l'élite économique peut être partagée en deux grands groupes, celui des principaux actionnaires et celui des conseillers, on comprend alors pourquoi les théoriciens des élites font l'histoire de la bourgeoisie quand ils se réfèrent au passé, et/ou quand ils essayent de rendre moins abstraite leur élite économique. En dernière instance, c'est une interprétation erronée de la composition des conseils d'administration qui a amené Porter et Clement à les concevoir comme des unités homogènes et à mal les relier aux classes sociales.

NOTES DU CHAPITRE III

1. Entre autres: T. Bottomore, *Elites and Society*, Londres, C.A. Watts, 1964.

2. C.W. Mills, *The Power Elite*, New York, Oxford University Press, 1956. (Traduction française: l'*Élite du pouvoir*, Paris, Maspero, 1959).

3. T. Bottomore, *op. cit.*, p. 15-17.

4. R. Aron, «*Social Structure and the Ruling Class*» dans *British Journal of Sociology*, I (1), mars 1950, et I (2); juin 1950. — A. Downs, *An Economic Theory of Democracy*, New York, Harper, 1957.

5. C.W. Mills, *op. cit.*, p. 9.

6. *Ibid.*, p. 122.

7. *Ibid.*, p. 124.

8. *Ibid.*, p. 17.

9. R. Lynd, «Power in the United States» dans G.W. Domhoff et H.B. Ballard (édit.), *C.W. Mills and the Power Elite*, Boston, Beacon Press, 1968, p. 110.

10. F. Lundberg, *The Rich and the Super-rich*, New York, Bantam Books, 1968, p. 543.

11. *Ibid.*, p. 545-546.

12. P. Sweezy, «Power elite or ruling class» dans *Monthly Review*, New York, septembre 1956.

13. Mills, *op. cit.*, p. 232.

14. H. Brawerman, *Labor and Monopoly Capital*, New York, Monthly Review Press, 1974.

15. R. Miliband, *The State in Capitalist Society*, Londres, Wiedenfeld & Nicolson, 1969, p. 30. (Traduction française: l'*État dans la société capitaliste*, Paris, Maspero, 1969).

16. G.W. Domhoff, *Who Rules America?*, Englewood Cliffs, N.J., Prentice-Hall, 1967; *The Higher Circles*, New York, Vintage Books, 1971; *Fat cats and Democrats*, Englewood Cliffs, N.J., Prentice-Hall, 1972; «Some friendly answers to Radical Critics» dans *The Insurgent Sociologist*, Oregon, printemps 1972; «State and Ruling Class in Corporate America» dans *The Insurgent Sociologist*, Oregon, printemps 1974.

17. G.W. Domhoff, «State and Ruling class in Corporate America», p. 4.

18. Id., *Who Rules America?*, p. 50-57.

19. A. Gramsci, «la Formation des intellectuels» dans *Œuvres choisies*, Paris, Éd. Sociales, 1959, p. 429-430. [Le souligné, les guillemets et les parenthèses sont de Gramsci.]

20. J. Porter, «Elite Groups: a scheme for the study of power in Canada» dans *Canadian Journal of Economics and Political Science*, vol. XXI, no 4, 1955.

21. *Ibid.*, p. 507.

22. J. Porter, «Concentration of Economic Power and the Economic Elite in Canada» dans *Canadian Journal of Economics and Political Science,* vol. XXII, n⁰ 2, mai 1956.

23. C.A. Ashley, «Concentration of Economic Power» dans *Canadian Journal of Economics and Political Science,* vol. XXIII, n⁰ 1, février 1957.

24. J.L. Heap, «Conceptual, Theoretical and ethical problem in *The Vertical Mosaic*» dans J.L. Heap (édit.), *Everybody's Canada,* Toronto, Burns & MacEachen, 1974.

25. J. Porter, *The Vertical Mosaic,* Toronto, University of Toronto Press, 1965, p. 245.

26. *Ibid.,* p. 252.

27. W. Clement, *The Canadian Corporate Elite,* McClelland & Stewart, 1975, ch. 7 à 9.

28. Comité des dépenses électorales, *Rapport,* Ottawa, Imprimeur de la reine, 1966.

29. Voir D.N. Smith, *Who rules the Universities?,* New York, Monthly Review Press, 1974, p. 100 et suiv.

30. Voir R.L. Nelson, *The Investment Policies of Foundations,* New York, Russel Sage, 1967. W.A. Nielsen, *The Big Foundations,* New York, Columbia University Press, 1972. F. Lundberg, *op. cit.,* p. 476-478.

31. La Fondation W. Garfield Weston, administrée par des membres de la famille Weston, détient 84% des actions de Wittington Investments, qui à son tour possède 49,7% des actions de G. Weston Ltd. La Fondation Molson, administrée par des membres de la famille Molson, détient 15% des actions de Molson Companies. Selon P.C. Newman, la famille MacLean contrôle Canada Packers par l'intermédiaire de la fondation MacLean. Voir A. Arlett, *A Canadian Directory to Foundations,* A.U.C.C., Ottawa 1973; P.C. Newman, *The Canadian Establishment,* Toronto, McClelland and Stewart, 1975, p. 296.

32. W. Clement, *op. cit.*

33. *Ibid.,* p. 5 et 6.

34. *Ibid.,* p. 49.

35. *Ibid.,* p. 67.

36. *Ibid.,* p. 64.

37. E.D. Smigel, *The Wall Street Lawyer,* Bloomington, Indiana University Press, 1969, p. 203.

38. The Conference Board in Canada, *Stock options plans,* Ottawa, 1973.

39. The Conference Board in Canada, *Canadian Directorship Practices: compensation 1976,* Ottawa, 1976, p. IX.

40. F. Lundberg, «The Law Factories: brains of the status quo» dans *Harpers' Magazine,* New York, 1939, n⁰ 179, p. 190.

41. S. Menshikov, *Millionnaires and Managers,* Moscou, Progress Publishers, 1969, ch. III.

42. *Ibid.,* p. 111.

43. A. Young & Co., *Top Management Compensation,* New York, 1976, p. 15.

ANNEXES DU CHAPITRE III

ANNEXE I

Avocats-conseils, membres de conseils d'administration des compagnies dominantes à contrôle canadien

A. *Compagnies non reliées à des groupements*

Abitibi Paper:
John A. Tory: Tory, Tory, Deslauriers & Binnington (Tor.)
John P. Robarts: Stikeman, Elliot, Robarts & Bowman (Tor.)

Price Co. (filiale d'Abitibi Paper):
Roger Létourneau: Létourneau, Stein, Marseille, Délisle & LaRue (Qué.)
F.J. Ryan: Sterling, Ryan & Goodridge (St. John's, T.-N.)
E.D. Wilkinson: Russel & Du Moulin (Vancouver)

Acklands Ltd.: aucun

Alberta Gas Trunk Line:
P.L.P. Macdonnell: Milner & Steer (Edmonton)

Alcan Aluminium Ltd.: aucun

Allarco Developments: aucun

Block Bros Industries:
M. Koffman: Freeman & Co. (Vancouver)

Bombardier Ltd.: aucun

Bow Valley Industries:
W.A. Howard: Howard, Dixon, Forsyth (Calgary)

Bramalea Consolidated Dev.:
R.T. Clarkson: Weldon, Courtois, Clarkson, Parsons & Tétreault (Mtl)

Burns Food:
John P. Robarts: Stikeman, Elliott, Robarts & Bowman (Tor.)
J. Sedgwick: Seed, Long, Howard & Cook (Tor.)

Cadillac Fairview Corp.:
P.F. Vineberg: Phillips & Vineberg (Mtl)
E.A. Goodman: Goodman & Goodman (Tor.)

Calgary Power:
R.J. Pitt: Jones, Black & Co. (Calgary)
D.D. Duncan: Duncan & Craig (Edmonton)
R.G. Black: Jones, Black & Co. (Calgary)

Campeau Corp.:
F. Mercier: Stikeman, Elliott, Tamaki, Mercier & Robb (Mtl)
R.W. Macaulay: Macaulay & Perry (Tor.)

Canada Packers:
D.R. Harvey: McCarthy & McCarthy (Tor.)

Canada Permanent Mortgage Corp.:
R.D. Wilson: Faskell & Calvin (Tor.)
C.M. Strathy: Strathy, Archibald, Seagram & Cole (Tor.)
J.F. Perrett: Robertson, Lane, Perrett, Frankish & Estey (Tor.)
Hon. W.S. Owen (lieutenant-gouverneur de la Colombie-Britannique):
Owen, Bird (Vancouver)
G.F. Maclaren: Maclaren, Corlett & Tanner (Ottawa, Ont.)
T.E. Ladner: Ladner, Downs (Vancouver)
W.H. Jost: Burchell, Jost, Mac Adam & Gayman (Halifax)
J.H.C. Clarry: Mc Carthy & Mc Carthy (Tor.)
C.F.H. Carson: Tilley, Carson & Findlay (Tor.)
R.L. Beaulieu: Martineau, Walker, Allison, Beaulieu, Mackell &
Clermont (Mtl)

Canadian Corporate Management:
A.J. Mac Intosh: Blake, Cassels & Graydon (Tor.)

Canadian Tire Corporation:
R. Law: Blackwell, Law, Treadgold & Armstrong (Tor.)

Canron Ltd.:
J.G. Kirkpatrick: Ogilvy, Cope, Porteous, Montgomery, Renault,
Clarke & Kirkpatrick (Mtl.)

Central & Eastern Trust:
M.A. Savoie: Yeoman, Savoie, LeBlanc & DeWitt (Moncton)
G.B. Robertson: McInnes, Cooper & Robertson (Halifax)
I.C. Pink: I.C. Pink & Assoc. (Yarmouth, N.-Écosse)

L.O. Clarke: Patterson, Smith, Matthews & Grant (Truro, N.-Écosse)

G.C. Bingham: avocat (Moncton)

H.B. Rhude: Stewart, McKeen & Covert (Halifax)

J.E. Murphy: Murphy, & Mollins (Moncton)

City Savings & Trust Co.:

M. Koffman: Freeman & Co. (Vancouver)

J. Shoctor: Shortreed, Shoctor, Enright, Stevenson-Guille & Binder (Toronto)

Consumers' Gas:

W.H. Zimmerman et R.S. Paddon: Aird, Zimmerman & Berlis (Toronto)

D.E.B. Low: Low, Murchison, Burns, Thomas & Haydon (Ottawa)

R.H. Carley: Carley, Lech & Lightbody (Peterborough, Ontario)

Crown Life:

D. Mc K. Brown: Russell & Du Moulin (Vancouver)

Crown Trust:

M. Bruce: Manning, Bruce, Macdonald & Mc Intosh (Toronto)

Daon Development Corp.: aucun

Deltan Corp.:

D.A. Berlis: Aird, Zimmerman & Berlis (Toronto)

Denison Mines:

J.S. Elder et J.A. Mullin: Fraser & Beatty (Toronto)

Dominion Foundries & Steel Corp.: aucun

Dominion Textile:

D.R. Mc Master: Mc Master, Meighen, Minnion, Patch, Cordeau, Hyndman & Legge (Montréal)

Federal Industries:

J.B. Macaulay: Aikins, Macaulay & Thorvaldson (Winnipeg)

Finning Tractor & Equipment:

T.E. Ladner: Ladner, Downs (Vancouver)

First City Financial Corp.:

M. Koffman: Freeman & Co. (Vancouver)

J. Shoctor: Shortreed, Shoctor, Enright, Stevenson-Guille & Binder (Toronto)

Home Oil:

W.H. Zimmerman: Aird, Zimmerman & Berlis (Toronto)

R. St-Laurent: St-Laurent, Monast, Walters & Vallières (Québec)

P.L.P. Macdonnell: Milner & Steer (Edmonton)

W.F. James: James & Buffam (Toronto)

I.A.C. Ltd.:
R. St-Laurent: St-Laurent, Monast, Walters & Vallières (Québec)
F.M. Covert: Stewart, Mackeen & Covert (Halifax)
E.J. Courtois: Weldon, Courtois, Clarkson, Parsons & Tétreault (Montréal)

Inco Ltd.:
R.W. Bonner: Bonner & Fouks (Vancouver)

Ivaco Industries:
H.B. Mc Nally: Byers, Casgrain & Stewart (Montréal)

Jannock Corp.:
L.Y. Fortier: Ogilvy, Cope, Porteous, Montgomery, Renault, Clarke & Kirkpatrick (Mtl.)

M. Loeb & Co.:
H. Soloway et M. Wright: Soloway, Wright, Houston, Greenberg, O'grady & Morin (Ottawa)

Maclaren Power & Paper:
G.F. Maclaren: Maclaren, Corlett & Tanner (Ottawa)

McLean-Hunter Ltd.: aucun

S.B. Mc Laughlin Assoc.:
James D. Tory: Tory, Tory, Deslauriers & Binnington (Toronto)

Molson Companies:
R. Létourneau: Létourneau, Stein, Marseille, Delisle & LaRue (Québec)
T.E. Ladner: Ladner, Downs (Vancouver)
F.M. Covert: Stewart, Mackeen & Covert (Halifax)
J.B. Aird: Aird, Zimmerman & Berlis (Toronto)

Moore Corp.: aucun

National Trust Co.:
H.A. Martin: Martin & Martin (Hamilton)
R.T. Clarkson: Weldon, Courtois, Clarkson, Parsons & Tétreault (Montréal)

Neonex International:
M.D. Eastern: Harper, Grey, Eastern & Co. (Vancouver)

Newfoundland Light & Power:
D.C. Hunt: Halley, Hickman, Hunt, Adams, Steele, Carter, Martin, Whelan & Heemebury (St. John's, T.-N.)

Norcen Energy Resources:
R.B. Love: Mcleod, Dixon (Calgary)
F.A.M. Huycke: Osler, Hoskin & Harcourt (Toronto)

E.J. Courtois: Weldon, Courtois, Clarkson, Parsons & Tétreault (Montréal)

Gaz Métropolitain (filiale de *Norcen Energy Resources*):
E.J. Courtois: Weldon, Courtois, Clarkson, Parsons & Tétreault (Montréal)
W. Bhérer: Bhérer, Bernier, Côté, Ouellett, Dionne, Houle & Morin (Québec)

Nu West Development Corp.:
H. Field: Field, Owen (Edmonton)

Carma Developers (filiale de *Nu West Development Corp.*)
S.H. Wood: Mackimmie, Matthews (Calgary)

Oshawa Group:
A. Shiffrin et L.B. White: Shiffrin, White & Spring (Toronto)

Orlando Corp.:
A. Page et A. Magerman: Magerman & Page (Downsview Ontario)

Oxford Development Group: aucun

Prenor Group:
R.M. Ivey: Ivey & Dowler (London, Ontario)
J. Tétreault: Weldon, Courtois, Clarkson, Parsons & Tétreault (Montréal)

Royal Trust:
Hon. M. Riel (sénateur): Riel, Vermette, Ryan, Dunton & Ciaccia (Montréal)
Hon. G. Marler: Mc Lean, Marler, Tees, Watson, Poitevin, Javet & Roberge (Montréal)
F.M. Fell: Faskell & Calvin (Tor.)
D.N. Byers: Byers, Casgrain & Stewart (Mtl)
R.J. Balfour (M.P.): Balfour, Moss, Milliken, Laschuk, Kyle, Vancisse & Camiron (Régina)

H. Russell Ltd.:
J.D. Reilly: Hill, Friend & Reilly (Tor.)

The Seagram Co.:
Hon. L. Gélinas (sénateur): Geoffrion, Robert & Gélinas (Mtl)
P.F. Vineberg: Phillips & Vineberg (Mtl)

Simpson's Ltd.:
James M. Tory: Tory, Tory, Deslauriers, & Binnington (Tor.)

Simpsons Sears Ltd. (filiale de *Simpson's Ltd.*):
James M. Tory: Tory, Tory, Deslauriers & Binnington (Tor.)

Southam Press:
G. Pouliot: Pouliot, Dion & Guilbault (Mtl)
B.B. Osler: Blake, Cassels & Graydon (Tor.)
G.L. Crawford: McLaws & Co. (Calgary)

Stelco:
D.R. Mc Master: Mc Master, Meighen, Minnion, Patch, Cordeau, Hyndman & Legge (Mtl)
A.J. Mc Intosh: Blake, Cassels & Graydon (Tor.)

Steinberg's Ltd.:
L. Phillips: Phillips & Vineberg (Mtl)

Trust Général du Canada:
Hon. Édouard Asselin: avocat (Mtl)
L. Sirois: Sirois & Tremblay (Qué.)
I.C. Pollack: Létourneau, Stein, Marseille, Delisle & LaRue (Qué.)
M. Piché: Blain, Piché, Godbout, Emery & Blain (Mtl)
D.O. Doheny: Doheny, Mackenzie, Grivaker, Gervais & Lemoyne (Mtl)

Unicorp Financial Corp.: aucun

Union Gas:
D.J. Wright: Lang, Michener, Cranston, Farquharson & Wright (Toronto)

United Grain: aucun

United Trust:
B. Shinder: Goldbert, Shinder, Shmelzer, Gardner & Kronick (Ottawa)
H. Solway et E.A. Goodman: Goodman & Goodman (Toronto)

Hiram Walker-Gooderham & Worts:
J. Jeffery: Jeffery & Jeffery (London, Ontario)
F.C. Cope: Ogilvy, Cope, Porteous, Montgomery, Renault, Clarke & Kirkpatrick (Mtl)

Westburne International Industries:
F.R. Matthews: Mackimmie, Matthews (Calgary)

United Westburne Industries (filiale de *Westburne Int. Industries*):
F.R. Matthews: Mackimmie, Matthews (Calgary)

G. Weston Ltd.: aucun
Kelly, Douglas & Co. (filiale de *G. Weston Co.*)
C.N. Wills: Farris, Vaughan, Wills & Murphy (Vancouver)

Woodward Stores:
R.A. White: avocat (Vancouver)

B. *Compagnies faisant partie de groupements*

Power Corp.:
W. Bhérer: Bhérer, Bernier, Côté, Ouellett, Dionne, Houle & Morin (Québec)
P. Genest: Cassels, Brock (Toronto)
C. Pratte: Létourneau, Stein, Marseille, Delisle, LaRue (Québec)
Hon. J.P. Robarts: Stikeman, Elliott, Robarts & Bowman (Toronto)
Consolidated-Bathurst (filiale de *Power Corp.*):
Hon. J.B. Aird: Aird, Zimmerman & Berlis (Toronto)
R.E. Morrow: Ogilvy, Cope, Porteous, Montgomery, Renault, Clarke & Kirkpatrick (Mtl)
Dominion Glass Co. (filiale de *Consolidated-Bathurst*):
Hon. J.B. Aird: Aird, Zimmerman & Berlis (Toronto)
Canada Steamship Lines (filiale de *Power Corp.*):
W. Bhérer: Bhérer, Bernier, Côté, Ouellett, Dionne, Houle & Morin (Qué.)
Hon. J.P. Robarts: Stikeman, Elliott, Robarts & Bowman (Tor.)
Imperial Life Ass. (filiale de *Power Corp.*):
J.G. Porteous: Ogilvy, Cope, Porteous, Montgomery, Renault, Clarke & Kirkpatrick (Mlt)
R. St-Laurent: St-Laurent, Monast, Walters & Vallières (Qué.)
Laurentide Financial Corp. (filiale de *Power Corp.*): aucun
Investors Group (filiale de *Power Corp.*): aucun

Montreal Trust (filiale d'*Investors Group*):
M.S. Hannon: Ogilvy, Cope, Porteous, Montgomery, Renault, Clarke & Kirkpatrick (Mtl)
D.A. Berlis: Aird, Zimmerman & Berlis (Tor.)
K.H. Brown: Lafleur & Brown (Mtl)
Hon. J.M. Godfrey: Campbell, Godfrey & Lewtas (Tor.)
Hon. J. Lesage: Howard, Mc Dougall, Ewasew, Graham & Stocks (Mtl)
R. de W. Mackay: Duquet, Mackay, Weldon & Bronstetter (Mtl)
J.W.E. Mingo: Stewart, Mackeen & Covert (Halifax)
A.E. Shepherd: Shepherd, Mackenzie, Plaxton, Little & Jenkins (London, Ont.)
Hon. W. Owen: Owen, Bird (Vancouver)

Great West Life Ass. (filiale d'*Investors Group*):
J.B. Macaulay: Aikins, Macaulay & Thorvaldson (Winnipeg)

Argus Corporation:
D.A. Mc Intosh: Fraser & Beatty (Tor.)

B.C. Forest Products (filiale d'*Argus Corp.* et de *Noranda Mines*):
D.C. Davenport: Bourne, Lyall, Davenport & Spencer (Vancouver)
O.F. Lundell: Lawson, Lundell, Lawson & Mc Intosh (Vancouver)

Hollinger Mines (filiale d'*Argus Corp.*):
Hon. Édouard Asselin: avocat (Mtl)

Noranda Mines (filiales de *Hollinger Mines*):
A. Monast: St Laurent, Monast, Walters & Vallières (Qué.)

Placer Development (filiale de *Noranda Mines*): aucun

Brunswick Mining & Smelting (filiale de *Noranda Mines*):
A. Monast: St Laurent, Monast, Walters & Vallières (Qué.)

Mattagami Lake Mines (filiale de *Noranda Mines* et de *Placer Dev.*):
R. Létourneau: Létourneau, Stein, Marseille, Delisle & LaRue (Qué.)

Fraser Companies (filiale de *Noranda Mines*): aucun

Domtar Ltd. (filiale d'*Argus Corp.*):
R. Létourneau: Létourneau, Stein, Marseille, Delisle & LaRue (Qué.)
J.G. Kirkpatrick: Ogilvy, Cope, Porteous, Montgomery, Renault,
Clarke & Kirkpatrick (Mtl)

Dominion Stores (filiale d'*Argus Corp.*):
A. Monast: St Laurent, Monast, Walters & Vallières (Qué.)

Massey Ferguson Ltd. (filiale d'*Argus Corp.*): aucun

Gaspé Copper Mines (filiale de *Noranda Mines*):
A. Monast: St Laurent, Monast, Walters & Vallières (Qué.)

Brascan Ltd.:
A.J. Mac Intosh: Blake, Cassels & Graydon (Tor.)
B. Matthews: Mc Carthy & Mc Carthy (Tor.)

Commerce Capital Corp. (filiale de *Brascan Ltd.*):
R.H.E. Walker: Martineau, Walker, Allison, Beaulieu, Mackell &
Clermont (Mtl)
R.B. Love: Macleod, Dixon (Calgary)

Farmers & Merchants Trust (filiale de *Commerce Capital Corp.*):
D.P. Hays et R.B. Love: Macleod, Dixon (Calgary)

J. Labatt (filiale de *Brascan Ltd.*):
A.J. Mac Intosh: Blake, Cassels & Graydon (Tor.)
J.D. Harrison: Harrison, Elmwood (London, Ont.)
E.A. Goodman: Goodman & Goodman (Tor.)

Hudson's Bay Co. (filiale de *Brascan Ltd.*):
A.J. Mac Intosh: Blake, Cassels & Graydon (Tor.)
G.R. Hunter: Pitblado & Oskin (Winnipeg)

Ogilvie Mills (filiale de *J. Labatt*):
E.A. Goodman: Goodman & Goodman (Tor.)

Markborough Properties (filiale d'*Hudson's Bay Co.*):
A.J. Mac Intosh: Blake, Cassels & Graydon (Tor.)

E.-L. Financial Corp.:
Hon. R. Michener: Lang, Michener, Cranston, Farquharson & Wright (Tor.)

Victoria & Grey Trust (filiale de *E.-L. Financial Corp.*):
G.E. Wallace: Wallace & Carr (North Bay, Ont.)
J.F. Reesor: Mewburn, Marshall & Reesor (Hamilton, Ont.)
D.J. Murphy: Domelly & Murphy (Goderich, Ont.)
R.N. Mc Laughlin et R.H. Soward: Mc Laughlin, May, Soward, Morden & Bales (Tor.)
W.A. Macdonald: Mc Millan, Binch (Tor.)
Hon. W.E. Harris : Harris & Dunlop (Markdale, Ont.)
W.C. Hamilton: Kearns, Mc Kinnon, Gifford, Hamilton & Bean (Guelph, Ont.)
J.W. Graham: Payton, Biggs & Graham (Tor.)
J.R. Anderson: Anderson, Neilson, Bell, Dilks, Misener, Skinner & Anderson (Stratford, Ont.)

Canadian General Investments:
T.R. Meighen: Mc Master, Meighen, Minnion, Patch, Cordeau, Hindman & Legge (Mtl)

Huron & Eric Mortgage Corp. (filiale de *Can. General Investments*):
J.D. Harrison: Harrison, Elmwood (London, Ont.)

Canadian Pacific Ltd.:
C. Pratte: Létourneau, Stein, Marseille, Delisle & LaRue (Qué.)
A. Findlay: Tilley, Carson & Findlay (Tor.)

C.P. Investments (filiale de *C.P. Ltd.*): aucun

C.P. Air (filiale de *C.P. Ltd.*):
J.:B. Hamilton: Hamilton, Torrance, Stinson, Campbell, Nobbs & Woods (Tor.)

Trans Canada Pipelines (filiale de *C.P. Ltd.*):
B. Matthews: Mc Carthy & Mc Carthy (Tor.)
J.R. Tolmie: Herridge, Tolmie, Gray, Coyne & Blair (Ottawa)

Cominco (filiale de *C.P. Investments*):
D.R. Mc Master: Mc Master, Meighen, Minnion, Patch, Cordeau, Hyndman & Legge (Mtl)
R.A. Mackimmie: Mackimmie, Matthews (Calgary)
Great Lakes Paper (filiale de *C.P.I.*): aucun
Algoma Steel Corp. (filiale de *C.P.I.*):
R. Dunn: Mc Millan, Binch (Tor.)
Dominion Bridge (filiale d'*Algoma Steel*):
J. Angus Ogilvy: Ogilvy, Cope, Porteous, Montgomery, Renault, Clarke & Kirkpatrick (Mtl)
Pan Canadian Petroleum (filiale de *C.P.I.*): aucun
Mac Millan Bloedel (filiale de *C.P.I.*): aucun
Bell Canada:
Hon. J.P. Robarts: Stikeman, Elliott, Robarts & Bowman (Tor.)
D. Mc Innes: Mc Innes, Cooper & Robertson (Halifax)
E.N. Mckelvey: Mckelvey, Macaulay, Machum & Fairweather (St. John's, T.-N.)

Northern Electric (filiale de *Bell Canada*):
J.A. Ogilvy: Ogilvy, Cope, Porteous, Montgomery, Renault, Clarke & Kirkpatrick (Mtl)
G. de L. Demers: Lesage, Demers, Lesage & Brochu (Qué.)
New Brunswick Telephone (filiale de *Bell Canada*):
A.R. Landry: Landry, Brisson & Leblanc (Moncton)
Maritime Telegraph & Telephone (filiale de *Bell Canada*):
G.C. Piercey: Daley, Black, Moreira & Piercey (Halifax)
Newfoundland Telephone Co. (filiale de *Bell Canada*):
F.A. O'Dea: O'Dea, Greene, Neary & Puddester (St. John's, T.-N.)
Trader's Group (filiale de *Cdn. General Securities*):
D.A. Mc Intosh: Fraser & Beatty (Tor.)
J.W. Mc Cutcheon: Shibley, Righton & Mc Cutcheon (Tor.)
Guaranty Trust (filiale de *Traders Group*):
A.F. Sheppard: Martin, Sheppard, Clark, Mckay & DenOuden (Niagara Falls, Ont.)
W.J. Shea: Shea, Weaver & Simmons (Sudbury, Ont.)
J.W. Mc Cutcheon: Shibley, Righton & Mc Cutcheon (Tor.)
J.P. Bassel: Bassel, Sullivan, Lawson & Leake (Tor.)

C. *Compagnies privées et sans capital-actions*

Canada Life Assurance:

E.J. Courtois: Weldon, Courtois, Clarkson, Parsons, Tétreault (Montréal)
B. Matthews: McCartly & McCartly (Toronto)

Confederation Life:

T.E. Ladner: Ladner, Downs (Vancouver)
D.A. McIntosh: Fraser & Beatty (Tor.)
HCF Mockridge: Osler, Hoskin & Harcourt (Tor.)
A. Monast: St-Laurent, Monast, Walters & Vallières (Qué.)

T. Eaton Acceptance Co.: aucun avocat

T. Eaton Co.: aucun avocat

T. Eaton Realty: aucun avocat

F.P. Publications Ltd.:

J. Sedgwick: Seed, Long, Howard, Cook & Caswell (Tor.)

Irving Oil: aucun avocat

Kruger Pulp & Paper: aucun avocat

London Life Insurance Co.:

J. Jeffery, G.D. Jeffery, A.H. Jeffery: Jeffery & Jeffery (London, Ont.)

Manufacturers Life Insurance Co.:

L.Y. Fortier: Ogilvy, Cope, Porteous, Montgomery, Renault, Clarke & Kirkpatrick (Mtl)
CFH Carson: Tilley, Carson & Findlay (Tor.)

Mutual Life Assurance Co.:

E. Fiset: Fiset, Miller (Mtl)

North American Life Assurance Co.:

P.L.P. Macdonnell: Milner & Steer (Edmonton)

Sun Life Assurance Co. of Canada:

John A. Tory: Tory, Tory, Deslauriers & Bimmington (Tor.)
F.M. Covert: Stewart, Mckeen & Covert (Halifax)

Wood, Gundy & Co.: aucun avocat

Sources: *F.P. Directory of Directors*, 1976. *Martindale-Hubbell Law Directory*, 1976.

ANNEXE II

Consultants financiers, comptables et techniques dans les c.a. des compagnies dominantes

Compagnies	Consultants	Firmes de consultants, courtiers ou autre
Abitibi Paper	N.J. Mc Millan	Consultant à son compte
Acklands Ltd.	D.E. Boxer	*Burns Bros & Denton*
Algoma Steel	J.B. Barrington	Ingénieur conseil à son compte
Bell Canada	J.D. Gibson	Consultant financier à son compte
Bombardier Ltd.	J.N. Cole	Vice-prés. c.a.: *Wood Gundy & Co. Ltd.*
Bow Valley Ind.	D.L. Sinclair	Consultant financier à son compte
Brascan Ltd.	J.H. A'Court	Consultant financier
Brunswick M.S.	J.A. Mc Murray	Partenaire: *Richardson Securities*
Calgary Power	A.S. Gordon	Consultant: *Merrill Lynch Royal Sec.*
	J.H. Coleman	*JHC Financial Consultants*
Canada Perm. Mortgage	G.L. Jennison	Consultant financier (*Wills, Bickle & Co.*)
	H.H. Mackay	*Pitfield, Mackay, Ross & Co.*
	C.F.W. Burns	*Burns Bros & Denton*
Cdn. Gral Investments	J.B. Barrington	Ingénieur-conseil à son compte

Compagnies	Consultants	Firmes de consultants, courtiers ou autre
C.P. Investments	S.E. Nixon	Consultant finandier, *Dom. Sec. Corp. Harris & Partners*
Canron Ltd.	C.L. Gundy	*Wood Gundy & Co.*
	J.S. Dinnick	Prés. hon. du c.a., *Mcleod Young Weir & Co.*
Central & Eastern Trust	W.W. Blackie	Consultant en comptabilité
Cominco	S.E. Nixon	Consultant financier, *Dominion Securities*
Consol Bathurst	A.D. Nesbitt	*Nesbitt Thomson & Co.*
Consumers' Gas	D.B. Mansur	Consultant en comptabilité à son compte
	J.D. Gibson	Consultant financier à son compte
Crown Life	C.F.W. Burns	
	H.M. Burns	*Burns Bros & Denton*
Daon Dev. Corp.	W.J. Corcoran	Vice-prés. exéc. *Mcleod Young Weir & Co.*
Denison Mines	C.F.W. Burns	*Burns Bros & Denton*
Dofasco	H.N. Bawden	Adm.: *Dominion Sec. Corp. Harris*
E.-L. Financial Corp.	Hon. L.P. Beaubien	*Lévesque, Beaubien Inc.*
Federal Industries	G. Aitken	*Aitken Management Consultants Ltd.*
Finning Tractor	J.R. LeMesurier	Vice-prés.: *Wood Gundy & Co.*
Fraser Comp	D.J. Henniger	*Burns Bros & Denton*
Great West Life	J.H. Coleman	*J.H.C. Financial Consultants*
Guaranty Trust	D.I. Webb	Consultant financier
Home Oil	J.D. Gibson	Consultant financier
Hudson's Bay Co.	W.D.C. Mackenzie	*W.D.C. Mackenzie Consultants Ltd.*

Compagnies	Consultants	Firmes de consultants, courtiers ou autre
I.A.C. Ltd.	P. Kilburn	Prés. du c.a., *Greenshields Inc.*
Imperial Life	J.D. Gibson	Consultant financier
Ivaco Industries	A.S. Gordon	Consultant financier
Laurentide Financial Corp.	W.Y. Soper	*Pitfield, Mackay, Ross & Co.*
S.B. Mc Laughlin Ass.	J.G. Davies	*A.C. Ames & Co.*
Maritime Telegraph & Telephone	P.J. Smith	Consultant financier
Massey-Ferguson	C.L. Gundy	*Wood Gundy & Co.*
Moore Corp.	J.D. Gibson	Consultant financier
National Trust	J.K. Godin	Ingénieur-conseil
	J.D. Gibson	Consultant financier
	J.R. Beattie	Consultant économique et financier
	J.D. Barrington	Ingénieur-conseil
Newfoundland Light & Power	A.S. Gordon	Consultant financier
Norcen Energy Resources	J.I. Crookston	Prés. du c.a.: *Nesbitt Thomson & Co.*
Northern Electric	J.D. Gibson	Consultant financier
Ogilvie Mills	P. Bienvenu	Consultant financier
Orlando Corp.	R.M. Hanbury	Consultant financier
Placer Development	H.R. Whitthall	Partenaire gérant adjoint: *Richardson Securities of Canada*
Power Corp.	A.D. Nesbitt	Nesbitt Thomson & Co.
Prenor Group	G.H. Garneau	Adm.: *Burns Bros & Denton*
Price Co.	A.S. Gordon	Consultant financier
	N.J. McMillan	Consultant à son compte
The Seagram Co.	C.E. Medland	Prés. *Wood Gundy & Co. Ltd.*
Simpsons Ltd.	J.M.G. Scott	*Wood Gundy & Co. Ltd.*
Stelco	J.D. Gibson	Consultant financier

Compagnies	Consultants	Firmes de consultants, courtiers ou autre
Steinberg's Ltd.	A. Charron	*Lévesque, Beaubien, Inc.*
Traders Group	D.I. Webb	Consultant financier
Trans Canada Pipelines	J.H. Coleman	*J.H.C. Financial Consultants*
United Westburne Industries	D.N. Stoker	Vice-prés.: *Nesbitt,* Thomson & Co.
Westburne International Industries	D.N. Stoker	Vice-prés.: *Nesbitt,* *Thomson & Co. Ltd.*
	J.H. Coleman	*J.H.C. Financial Consultants*

Source: Financial Post Directory of Directors, 1976.

ANNEXE III

Managers professionnels
parmi les principaux administrateurs internes
des compagnies dominantes

Compagnies	Administrateurs	Postes
Abitibi Paper	T.S. Bell	Prés. du c.a.
	C.H. Rosier	Prés.
Acklands Ltd.	G. Forzley	Vice-prés.
Alberta Gas Trunk	H.J. Pearson	Prés. du c.a.
	S.R. Blair	**Prés.**
Alcan Aluminium	P. Leman	Prés.
Algoma Steel	D.S. Holbrook	Prés. du c.a.
	J.B. Barber	Vice-prés. du c.a.
Allarco Developments	M. Klimove	Vice-prés.
Argus Corp.	J.N. Swiden	Gen. Manager
Bell Canada	R.C. Scrivener	Prés. du c.a.
	A.J. de Grandpré	Prés.
Block Bros. Ind.	N.E. Sawatzky	Vice-prés.
Bombardier Ltée	J.C. Hébert	Prés. du c.a.
Bow Valley Ind.	H.H. Binney	Sr. Vice-prés.
Bramalea Cons. Dev.	M.I. Speigel	Vice-prés.
Brascan Ltd.	E.C. Freeman Atwood	Vice-prés. exéc.
B.C. Forest Products	A. Powis	Prés. du c.a.
	I.A. Barclay	Prés.
Brunswick M&S	W.G. Brissenden	Prés. du c.a.
	M.E. Taschereau	Prés.
Burns Food	A.J.E. Child	Prés.
Cadillac Fairview Corp.	N.R. Wood	Prés.

Compagnies	Administrateurs	Postes
Calgary Power	A.W. Howard	Prés. du c.a.
	M.M. Williams	Prés.
Campeau Corp.	R.B. McCartney	Prés.
Canada Packers	G.H. Dickson	Vice-prés. exéc.
Can. Perm. Mortgage	D.G. Neelands	Prés. du c.a.
Corp.	E.J. Brown	Prés.
Cdn Corp. Management	V.N. Stock	Prés.
Cdn Gral Investment	A.E. Barron	Prés.
C.P. Investments	I.D. Sinclair	Prés. du c.a.
	W. Moodie	Prés.
C.P. Ltd.	I.D. Sinclair	Prés. du c.a.
	F.S. Burbidge	Prés.
Cdn Tire Corp.	A.E. Barron	Prés. du c.a.
	J.O. Muncaster	Prés.
Canron Ltd.	H.S. Lang	Prés. du c.a.
	C.S. Malone	Prés.
Carma Developers	R.J. Wilson	Prés. du c.a.
Central & Eastern Trust	H.P. Connor	Prés. du c.a.
City Savings & Trust Co.	—	—
Cominco	F.E. Burnett	Prés. du c.a.
	G.H.D. Hobbs	Prés.
Commerce Capital	J.B. Whitely	Prés.
Corp.	T.L. Charne	Vice-prés.
Consol. Bathurst	R.A. Irwin	Prés. du c.a.
	W.I.M. Turner Jr	Prés.
Consumers' Gas	J.C. McCarthy	Vice-prés. du c.a.
	G.E. Creber	Prés.
Crown Life Ins.	A.F. Williams	Vice-prés. du c.a.
	R.C. Dowsett	Prés.
Crown Trust	H.F. Kerrigan	Prés.
Daon Development	N.E. Cressey	Vice-prés.
Corp.		
Deltan Corp.	K.A. Mackenzie	Prés.
Denison Mines	J. Kostiuk	Prés.

Compagnies	Administrateurs	Postes
Dofasco	R.R. Craig	Vice-prés. exéc.
Dominion Bridge	M. McMurray	Prés. du c.a.
	K.S. Barclay	Prés.
Dominion Glass	W.I.M. Turner Jr	Prés. du c.a.
	E.A. Thompson	Prés.
Dominion Stores	T.G. Bolton	Prés.
Dominion Textile	R.H. Perowne	Prés. du c.a.
	T.R. Bell	Prés.
Domtar	A.D. Hamilton	Prés.
E.-L. Financial Corp.	K.G. Hutchisson	Prés.
Farmers & Merchants	J.B. Whitely	Prés. du c.a.
Trust	D.A. Ross	Prés.
Federal Industries	—	—
Finning Tractor	R.E. Lane	Prés.
First City Financial Corp.	—	—
Fraser Companies	A.H. Zimmerman	Prés. du c.a.
	C.R. Recor	Prés.
Gaspé Copper Mines	W.G. Brissenden	Prés.
Gaz Métropolitain	A.E. Sharp	Prés.
Great Lakes Paper	P.M. Fox	Prés. du c.a.
	C.J. Carter	Prés.
Great West Life Ass.	P.P. Curry	Prés. du c.a.
	J.W. Burns	Prés.
Guaranty Trust	A.R. Marchment	Prés.
Hollinger Mines	A.L. Fairley	Prés.
Home Oil	A.G.S. Griffin	Prés. du c.a.
	R.F. Phillips	Prés.
Hudson Bay Co.	D.S. McGiverin	Prés.
Huron & Erie Mortgage Corp.	A.H. Mingay	Prés.
I.A.C. Ltd.	K.H. Macdonald	Prés. du c.a.
	J.S. Land	Prés.
Imperial Life Ass.	A.R. Poyntz	Prés. du c.a.
	G.K. Fox	Prés.

Compagnies	Administrateurs	Postes
Inco Ltd.	L.E. Grubb	Prés. du c.a.
	J.E. Carter	Prés.
Investors Group	P.D. Curry	Prés. du c.a.
	R.H. Jones	Prés.
Ivaco Industries	—	—
Jannock Corp.	—	—
Kelly Douglas & Co.	R.J. Addington	Prés.
J. Labatt Ltd.	P.N.T. Widdrington	Prés.
Laurentide Financial Corp.	P.O. Curry	Prés. du c.a.
	E.M. Lindberg	Prés.
M. Loeb Co.	F. Warnock	Prés.
Maclaren Power & Paper	J.S. Hermon	Prés.
Macmillan-Bloedell	G.B. Currie	Prés. du c.a.
	D.W. Timmis	Prés.
Maclean Hunter	D.G. Campbell	Prés.
Maritime Tel & tel.	A.G. Archibald	Prés. du c.a.
Markborough Properties Ltd.	B.R.B. Magee	Prés. du c.a.
Massey-Ferguson	A.A. Thornbrough	Prés.
Mattagami Lake Mines	W.S. Row	Prés. du c.a.
	J.A. Hall	Prés.
S.B. McLaughlin Assoc.	E.A. Kirk	V.p. finance
Molson Companies	J.T. Black	Prés.
Montreal Trust	P.B. Paine	Prés. du c.a.
Moore Corp.	W.H. Browne	Prés. du c.a.
	D.W. Barr	Prés.
National Trust	J.G. Hungerford	Prés. du c.a.
	J.L.A. Colhoun	Prés.
Neonex International	F.W. Vanstone	Vice-prés.
New Brunswick Telephone	K.V. Cox	finances
Nfld Light & Power	D. Stairs	Prés. du c.a.
	A. Bailey	Prés.
Nlfd. Telephone	L.H.M. Ayre	Prés. du c.a.
	A.A. Brait	Prés.

Compagnies	Administrateurs	Postes
Noranda Mines	W.S. Row	Prés. du c.a.
	A. Powis	Prés.
Norcen Energy	E.C. Bovey	Prés. du c.a.
Resources	E.G. Battle	Prés.
Northern Electric	J.C. Lobb	Prés. du c.a.
	W.F. Light	Prés.
Nu West Development Corp.	M.R. Gerla	Vice-prés.
Ogilvie Mills	J.W. Tait	Prés.
Orlando Corp.	S. Craig	Vice-prés. exéc.
Oshawa Group	W.L. Atkinsons	Vice-prés. exéc.
Oxford Dev. Group	—	—
Pan Canadian	R.W. Campbell	Prés. du c.a.
Petroleum	J.M. Taylor	Prés.
Placer Development	T.H. McClelland	Prés. du c.a.
	R.G. Duthie	Prés.
Power Corp.	P.D. Curry	Prés.
Prenor Group	S. Rocheleau	Vice-prés. exéc.
Price Co.	T.R. Moore	Prés. du c.a.
	C.R. Tittemore	Prés.
Royal Trust	C.F. Harrington	Prés. du c.a.
	D.A. White	Prés.
Hugh Russel Ltd.	J.P. Foster	Prés.
The Seagram Co.	J. Yogman	Vice-prés. exéc.
Simpson's Ltd.	C.B. Stewart	Prés.
Southam Press	R. Munro	Vice-prés.
Stelco	H.M. Griffith	Prés. du c.a.
	J.P. Gordon	Prés.
Steinberg's Ltd.	—	—
Traders Group	H.E. Dynes	Prés.
TransCanada	J.W. Keer	Prés. du c.a.
Pipelines	G.W. Woods	Prés.
Trust Général du Canada	R. Jussaume	Prés.

Compagnies	Administrateurs	Postes
Unicorp. Financial Corp.	—	—
Union Gas Co.	—	—
United Trust Co.	V.E. Daughney	Prés.
United Westburne Ind.	L. Cornez	Prés.
Victorie and Grey Trust	C.F. Fleming	Vice-prés. du c.a.
Hiram Walker	—	—
Gooderham & Worts	P.G. Kidd	Vice-prés. Senior
Westburne Int. Industries	W.S. Zaruby	Prés.
G. Weston	M. Hoffman	Vice-prés. Senior
Woodward Stores	C.R. Clarridge	Prés.

Sources: Ontario Securities Commission *Monthly Bulletin.* Commission des valeurs mobilières du Québec: *Rapport hebdomadaire. Financial Post Survey of Industrials, F.P. Survey of Oils, F.P. Survey of Mines* et *Moody's Bank & Finance Manual,* tous pour 1976 (données 1975). *F.P. Directory of Directors,* 1976. *Canadian Who's who,* 1974-75. *Who's who in Canada,* 1975-76. *National Reference Book,* 1967-1968.

ANNEXE IV

Power Corporation of Canada
Extrait de la circulaire de procuration *

Administrateurs — Nom et occupation principale	Compagnies	Nombre approx. d'actions
W. Bhérer: Prés. du c.a. *Canadian Vickers Ltd.* (Partenaire: Bhérer, Bernier, Côté, Ouellett, Dionne, Goule et Morin, Avocats)	Power Power	1 000 conv. priv. 1 500 ord.
A.F. Campo: Prés. du c.a., *Petrofina Canada Ltd.*	Power Investors Montreal Trust	1 100 ord. 1 000 ord. 2 000 ord.
P.D. Curry: Prés.-directeur général *Power Corp.;* Prés. du c.a., *Great West Life, Investors* et *Laurentide Financial Corp.*	Power Great West Investors Laurentide Montreal Trust	10 000 ord. 1 700 ord. 20 000 ord. 5 000 ord. 2 000 ord.
L.R. Desmarais: Prés. adjoint du c.a., *Power Corp.,* Prés. du c.a., *Canada Steamship Lines*	Power Power	25 800 priv. conv. 60 000 ord.
W.M. Fuller: Partenaire, *W.A.P. Fuller*	Power	4 500 ord.
P. Genest: Partenaire, Cassels & Brock, Avocats	Power	100 ord.
J.-P. Gignac: Prés., *Sidbec-Dosco Ltd.*	Power	200 ord.
R.H. Jones: Prés.-directeur général,	Power	100 ord.

*Datée du 31 mars 1976. Les informations entre parenthèses ont été ajoutées par l'auteur.

Administrateurs — Nom et occupation principale	Compagnies	Nombre approx. d'actions
Investors Group	Great West	500 ord.
	Investors	5 125 ord. «B»
		44 875 ord. «C»
W.E. McLaughlin: Prés. du c.a. et Prés., *Royal Bank*	Power	2 000 ord.
	Montreal Trust	500 ord.
A.D. Nessbit: Prés.-directeur général, *Nesbitt Thomson & Co. Ltd.*	Power	21 000 priv. conv.
	Power	21 100 ord.
P.D. Paine: Prés. du c.a. et Prés. *Montreal Trust*	Power	52 500 ord.
	Great West	500 ord.
	Investors	1 001 ord.
	Laurentide	1 500 ord.
	Montreal Trust	1 500 ord.
C. Pratte: Avocat (Partenaire: Létourneau, Stein, Marseille, Delisle & LaRue, Avocats)	Power	5 065 priv. conv.
	Imperial Life	310 ord.
Hon. J.P. Robarts: (Partenaire: Stikeman, Elliott, Robarts & Bowman, Avocats)	Power	100 ord.
R.C. Scrivener: Prés. du c.a. et chef de la direction: *Bell Canada*	Power	100 ord.
W.E.M. Turner Jr: Prés.-directeur général, *Consolidated-Bathurst Ltd.* (Prés. du c.a. *Dominion Glass Ltd.*)	Power	43 100 ord.
	Investors	101 ord.
	Laurentide	100 ord.
	(Dom. Glass	1 ord.)
R. Desmarais[1]: Prés. du c.a. et chef de la direction, *Power Corp.,* Vice-président, *Imperial Life*	Power	100 ord.
	Imperial Life	100 ord.
	Investors	1 ord.
	Montreal Trust	500 ord.
P.N. Thompson[2]: Prés. adjoint du c.a., *Power Corp.*	Power	82 505 ord.
	Montreal Trust	500 ord.

1 - *Gelco Entreprises Ltd.* et les compagnies associées possèdent 53,1% des 28 536 873 voix représentées par les actions émises donnant droit de vote de *Power Corp. Nordex Ltd.* a le contrôle de Gelco. *Nordex Ltd.* est contrôlée par M. Paul Desmarais en tant que propriétaire de 56,6% de ses actions donnant droit de vote.

2 - Les compagnies contrôlées par M. Thomson possèdent 375 000 actions privilégiées convertibles de Power, et 24 000 actions ordinaires de Power.

Sources: Power Corp. Proxy Management Circular, le 31-3-1976. Ontario securities Commission. *Monthly Bulletin.*

CONCLUSION

Au cours des trois chapitres précédents les théories les plus courantes sur le contrôle des grandes entreprises ont été examinées. On a vu comment différents auteurs les appliquaient au contexte canadien, et l'on n'a pu que constater les limites et les insuffisances très nettes de certaines descriptions du contrôle des compagnies, surtout en ce qui concerne la réalité canadienne. On peut maintenant résumer les principaux résultats de la recherche.

La thèse du capital financier

Dans la discussion théorique initiale sur la thèse du capital financier on a démontré qu'il y a deux conceptions différentes de cette thèse dans le matérialisme historique. Il y a d'abord la version classique, celle d'Hilferding et de Lénine, en termes de contrôle bancaire, ou tout au moins de fusion banque-industrie. On a montré que cette version correspond au modèle continental des rapports banque-industrie, présent de 1870 à 1914 notamment en Allemagne, en Belgique, en Russie tsariste et en Italie. Ce modèle, dont l'étude a inspiré Hilferding et Lénine, est caractérisé par des banques multifonctionnelles exerçant une activité de fondation, réorganisation, financement et contrôle de compagnies industrielles. La version classique s'applique moins bien à la France et aux États-Unis, où l'on rencontrait dès l'origine plusieurs types de banque, dont seulement une partie (les banques d'affaires en France, les banques de placement aux États-Unis) s'occupaient des activités qui pouvaient leur donner un pouvoir sur l'industrie. La version d'Hilferding et de Lénine ne s'applique pas à l'Angleterre, où la différenciation du système financier est encore plus poussée et où aucun type de banque ne s'intéresse au contrôle industriel.

La deuxième version de la thèse du capital financier est celle de Chevalier, Menshikov, Fitch et Oppenheimer. Elle n'a été formulée que dans le contexte des États-Unis contemporains. Elle postule que depuis la Seconde Guerre mondiale les banques commerciales ont tendance à contrôler une part croissante de l'industrie par l'accumulation d'actions dans leurs départements de fiducie. Dans cette optique, ce n'est pas la fusion, la fondation ou l'émission primaire de titres qui donnent aux banques leur pouvoir, mais l'achat d'actions sur le marché grâce aux fonds de pension qu'elles gèrent.

La théorie du capital financier a été très diversement accueillie par le courant du matérialisme historique. Sweezy a montré le déclin des banquiers de placement aux États-Unis à partir de la Grande Crise ; déclin dû à la régression des marchés financiers de 1930 à 1945, à la croissance du fonds de roulement des sociétés industrielles, aux législations sur les valeurs mobilières, aux diverses enquêtes et injonctions contre le «money trust» de Wall Street, et enfin à la séparation complète des banques commerciales et des banques de placement établie en 1933 par le Glass-Seagall Act. Par ailleurs, Herman, Sweezy et O'Connor ont attaqué la version «moderne» de la thèse du contrôle financier. Selon eux, même si les départements de fiducie des banques commerciales accumulent des actions grâce à leurs fonds de pension, les banques ne s'en servent pas pour exercer leur contrôle sur les compagnies dont elles sont actionnaires. Elles tiennent plus à leurs bénéfices en tant qu'investisseurs qu'à leur (éventuel) rôle de gestionnaires.

Dans le premier chapitre, on a confronté les deux versions de cette thèse au contexte réel du Canada. On en a conclu que les banques à charte ne contrôlent pas les sociétés non financières du Canada. Elles ne possèdent que très peu d'actions et ne semblent avoir jamais été intéressées par le contrôle de l'industrie. De nos jours, elles n'administrent pas de fonds de pension, autrefois elles ne participaient pas directement à la réorganisation de sociétés (lors de grandes vagues de fusions de 1909-1913 et de 1925-1930) et elles ne s'occupent toujours pas de l'émission primaire d'actions ou d'obligations de compagnies. Dans le passé, certains banquiers de placement, dont James H. Gundy de Wood Gundy & Co., A.J. Nesbitt et P.A. Thomson de Nesbitt Thomson, Lord Beaverbrook et puis I.W. Killam de Royal Securities, ont acquis des blocs importants d'actions de sociétés au cours des opérations d'émission de titres et de fusion de compagnies. Ces blocs leur ont valu des postes au conseil d'administration des compagnies et, parfois, une situation stable et permanente de contrôle. La situation a tourné, cependant, au désavantage des banquiers de placement. La croissance des investisseurs institutionnels, le déclin de la

Bourse de 1930 à 1945 et sa pénible restauration depuis, la constitution de fonds de roulement par de nombreuses sociétés industrielles, expliquent en bonne partie le déclin des banquiers canadiens de placement. De nos jours, trois types d'institutions financières privées accumulent des actions: les sociétés de fiducie (principaux gérants de fonds de pension), les compagnies d'assurance-vie, et les sociétés de fonds mutuels. Elles semblent cependant se comporter en purs investisseurs et ne pas «déléguer» en masse leurs administrateurs aux conseils d'administration des sociétés dont elles sont actionnaires.

La thèse du contrôle interne

Selon la théorie la plus répandue dans les sciences sociales académiques, l'éparpillement des actions des sociétés industrielles qui a eu lieu au XXe siècle a laissé le contrôle de ces compagnies à des administrateurs professionnels et à la haute direction. C'est entre autres la thèse de Berle et Means, Galbraith ou Larner pour les États-Unis, de Dahrendorf pour l'Allemagne Fédérale, etc. D'après ces auteurs la dispersion des titres est telle que même les blocs minoritaires seraient en train de disparaître.

Prenant le contre-pied de cette thèse Kolko, Burch, Zeitlin ou Chevalier ont rappelé que de larges blocs d'actions subsistent, que la dispersion des titres n'a fait que déposséder de tout contrôle la masse des petits actionnaires, en affermissant le pouvoir des gros détenteurs, et que l'inégale distribution des actions n'a pas changé depuis trois quarts de siècle.

Pour mettre à l'épreuve cette théorie dans le contexte canadien, tout en éclaircissant la thèse du capital financier avec des données supplémentaires on a dressé une liste presque exhaustive, de grandes sociétés sous contrôle canadien. On a exclu les compagnies sous contrôle étranger parce que ni la thèse du contrôle financier ni celle sur le contrôle d'administrateurs professionnels ne s'appliquent, à moins d'étendre l'étude aux maisons mères des pays respectifs. On a établi une limite minimale de $100 millions de dollars d'actifs, ce qui nous donne une liste de 146 sociétés; on a obtenu des données sur la propriété des actions de 136 parmi elles (il n'existe aucune source officielle ou privée sur la propriété des actions des banques à charte, et conséquemment le contrôle final des filiales des banques nous est aussi inconnu). Sur ces 136 sociétés, 68% étaient sous le contrôle d'individus, de groupes d'associés ou de familles. Les 32% restant *semblaient être* entre les mains d'administrateurs professionnels ou de la haute direction, mais dans nombre de cas des sources plus complètes ou plus fiables auraient montré un contrôle majoritaire par un nombre restreint d'actionnaires. Parmi les compagnies qui se trouvent apparemment sous «contrôle interne» il y a plusieurs des plus grandes entreprises au Dominion, dont le Canadien Pacifique, Norcen Energy Resources, Alcan Aluminium, Inco Ltd., le Royal Trust ou Bell Canada. Contrairement aux théories de Berle et Means, de Galbraith ou de Larner, ces sociétés sous «contrôle interne» ne sont pas passées par des étapes successives au cours desquelles les blocs d'actions se seraient éparpillés. De surcroît le processus de dispersion de titres s'est inversé et le nombre d'actionnaires tend à diminuer dans les grosses sociétés. En voici quelques exemples:

TABLEAU XX

Nombre des actionnaires (1970 et 1975)

Société	1970	1975	% de variation
Stelco	49 985	37 864	-24,3%
Trans-Canada Pipelines	29 420	24 244	-17,6%
Inco Ltd.	84 320	84 369	+0,05%
Moore Corp.	23 636	20 198	-14,6%
Massey-Ferguson	45 744	35 844	-22,7%
Alcan Aluminium	76 000	47 000	-38,2%
Bell Canada	241 971	217 227	-10,3%
Noranda Mines	33 991*	31 610	- 7,1%
MacMillan-Bloedell	21 575	16 654	-22,9%
Imperial Oil	52 934	44 672	-15,6%

*Ce chiffre correspond à 1971, les données de 1970 n'étant pas disponibles.
Source: La Presse, section Économie et Finances, le 23/9/76, page B5.

La baisse du nombre des actionnaires des grandes sociétés obéit à la croissance des investisseurs institutionnels, au développement des conglomérats et au désintérêt du public pour les actions. Contrairement aux postulats des «managérialistes» on a trouvé que le contrôle par des individus, par des groupes d'associés ou par des familles n'est pas une forme périmée de pouvoir dans les grandes compagnies. Il y en a dans toutes les étapes du capitalisme canadien. Des individus comme Paul Desmarais, Lorne C. Webster, Keneth C. Irving ou Robert Campeau peuvent encore se hisser au rang des multimillionnaires et contrôler de grandes entreprises sinon des conglomérats entiers. Des familles comme les Eaton, les Richardson, les Meighen, les Molson, les Sifton, les Weston ou les Russel sont encore aujourd'hui à la tête des compagnies fondées par leurs ancêtres il y a plusieurs générations. Les sociétés à «contrôle interne» sont souvent, soit des compagnies à «contrôle occulte», soit des sociétés dont les principaux actionnaires ne siègent pas au conseil d'administration et préfèrent laisser aux «managers» et aux consultants le soin de gérer leurs sociétés.

La théorie des élites

Avec C. Wright Mills et son Élite du Pouvoir, un courant radical d'interprétation du contrôle dans les grandes sociétés a vu le jour. Mills postule que le pouvoir dans les grandes entreprises appartient aux conseils d'administration dans leur totalité, conseils qui forment une élite économique homogène (autant les riches détenteurs de titres que les «managers» sont de gros actionnaires). Cette élite économique s'est progressivement différenciée de la classe dominante américaine du XIXe siècle; aujourd'hui elle ne gère plus l'État et elle ne domine plus les forces armées. Ces deux dernières sphères institutionnelles ont développé chacune son élite, et qui est relativement autonome par rapport à l'élite économique.

Les détracteurs de la théorie des élites ont centré leurs attaques sur deux points. Les uns ont essayé de montrer l'interpénétration des trois élites soi-disant autonomes, sous la domination de la classe propriétaire. Les autres, dont F. Lundberg, ont nié l'unité interne de cette élite économique et souligné que les grands capitalistes ne doivent pas être confondus avec leurs conseillers et leurs techniciens salariés. Au troisième chapitre on a vérifié cette théorie et sa critique portant sur l'unité interne de l'élite (une mise à l'épreuve de la première critique nous aurait mené très loin de l'étude du contrôle des compagnies). Pour tester le postulat de l'unité interne de l'élite économique, on a analysé la détention d'actions par les administrateurs des sociétés sous contrôle canadien étudiées au chapitre précédent. On en conclut que les principaux actionaires (les *corporate rich* de C. Wright Mills) se trouvent certainement au conseil d'administration des sociétés par actions. Mais, contrairement aux présupposés des théoriciens des élites, tous les membres des conseils d'administration ne sont pas de gros actionnaires. Les administrateurs externes, et notamment les conseillers juridiques et financiers ont peu d'actions et reçoivent des rémunérations annuelles variant entre $3 000 et $8 000, ils ne participent pas aux plans d'options d'achat d'actions et ne reçoivent pas les bénéfices marginaux accordés aux «managers». Il est abusif de les inclure comme Mills et Porter dans la même catégorie que les gros propriétaires d'actions, ou comme Clement de les assimiler à la bourgeoisie. Dès lors, l'on peut s'interroger sur la validité même du concept d'élite économique, puisque cette «élite» est composée de trois groupes distincts: les gros propriétaires d'actions (le groupe de contrôle), les «managers» salariés et les consultants de différentes sortes. Chacun de ces trois groupes se trouve à avoir des rapports très divers avec la propriété d'actions et la rémunération dans les grandes sociétés. De plus l'élite économique n'a pas d'histoire à elle, puisqu'elle a emprunté son passé à la bourgeoisie dans les récits de Mills et Clement. On en conclut que l'élite économique n'est rien d'autre que la grande bourgeoisie mal cernée et conceptualisée.

La classe dominante canadienne

À la question initiale (qui contrôle les grandes sociétés cana-
diennes?) on est amené à répondre: la classe dominante canadienne. Cette classe dominante dont l'unité en tant que groupe est assurée par son organisation économique et sociale, par l'endogamie et par l'échange d'administrateurs, est formée de deux groupes principaux: un noyau hégémonique de familles et d'individus (les *corporate rich* de Mills, les «millionnaires» de Menshikov) et un groupe subordonné de *top managers* salariés. La participation de ces derniers à la classe dominante n'a lieu qu'au cours d'une génération, puisque leur perception de plus-value se fait au moyen de rémunérations et non pas d'appropriation juridique. Quelques-uns parmi eux cependant, réussiront à se hisser jusqu'au noyau permanent et à assurer ainsi, et l'assimilation complète des «meilleurs éléments des classes subalternes» à la grande bourgeoisie, et la reproduction élargie de la classe dominante.

Cette conclusion rejoint la conception de Sweezy sur la classe dominante américaine:

Il serait erroné de penser les classes comme étant d'une parfaite homogénéité interne, et clairement démarquées entre elles [...] On doit penser chaque classe comme étant formée d'un noyau entouré de couches attachées au noyau de différentes façons. Une couche peut être plus ou moins stable, et peut avoir une fonction bien définie par rapport à l'ensemble de la classe, ou, au contraire, elle peut être temporaire et accidentelle. De plus, on ne doit pas penser que tous les membres d'une classe (en tant que famille ou en tant qu'individu) jouent le même rôle dans la classe. Quelques-uns sont actifs, d'autres passifs, quelques-uns sont des dirigeants, d'autres des dirigés, et ainsi de suite [...] Le noyau de la classe dominante est fait des grands capitalistes (ou, plus généralement, des gros propriétaires, quoique la distinction n'est pas très importante puisque la majorité des grands blocs de propriété ont aujourd'hui la forme de capital dans ce pays). Il y a de nombreuses couches autour de la

classe dominante dont de plus petits propriétaires, les hauts fonctionnaires du gouvernement et des compagnies (pour autant qu'ils ne soient pas eux-mêmes de gros propriétaires) des professionnels et autres[1].

Cette classe supérieure peut être caractérisée par différents traits qui lui sont propres. D'abord, elle se concentre essentiellement à Toronto et Montréal mais elle est pancanadienne à plusieurs égards. D'une part elle a des représentants dans la quasi-totalité des grandes villes; d'autre part les grandes compagnies canadiennes font des affaires d'un océan à l'autre. La distribution des sièges sociaux et du contrôle effectif (sociétés mères des conglomérats) par province et par ville confirme cette interprétation.

Quant à la différence entre la colonne de «sièges sociaux» et de «contrôle effectif» notons que trois gros conglomérats (Bell Canada, C.P. Ltd. et Power Corp.) ont le siège social de la maison mère à Montréal et que quatre autres (Argus Corp., E-L Financial Corp., Canadian General Investments et Canadian General Securities) sont dirigés de Toronto.

TABLEAU XXI

Compagnies dominantes canadiennes

Répartition des sièges sociaux par ville et province			*Contrôle effectif*	
	Sièges sociaux	(%)		
Ontario	65	(48%)	75	(55%)
Toronto	48		61	
Québec	30	(22%)	37	(27%)
Montréal	27		34	
Alberta	14	(10%)	11	(8%)
Calgary	11		9	
Colombie-Britannique	13	(10%)	7	(5%)
Vancouver	12		7	
Manitoba	6	(4%)	4	(3%)
Nouveau-Brunswick	4	(3%)	1	(1%)
Nouvelle-Écosse	2	(1%)	—	—
Terre-Neuve	2	(1%)	1	(1%)
	136	100%	136	100%

Le noyau permanent et hégémonique est formé des familles qui conservent le contrôle des grandes entreprises canadiennes au cours des générations: les Molson, les Maclaren, les Eaton, les Richardson, les Meighen, les Gundy, les Russel, les Jeffery, les Webster, etc. Le caractère dépendant de l'économie canadienne a des conséquences au niveau même de la continuité de la bourgeoisie locale: nombre de ses éléments les plus représentatifs ont émigré en Angleterre (dont Lord Strathcona, Lord Beaverbrook ou Lord Thomson of Fleet) ou aux États-Unis (dont James T. Hill) pour s'intégrer aux classes dominantes de ces pays. Au noyau originel de souche anglo-saxonne, le plus ancien, d'autres éléments s'y sont incorporés plus récemment, en particulier une bourgeoisie juive à partir de la Première Guerre mondiale (les Bronfman, les Steinberg, les Loeb, les Wolfe, les Belzberg, les Wolinsky, etc.) et une bourgeoisie canadienne-française (les Desmarais, les Bombardier, etc.). La plupart des sociétés sous contrôle de cette dernière sont trop petites pour faire partie de notre liste; elles sont cependant en plein développement et plusieurs parmi elles commencent déjà à atteindre une taille fort respectable; entre autres le groupe de compagnies de la famille Simard, le groupe Sodarcan (de la famille Parizeau), le groupe Quebecor (de Pierre Péladeau). Dans un article en voie de publication, on traitera séparément du capitalisme canadien-français et de son contrôle[2].

À l'intérieur de la classe supérieure le phénomène ethnique se manifeste avec beaucoup d'intensité, et ce à plusieurs égards. Tout d'abord il y a une représentation très inégale des principaux groupes de la population canadienne. À l'instar de Porter ou de Clement, on constate une nette surreprésentation des anglo-saxons et des ethnies leur sont assimilées qui contrôlent 80% des sociétés de notre liste. Le groupe juif, qui a la propriété de 10% des sociétés de la liste, est lui aussi surreprésenté. Le groupe canadien-français avec seulement treize sociétés, dont Power Corp. et ses huit filiales, contrôle à peine 10% des sociétés de notre liste: cela revient donc à dire qu'il est nettement sous-représenté. Le groupe anglo-saxon est dominant dans les secteurs les plus anciens d'activité comme la banque commerciale, l'assurance, les sociétés de prêt hypothécaire et l'industrie. Le groupe juif est nettement moins important dans l'industrie: seules trois grandes compagnies industrielles sur cinquante (6%), soit The Seagram Co., Ivaco Industries et Kruger Pulp & Paper sont contrôlées par des hommes d'affaires juifs; ce groupe est beaucoup plus important dans les nouvelles branches de la finance, dans le commerce et l'immobilier. Seules cinq compagnies indépendantes de notre liste (Power Corp., le Trust Général du Canada, Bombardier Ltée, Allarco Developments et Campeau

Corp.) sont la propriété d'hommes d'affaires canadiens-français. À cette courte liste il faudrait bien sûr ajouter les deux banques à charte canadiennes-françaises dont l'une est contrôlée par la Fédération de Québec des Caisses populaires Desjardins (il s'agit de la Banque Provinciale du Canada). On ignore qui a le contrôle de l'autre, la Banque Canadienne Nationale.

Cette représentation inégale des groupes ethniques s'accompagne d'une tendance des détenteurs du contrôle à recruter leurs conseillers au sein du même groupe. L'Annexe I montre par exemple que la quasi-totalité des avocats qui siègent aux conseils d'administration des sociétés canadiennes-françaises sont eux aussi des Canadiens français. Le même phénomène se retrouve dans les sociétés contrôlées par des hommes d'affaires d'origine anglo-saxonne ou juive.

Un troisième indice de l'importance des clivages ethniques est le fait que très peu de compagnies sont contrôlées conjointement par des sociétés appartenant à des groupes ethniques différents. Les rares cas où ce phénomène est constaté, dont M. Loeb Co. ou Jannock Corp., il s'agit toujours d'une association entre des hommes d'affaires anglo-saxons et d'autres non canadiens-français. Ceci peut probablement s'expliquer simplement par l'étroitesse numérique de la bourgeoisie canadienne-française.

La classe supérieure exerce son contrôle par l'intermédiaire de différentes institutions dont la plus courante est la société privée de portefeuille. Dans au moins vingt sociétés indépendantes, c'est la méthode qui est employée par les familles, les individus ou les groupes d'associés qui détiennent le pouvoir. En voici quelques exemples.

Compagnies contrôlées	*Sociétés privées de portefeuille*
Argus Corporation	Ravelston Corporation
Deltan Corporation	Prudel Ltd.
Crown Life Insurance	Scotia Investments,
	Kingfield Investments
Power Corporation	Gelco Entreprises
Bombardier Ltée	Les Entreprises
	J.A. Bombardier Ltée
Bramalea Consolidated Development	Braminuest Corporation

Compagnies contrôlées	*Sociétés privées de portefeuille*
First City Financial Corporation	Bel Alta Holdings,
	Bel Cal Holdings,
	Bel Fran Holdings
Maclaren Power & Paper	MacRoy Investments,
	MacBar Investments,
	C.H. Maclaren Trust Co.
T. Eaton Co.	Eaton's of Canada Ltd.
Prenor Group	Gilbert Securities

Dans d'autres cas ce sont des fondations de charité qui servent comme sociétés privées de portefeuille aux détenteurs du contrôle. Citons la Fondation Molson, la Fondation George Weston et la Fondation Jean-Louis Lévesque.

Il arrive que le contrôle s'exerce par une formule combinant plusieurs types d'intermédiaires. Ainsi, par exemple IAC Ltd. est contrôlée par Edward et Peter Bronfman selon le schéma pyramidal suivant :

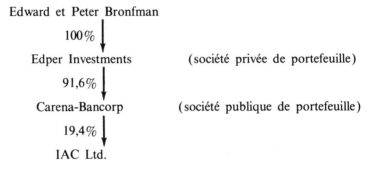

Les sociétés privées de portefeuille, les fondations et les sociétés privées de fiducie accomplissent plusieurs fonctions au niveau du contrôle. Elles servent à maintenir l'homogénéité des actions d'un groupe d'associés (comme dans le cas de Ravelston Corp.) ou d'une famille (comme dans Cemp Investments et Edper Investments appartenant respectivement aux enfants de Samuel et d'Allan Bronfman). Elles empêchent ainsi l'éparpillement des titres et la perte éventuelle du contrôle qui pourrait en résulter. Par ailleurs, ces intermédiaires servent à transmettre les actions, et donc le contrôle d'une génération à une autre. Ils assurent aussi le secret de ces opérations confidentielles, et permettent le contournement des taxes sur les successions et les revenus. Ces sociétés sont donc un élément essentiel de la reproduction et de la continuité de la classe dominante.

En revanche, les sociétés publiques de portefeuille servent à centraliser le contrôle de compagnies qu'on ne peut pas ou qu'on ne veut pas fusionner. Ainsi on préfère la *holding company* à la fusion complète lorsque l'on a intérêt à (ou l'on doit) conserver une incorporation provinciale des sociétés filiales, lorsque l'on se trouve devant une minorité d'actionnaires fermement opposés à l'absorption totale, ou lorsque la diversité des activités des filiales rend difficile la fusion. Les sociétés publiques de portefeuille ne sont que des formes particulières de concentration; on ne peut nullement y voir des exemples de «capital financier».

Cette étude a dégagé quelques-unes des caractéristiques de la bourgeoisie canadienne, une bourgeoisie qu'on aurait du mal à appeler «nationale» ou «nationaliste» mais qu'on pourrait qualifier de «locale» ou «intérieure». Quels rapports entretient cette classe supérieure avec les filiales de compagnies américaines installées au Canada? Des données présentées ici on peut conclure qu'il y a peu de situations d'association ou de contrôle conjoint: Alcan Aluminium et Inco sont les exceptions qui confirment la règle. Pour chacune des grandes sociétés incorporées au Canada on peut localiser l'origine nationale du contrôle. De ce point de vue on peut affirmer que la bourgeoisie canadienne existe et qu'elle a ses propres frontières en tant que groupe social: ni économiquement ni socialement elle ne se fond ni ne se confond avec une bourgeoisie américaine. Par ailleurs, le capitalisme canadien entretient un rapport de complémentarité avec le capitalisme américain (dominant) au Canada: les compagnies canadiennes sont fortes dans les finances, les services, les transports et les communications, l'immobilier et l'industrie traditionnelle (à l'exception de la sidérurgie et de la machinerie agricole). En somme, le capitalisme canadien et sa bourgeoisie sont forts dans les secteurs technologiquement les plus simples ou les plus traditionnels. Et c'est là un des traits distinctifs de la dépendance du Canada vis-à-vis des États-Unis. Dans la mesure où la plupart des secteurs modernes de l'industrie lui sont technologiquement interdits, cette bourgeoisie intérieure canadienne est cantonnée aux secteurs qu'elle occupe, et les législations «nationalistes» au niveau fédéral ou provincial sont surtout des actions défensives pour empêcher que même les banques, les compagnies d'assurance ou les communications ne soient absorbées par des sociétés américaines. Notre perspective ne nie pas que plusieurs sociétés canadiennes, dont des banques à charte, des compagnies d'assurance-vie, des entreprises de transport et de services et même quelques sociétés industrielles soient devenues des multinationales de bonne taille. Mais nous affirmons — et en cela nous partageons le point de vue de Tom Naylor — que le caractère non industriel et dépendant sont les traits essentiels de la bourgeoisie canadienne.

Aux conclusions théoriques et empiriques présentées ci-dessus il faut ajouter quelques remarques méthodologiques qui aideraient à expliquer et notre utilisation des données et celle des auteurs critiqués ici. Une première remarque a trait aux sources. Si les Park croient au contrôle bancaire et financier de l'industrie ou à la «fusion» banque-industrie c'est en bonne partie à cause de leurs orientations théoriques, mais c'est aussi en partie grâce au caractère incomplet de leurs sources. Leur ouvrage, publié originalement en 1962, n'a pas pu se servir des *Liens de Parenté entre les firmes*, qui paraît seulement depuis 1965 et qui leur aurait permis d'infirmer et le contrôle bancaire et financier et la «fusion banque-industrie», tout au moins au niveau de la propriété des actions. Si Porter et Clement croient que tous les administrateurs des grosses sociétés forment une élite économique possédante indifférenciée c'est, bien sûr, parce qu'ils se sont inspirés de la théorie des élites de C.W. Mills, mais c'est aussi à cause du fait qu'ils n'ont pas examiné les sources les plus complètes quant à la propriété des actions des administrateurs et de la haute direction des compagnies, soit les Bulletins des Commissions des valeurs mobilières de l'Ontario (qui a commencé pourtant à paraître en juin 1967) et du Québec (paraissant à partir de mars 1974). Dans un cas comme dans l'autre les résultats obtenus sont le produit à la fois d'un choix théorique et de la disponibilité des sources ou de leur choix par les auteurs.

On peut appliquer les mêmes réflexions au matériel présenté dans cet ouvrage. Si l'on a tendance à rejeter la théorie du capital financier dans sa formulation la plus récente, celle de Chevalier et Menshikov, c'est en partie parce que l'on croit que l'argumentation de Sweezy, O'Connor et Herman est plus solide, mais aussi parce que l'on ne dispose pas de données publiques qui permettraient de confirmer la position de Chevalier ou de Menshikov sur les nouvelles formes de contrôle par les institutions financières. En effet, il n'existe aucune donnée publique nominative sur les portefeuilles d'actions des fonds de pensions gérés par les sociétés de fiducie et sur les actions détenues par les compagnies d'assurance-vie. On possède des chiffres et des données précises seulement sur la détention d'actions par les fonds mutuels. On a dû, en conséquence, s'appuyer sur des données plutôt qualitatives et agrégées pour arriver à certaines conclusions qui infirment la position de Chevalier. En d'autres termes, des données plus complètes pourraient nous amener à modifier partiellement nos résultats.

En l'absence d'informations détaillées sur la propriété des actions, Porter, Clement et les Park ont commis l'erreur de tirer de nombreuses conclusions à partir des échanges d'administrateurs entre les compagnies. Or, on sait maintenant qu'un même individu peut siéger à plusieurs conseils d'administration parce qu'il est le principal actionnaire des compagnies concernées ou parce qu'il en est l'avocat ou le conseiller financier, sans que ces entreprises n'entretiennent aucun autre rapport entre elles. Il est méthodologiquement erroné de confondre les deux types d'«échange d'administrateurs» et l'on risque d'en tirer des conclusions théoriquement fausses. Ainsi, Park et Park ont-ils cru voir dans l'échange d'administrateurs entre les banques à charte et les grandes entreprises non financières une preuve du contrôle exercé par des banques et d'autres institutions financières sur l'industrie ou tout au moins une preuve de «fusions». Or, il n'en est rien: les banques invitent aussi souvent des «top managers» et des gros actionnaires des sociétés industrielles à siéger dans leur propre conseil d'administration, qu'elles envoient leurs administrateurs internes au conseil d'administration de leurs cients industriels et commerciaux. D'autre part, tel qu'on l'a vu dans les figures 1 à 7 de pages 112 à 118, les différents conglomérats ou groupes financiers ne pratiquent pas tous la même politique quant aux échanges d'administrateurs entre la société mère et les filiales et il n'y a aucune relation directe entre le degré de contrôle et le nombre d'administrateurs communs à deux compagnies. Il est donc dangereux d'employer ce critère sans référence au lien plus solide et plus déterminant de la propriété des actions.

Porter et Clement peuvent abandonner leur postulat de l'unité interne des conseils d'administration. Au sein de la haute administration des compagnies, toutes les voix ne pèsent pas du même poids. Paul Desmarais a certainement plus d'autorité que n'importe lequel des quatre avocats qui siègent au conseil d'administration du *holding* montréalais. On tirera certainement des conclusions plus élaborées que celles des partisans de la théorie des élites si l'on ventile les conseils d'administration en propriétaires, «managers» et conseillers. À l'intérieur des conseils d'administration on trouve généralement de gros actionnaires, des dirigeants de carrière en tant que fraction subordonnée et dépendante de la classe propriétaire, et des consultants dont la grande majorité ne font pas partie de la bourgeoisie, c'est-à-dire qu'ils ne possèdent pas d'actions en nombre important et qu'ils ne perçoivent pas de rémunérations astronomiques. Par ailleurs, comme Domhoff l'a déjà souligné, toute la bourgeoisie ne s'occupe pas d'administrer les grandes compagnies pas plus que l'État. Bon nombre des gros actionnaires laissent la gérance des grandes entreprises à des «managers» salariés et à des consultants, se contentant de les surveiller de l'extérieur, pour devenir selon la phrase de Marx des «capitalistes-prêteurs d'argent». Dans ces cas-là, la société en question apparaît comme étant sous «contrôle interne»; les liens qui subordonnent les capitalistes actifs (managers, entrepreneurs) et les capitalistes passifs (actionnaires non gérants) sont souvent occultes mais existent bel et bien.

C'est la situation fort claire de plusieurs sociétés qu'on a classées au chapitre II comme étant sous contrôle interne et qui pourraient bien en fait être contrôlées par des familles fondatrices: les Davis dans Alcan Aluminium, les Hatch dans Hiram Walker-Gooderham & Worts, les Maclean dans Canada Packers, etc., ou encore par des individus ou des groupes d'associés ne siégeant pas au conseil d'administration. Rappelons que d'après la Ontario Securities Act de 1966 et la Loi des valeurs mobilières du Québec de juillet 1973 (chapitre 67 des Lois du Québec, 1973) seuls les administrateurs et la haute direction des compagnies qui cotent en bourse doivent déclarer à la Commission respective toute transaction effectuée sur tout titre de capital de la compagnie où ils siègent. Aussi, toute «personne liée» (*associate*) à ces administrateurs et directeurs devait le faire. Par «personne liée» les lois citées entendent tout membre de leur famille habitant la même demeure, toute fiducie ou succession où les administrateurs ou directeurs ont des intérêts substantiels et toute compagnie dont ils détiennent plus de 10% des actions avec vote. Par ailleurs, toute compagnie ou individu possédant plus de 10% des actions avec vote d'une société doit le déclarer. Par conséquent une famille de plusieurs personnes dont chacun possède 9,5% des actions d'une compagnie, mais qui laisse à des «managers» et à des conseillers le soin d'administrer leur société peut ne rien déclarer aux Commissions et rien n'apparaîtra en conséquence aux Bulletins Mensuels des transactions. Et dans une famille dont les membres n'habitent pas la même demeure, si un seul d'entre eux ou quelques-uns même siègent au conseil d'administration de la compagnie familiale, seuls ces derniers déclareront leurs avoirs en actions. Dans certains cas on a pu passer par-dessus cet obstacle de l'information confidentielle en recourant aux journaux financiers et quotidiens et aux annuaires *Moody's* et *Financial Post*. Mais l'identification précise des groupes et du contrôle qui s'exerce sur eux nécessiterait une information supplémentaire qui n'est pas accessible au public.

NOTES DE LA CONCLUSION

1. P. Sweezy, *The Present as History,* New York, Monthly Review Press, 1953, p. 124-125 et 128.
2. «La Nouvelle Bourgeoisie canadienne-française» dans *Cahiers du Socialisme,* n° 1, 1978.

BIBLIOGRAPHIE

I. Théorique générale et comparative

I.1 Livres

BAUM, D.J. et N.B. STILES, *The Silent Partners: Institutional Investors and Corporate control,* New York, Syracuse Univ. Press, 1965.

BRAWERMAN, H., *Labor and Monopoly Capital,* New York, Monthly Review Press, 1974.

BERLE, A.A. Jr, *Power Without Property,* New York, Harcourt, Brace & Co, 1959.

BERLE, A.A. Jr et G. MEANS, *The Modern Corporation and Private Property* (1932), Harcourt, Brace & World, 1968.

BLAIR, J.M., *Economic Concentration,* New York, World, Brace & Jovanovitch, 1972.

BONBRIGHT, J.C. et G. MEANS, *The Holding Company* (1932), New York, A.M. Kelley, 1969.

BOTTOMORE, T., *Elites and Society,* Londres, C.A. Watts, 1964.

BOUVIER, J., *Un siècle de banque française,* Paris, Hachette, 1973.

BURCH, P.H., *The Managerial Revolution Reassessed,* Lexington, Mass., Health & Co., 1972.

BURNHAM, J., *The Managerial Revolution* (1942), Londres, Penguin, 1962.

CAMERON, R., (édit.), *Banking in the Early Stages of Industrialization,* New York, Oxford University Press, 1967.

— *Banking and Economic Development,* New York, Oxford University Press, 1972.

CAROSSO, V.P., *Investment Banking in America,* Harward Univ. Press, 1970.

CHEVALIER, J.-M., *la Structure financière de l'industrie américaine,* Paris, Cujas, 1969.

DAHRENDORF, R., *Classes et conflits de classes dans les sociétés industrielles* (1975), Paris, Mouton, 1972.

DOMHOFF, G.W., *C.W. Mills and the Power Elite,* Boston, Beacon Press, 1968.

— *Fat Cats and Democrats,* Englewood Cliffs, N.J., Prentice Hall, 1972.

— *The Higher Circles,* New York, Vintage Books, 1971.

— *Who rules America?* New Jersey, 1967.

DOWNS, A., *An Economic Theory of Democracy*, New York, Harper, 1957.

GALBRAITH, J.K., *American Capitalism*, Boston, Houghton, Miffin Co., 1952.

— *The New Industrial State*, Boston, Houghton, Miffin Co., 1967.

GERSCHENKRON, A., *Economic Backwardness in Historical Perspective*, New York, Prager, 1965.

GRAMSCI, A., *Œuvres Choisies*, Paris, Éd. Sociales, 1959.

GRANT, A.T.K., *A Study of the capital market in Britain from 1919 to 1936*, (2ᵉ éd.), New York, A.M. Kelley, 1967.

HILFERDING, R., *le Capital financier* (1910), Paris, Éd. de Minuit, 1970.

HOUSSIAUX, J., *le Pouvoir de monopole*, Paris, Sirey, 1958.

KOLKO, G., *Wealth and Power in America*, New York, Praeger Publishers, 1962.

LARNER, R., *Management Control and the Large Corporation*, New York, Dunellen, 1970.

LÉNINE, V.I., *Cahiers de l'impérialisme*, O.C., tome 39, Paris, Éd. Sociales, 1970.

LUNDBERG, F., *The Rich and the Super-rich*, New York, Bantam Books, 1968.

MAGDOFF, H., *The Age of Imperialism*, New York, Monthly Review Press, 1967. (Trad. française, *l'Âge de l'impérialisme*, Paris, Maspero, 1970).

MENSHIKOV, S., *Millionnaires and Managers*, Moscou, Éd. du Progrès, 1969.

MILIBAND, R., *The State in Capitalist Society*, Londres, Wiedenfeld and Nicholson, 1969. (Trad. française: *l'État dans la société capitaliste*, Paris, Maspero, 1973).

MILLS, C.W., *The Power Elite*, New York, Oxford Univ. Press, 1956 (Trad. française: *l'Élite du pouvoir*, Paris, Maspero, 1969.)

MORIN, F., *la Structure financière du capitalisme français*, Paris, Calman-Lévy, 1975.

NASH, B.D., *Investment Banking in England*, Chicago et New York, A. Shaw & Co., 1924.

NELSON, R.L., *The Investment Policies of Foundations*, New York, Russell Sage, 1967.

NIELSON, W.A., *The Big Foundations*, New York, Columbia University Press, 1972.

PERLO, V., *The Empire of High Finance*, New York, International Publishers, 1961. (Trad. française: *l'Empire de la haute finance*, Paris, Éd. Sociales, 1974.)

ROCHESTER, A., *Rulers of America: A Study of finance capital*, Toronto, F. White Publishers, 1936.

SARGANT FLORENCE, P., *Ownership, control and success of large companies*, Londres, 1961.

SMIGEL, E.O., *The Wall Street Lawyer*, Bloomington, Ind., Indiana University Press, 1969.

SMITH, D.N., *Who rules the Universities?* New York, Monthly Review Press, 1974.

SCHWARZCHILD, S. et E.A. ZUBAY, *Principles of Life Insurance*, Illinois, R.C. Irwin & Co., 1964, 2 volumes.

SWEEZY, P., *The Present as History*, New York, Monthly Review Press, 1953.

— *The Theory of Capitalist Development* (1942), New York, Dobson, 1967.

SWEEZY, P. et P. BARAN, *Monopoly Capital*, New York, Monthly Review Press, 1966. (Trad. française: *le Capitalisme monopoliste*, Paris, Maspero, 1968.)

WARNER, J.S. et C. RUSSELL DOANE, *Investment Trusts & Funds*, Boston, 1955.

WHALE, F.B., *Joint stock banking in Germany*, Londres, McMillan & Co., 1930.

I.2 Articles

ARON, R., «Social Structure and the Ruling Class» dans *British Journal of Sociology,* I (1), mars 1950 et I (2) juin 1950.

O'CONNOR, J., «Finance capital or corporate capital», dans *Monthly Review,* New York, déc. 1968.

DOMHOFF, G.W., «Some friendly answers to radical critics», dans *The Insurgent sociologist,* Oregon, printemps 1972.

— «State and Ruling Class in Corporate America», dans *The Insurgent Sociologist,* Oregon, printemps 1972.

FITCH, R., «Reply», dans *Socialist Revolution,* vol. 2, nº 7, janvier-février 1971.

— «Sweezy and Corporate Fetishism», dans *Socialist Revolution,* vol. 2, nº 12, déc. 1972.

FITCH, R. et M. OPPENHEIMER, «Who rules the Corporations?», dans *Socialist Revolution,* vol. 1, nº 4, 5, 6, San Francisco, juillet-décembre 1970.

HERMAN, E., «Do bankers control corporations?», dans *Monthly Review,* New York, juin 1973.

LARNER, R.J., «Ownership and control in the 200 largest non-financial corporations, 1929 and 1963», dans *American Economic Review,* sept. 1966.

LUNDBERG, F., «The law Factories: brains of the Status Quo», dans *Harper's Magazine,* New York, 1939, nº 190.

MASON, E.S., «The Apologetics of Managerialism», dans *The Journal of Business of the University of Chicago,* vol. XXXI, janvier 1958.

MEYER, M., «The Wall Street Lawyers», dans *Harper's Magazine,* New York, 1956, nº 212.

PERLO, V., «People's Capitalism and stock ownership», dans *American Economic Review,* juin 1958.

SWEEZY, P., «The Resurgence of Financial Control: Fact or Fancy?», dans *Socialist Revolution,* vol. 2, nº 8, mars-avril 1972 et dans *Monthly Review,* nov. 1971.

VILLAREJO, D., «Stock ownership and the Control of Corporations», dans *New University Thought,* automne 1961, hiver 1972.

ZEITLIN, M., «Corporate ownership and control: the large corporation and the Capitalist Class», dans *American Journal of Sociology,* vol. 79, nº 5.

II. Sur le Canada

II.1 Livres et thèses

AITKEN, H., *American Capital and Canadian Resources,* Toronto, Harvard Univ. Press, 1961.

ASHLEY, C.A. et J.C. SMYTH, *Corporation Finance in Canada,* Toronto, MacMillan, 1956.

BAUM, D.J., *The Investment Function of Canadian Financial Institutions,* New York, Praeger, 1973.

BULLOCK, H., *The Story of Investment Companies,* New York, Columbia Univ. Press, 1959.

CHODOS, R., *The C.P.R.: A Century of Corporate Welfare,* Toronto, J. Lorimer & Samuel, 1973.

CLEMENT, W., *The Canadian Corporate Elite,* Toronto, McClelland & Stewart, Carleton Library, 1975.

EPP, A.E., *Cooperation among Capitalists: the Canadian Merger Mouvement 1909-1913*, thèse de doctorat, Baltimore, Maryland, The Johns Hopkins University, 1973.

FETHERSTONHAUGH, R.C., *Charles F. Sise*, Montréal, Gazette Printing Co., 1944.

HEAP, J.L. (édit.), *Everybody's Canada*, Toronto, Burns & Mac Eachen, 1974.

LEVITT, K., *Silent Surrender*, Toronto, Macmillan, 1970.

MAIN, O.W., *The Canadian Nickel Industry*, Toronto, Univ. of Toronto Press, 1955.

MARSHALL, F. *et al., Canadian American Industry (1936)*, Carleton Library, Mc Clelland & Stewart, 1976.

McDOUGALL, J.L., *le Canadien pacifique*, Montréal, Les Presses de l'Université de Montréal, 1968.

NAYLOR, T., *The History of Canadian Business 1867-1914* (2 vol.), Toronto, J. Lorimer & Co., 1975.

NEUFELD, E.P., *A Global Corporation: A History of the International Development of Massey Ferguson*, Toronto, Univ. of Toronto Press, 1969.

— *The Financial system of Canada*, Toronto;, MacMillan of Canada, 1972.

NEWMAN, P.C., *Flame of Power*, Toronto, Mc Clelland and Stewart, 1959.

— *The Canadian Establishment*, vol. 1, Toronto, Mc Clelland and Stewart, 1975.

PARK, F. et L., *Anatomy of Big Business* (1962), Toronto, J. Lewis & Samuel, 1973.

PORTER, J., *The Vertical Mosaic*, Toronto, Univ. of Toronto Press, 1965.

ROSENBLUTH, G., *Concentration in Canadian Manufacturing Industries*, Princeton University Press, 1957.

SCHULL, J., *The Century of the Sun*, Toronto, MacMillan of Canada, 1971.

SKEOCH, L., *Restrictive Trades Practices in Canada*, Toronto, Mc Clelland & Stewart, 1966.

STAPELLS, H.G., *The Recent Consolidation Movement in Canadian Industry*, thèse de maîtrise, Univ. of Toronto, 1922.

TAYLOR, A.J.P., *Beaverbrook*, Londres, Penguin Books, 1974.

WALLACE, D.H., *Market Control in the Aluminum Industry*, Cambridge, Mass., Harvard Univ. Press, 1937.

WILLIAMSON, J.P., *Securities Regulation in Canada*, Toronto, Univ. of Toronto Press, 1960.

II.2 Articles

ASHLEY, C.A., «Concentration of Economic Power», dans *Canadian Journal of Economics and Political Science*, vol. XXIII, n⁰ 1, février 1957.

«Brokers, the Battle for Survival», dans *Montreal Star*, 26/10/74, p. G-1.

«La Bourse perd du terrain au profit des banques», dans *la Presse*, 23/9/76, p. B-5.

PORTER, J., «Concentration of Economic Power and the Economic Elite in Canada», dans *Canadian Journal of Economics and Political Science*, vol. XXII, no 2, mai 1956.

— «Elite groups: a Scheme for the Study of Power in Canada», dans *Canadia Journal of Economics and Political Science*, vol. XXI, n⁰ 4, 1955.

ROSENBLUTH, G., «Concentration and Monopoly in the Canadian Economy», dans M. Oliver (édit.), *Social Purpose for Canada*, Toronto, University of Toronto Press, 1961.

WELDON, J., «Consolidations in Canadian Industry 1900-1948», dans L. Skeoch, *Restrictive Trade Practices in Canada*, Toronto, Mc Clelland & Stewart, 1976.

II.3 Documents et sources gouvernementales

CHAMBRE DES COMMUNES, *Comité permanent sur la banque et le commerce,* session de 1928, «Sur le Perfectionnement du régime bancaire au Canada».

— *Comité permanent sur la banque et le commerce,* session de 1934.

COMITÉ DES DÉPENSES ÉLECTORALES, *Études du financement des partis politiques canadiens,* Ottawa, Imprimeur de la reine, 1966.

— *Rapport,* Ottawa, Imprimeur de la reine, 1966.

COMMISSION DES VALEURS MOBILIÈRES DU QUÉBEC, *Bulletin hebdomadaire,* Montréal, 1972-1976.

COMMISSION ROYALE D'ENQUÊTE SUR LES ÉCARTS DE PRIX, *Rapport* et *Annexes,* Ottawa, Imprimeur du roi, 1935.

COMMISSION ROYALE D'ENQUÊTE SUR LE SYSTÈME BANCAIRE ET FINANCIER, *Rapport,* Ottawa, Imprimeur de la reine, 1966.

ONTARIO LEGISLATURE, *Report of the Nickel Commission,* Sessional Papers, Toronto, 1917.

ONTARIO SECURITIES COMMISSION, *Bulletin* (mensuel), Toronto, 1967-1976.

RAPPORT GRAY, *Investissements étrangers directs au Canada,* Ottawa, Information Canada, 1972.

STATISTIQUE CANADA, *Liens de parenté entre les firmes,* 1965, 1967, 1969, 1972, Ottawa, Information Canada.

II.4 Documents et sources privées

AMES, A.E. & Co., *A.E. Ames & Co., 1899-1949,* Toronto, 1950.

ARLETT, A., *A Canadian Directory to Foundations,* Association des Universités et des Collèges du Canada, Ottawa, 1973.

HOUSTON PUBLISHING CO., *Annual Financial Review,* Toronto (annuel), 1901-1960.

INTERNATIONAL PRESS LTD., *Who's who in Canada* (annuel), Toronto, 1912, 1976.

Martindale — Hubbell Law Directory (annuel), Quinn & Boder, N. Jersey, 1976.

Mc LEAN HUNTER LTD., *Financial Post* (hebdomadaire), Toronto, 1910-1976.

— *Financial Post Corporation Services* (annuel), Toronto, 1976.

— *Financial Post Directory of Directors,* (annuel), Toronto, 1931-1976.

— *Financial Post Survey of Corporate Securities* (annuel), Toronto, 1927-1948.

— *Financial Post Survey of Funds* (annuel), Toronto, 1962-1976.

— *Financial Post Survey of Industrials* (annuel), Toronto, 1949-1976.

— *Financial Post Survey of Mines* (annuel), Toronto, 1926-1976.

— *Financial Post Survey of Oils* (annuel), Toronto, 1936-1976.

MOODY'S INVESTOR SERVICE INC., *Moody's Bank & Finance Manual* (annuel), New York, 1928-1976.

— *Moody's Industrial Manual* (annuel), New York, 1914-1976.

— *Moody's Transportation Manual* (annuel), New York, 1928-1976.

— *Moody's Utility Manual* (annuel), New York, 1920-1976.

STANDARD & POOR'S CORP., *Standard & Poor's Register of Corporations, Directors & Executives* (annuel), New York, 1928-1976.

THE CONFERENCE BOARD IN CANADA, *Canadian Directorship Practices: Compensation 1976*, Ottawa, 1976.

— *Stock options plans*, Ottawa, 1973.

THE GLOBE PUBLISHING CO., *Commercial Register of Canada*, Londres, 1930.

WHO'S WHO CANADIAN PUBLICATIONS, *The Canadian Who's Who* (irrégulier), 1912-1976.

A YOUNG & CO., *Top Management Compensation*, New York, 1976.

TABLE DES MATIÈRES

Achevé d'imprimer
à Montréal, le 18 avril 1978,
sur les presses de l'imprimerie Jacques-Cartier Inc.